LE SAUT DE L'ANGE

Écrivaine américaine, Lisa Gardner a grandi à Hillsboro, dans l'Oregon. Auteure de plusieurs thrillers, elle est considérée comme l'une des grandes dames du roman policier féminin. Elle a reçu le Grand Prix des lectrices de *Elle* en 2011 dans la catégorie Policier pour *La Maison d'à côté*.

LISA GARDNER

Le Saut de l'ange

ROMAN TRADUIT DE L'ANGLAIS
(ÉTATS-UNIS) PAR FLORIANNE VIDAL

ALBIN MICHEL

Titre original :

CRASH & BURN
Paru chez Dutton, New York, 2015.

1

Je suis déjà morte une fois.

Je me rappelle ce que j'ai ressenti, si tant est que je puisse me rappeler quoi que ce soit aujourd'hui. Une douleur intense, cuisante, suivie d'une immense et accablante fatigue. Je voulais tout laisser tomber ; ça, je m'en souviens parfaitement. J'avais *besoin* que ça s'arrête. Mais je ne l'ai pas fait. J'ai lutté contre la douleur, la fatigue, la lumière blanche à la con. Je me suis accrochée et, petit à petit, je suis revenue dans le monde des vivants.

Pour Vero. Parce qu'elle avait besoin de moi.

Qu'as-tu fait ?

Maintenant je flotte entre ciel et terre. J'ai l'impression que ce n'est pas normal. Les automobiles sont trop lourdes, elles ne sont pas faites pour voler, surtout les gros 4 × 4 de luxe. Il y a une odeur étrange, un truc âcre qui m'agresse les narines. De l'alcool. Du whisky Glenlivet, plus précisément. Je ne bois que du bon, par principe.

Qu'as-tu fait ?

Je voudrais crier. Je fends les airs ; dans une seconde, je vais mourir une deuxième fois. Si je dois y passer, j'aimerais au moins faire entendre ma voix. Mais rien ne sort.

À la place, je regarde fixement à travers le pare-brise. Il fait noir comme dans un four. Et, comble de l'ironie, il pleut.

Comme cette nuit-là. Avant que…

Qu'as-tu fait?

Voler n'est pas si désagréable. Au contraire, la sensation est plutôt plaisante, jubilatoire même. Je défie les lois de la pesanteur, je laisse derrière moi les contraintes de la vie terrestre. Je devrais tendre les bras pour mieux étreindre cette deuxième mort qui s'annonce.

Vero.

Ma belle petite Vero.

Et puis…

La force de gravité reprend ses droits. Dès qu'elle entre en contact avec le sol, ma voiture retrouve son poids d'origine. Un terrible fracas. Une onde de choc. Mon corps, si léger l'instant d'avant, heurte le volant, le tableau de bord, le levier de vitesse. Comme une poupée de chiffon. Le bruit du verre qui éclate. Mon visage qui part en mille morceaux.

Une douleur intense, cuisante, suivie d'une immense et accablante fatigue. Je veux tout laisser tomber. J'ai *besoin* que ça s'arrête.

Je pense : Vero.

Et puis : Oh mon Dieu, qu'ai-je fait?

Mon visage est trempé. Je me passe la langue sur les lèvres. Elles ont un goût d'eau, de sel, de sang. Je lève doucement la tête. Un élancement me déchire la tempe. Je grimace. Par réflexe, je baisse le menton.

Mon front endolori heurte une surface en plastique rigide. Le volant. Il est enfoncé dans ma cage thoracique ; ma jambe est bizarrement tordue, mon genou coincé sous le tableau de bord froissé. Je suis tombée, me dis-je, et je ne peux pas me relever.

J'entends un rire. Ou peut-être un sanglot. Un bruit insolite en tout cas, comme un gémissement suraigu, interminable, malsain.

C'est de moi qu'il émane.

La pluie a réussi à pénétrer dans l'habitacle. Ou alors non, c'est moi qui ai réussi à en sortir, je ne sais pas très bien. Le whisky. Ça sent tellement fort que j'en ai la nausée. En fait, c'est mon pull qui empeste comme ça. J'ai du mal à accommoder mais je repère les morceaux de verre éparpillés autour de moi ; des tessons de bouteille.

Je devrais agir. Sortir de là. Appeler à l'aide. Faire quelque chose.

Ma tête est si mal en point que des éclairs de lumière blanche explosent sur le velours noir de la nuit, où que mes yeux se posent.

Vero.

Ce nom s'impose à mon esprit, m'ancre à la réalité, me guide, me pousse en avant. Vero, Vero, Vero.

Je bouge. Laborieusement. J'essaie de m'extirper de mon siège. La plainte continue devient un hurlement effroyable. On dirait que le nez de mon véhicule est fiché dans le sol ; le tableau de bord à moitié défoncé me rentre dans le thorax. Je ne suis pas assise à la verticale mais légèrement penchée vers l'avant, comme si mon Audi n'arrivait pas à retomber sur ses roues arrière. Et je dois redoubler d'efforts pour

9

dégager mon corps coincé entre le siège, le volant et le tableau de bord.

La masse de l'airbag m'entrave, me colle. J'en ai plein les mains, je l'insulte. Je recommence à brailler, à me débattre, à fulminer. Une colère aveugle qui a l'intérêt de noyer ma fatigue sous des flots d'adrénaline. Ne reste plus que la douleur, terrible, infinie. Une douleur dont je sais qu'elle dépasse ce que je peux supporter. À force de me tortiller, je parviens à m'extraire de là. Et je m'écroule, hors d'haleine, sur la console centrale. Mes jambes fonctionnent. Mes bras aussi.

Ma tête brûle littéralement.

Vero.

De la fumée. Ça sent le brûlé ou quoi? Soudain, la panique me prend. La fumée, les cris, le feu. La fumée, les cris, le feu.

Vero, Vero, Vero.

Sauve-toi. Cours!

Non. Calme-toi. Il n'y a pas de fumée. Tu confonds avec la première fois. On peut mourir combien de fois? Je n'en sais trop rien. Tout se mélange dans ma pauvre tête : l'odeur de la terre mouillée, la chaleur des flammes et tout le reste. Des sensations multiples mais intimement liées. Je meurs. Est-ce que je suis morte? Non. Si, je suis bel et bien morte. Mais pour la combientième fois?

Je suis complètement paumée.

Une seule chose m'importe toujours. Vero. Je dois sauver Vero.

La banquette arrière. Je pivote sur moi-même. Je me cogne le genou gauche puis le genou droit. Je gueule. Bordel. Ça fait mal mais tant pis. La banquette arrière. Il faut que j'atteigne cette foutue banquette arrière.

Je tâtonne dans le noir. Je lèche la pluie, la boue sur mes lèvres. Au même moment, je m'aperçois que le pare-brise est éventré. Le toit ouvrant aussi, d'où la pluie qui détrempe l'habitacle. Mon magnifique 4 × 4 hybride, un Audi Q5 quasiment neuf, a perdu trente centimètres. Le capot a encaissé l'essentiel du choc. J'imagine que les portières avant sont bloquées. En revanche, à l'arrière, on dirait qu'elles n'ont pas trop souffert.

«Vero, Vero, Vero.»

Tiens, je porte des gants. Ou j'en portais. Ils sont tellement déchirés par les éclats de verre qu'ils ressemblent à des lambeaux de peau sanguinolents qui ballottent autour de mes doigts. Ils me gênent. J'arrive à les enlever tant bien que mal. Puis, par simple réflexe, je les enfonce dans une poche de mon pantalon. Pas question de les jeter par terre. Je ne balance pas mes déchets n'importe où. Ma voiture n'est pas une poubelle. Enfin, elle ne l'était pas, devrais-je dire.

Mon mal de tête repart de plus belle. Je voudrais me mettre en boule et dormir, dormir, dormir.

Mais je ne le fais pas. Impossible : Vero.

À nouveau, je m'intime de bouger. Je farfouille dans le noir, à droite, à gauche. Je ne trouve rien. Personne. Je recommence. Je cherche sur les coussins, sur le sol et mes mains tremblent de plus en plus fort. Comme si un petit corps pouvait apparaître sous mes doigts, par magie. Mais non.

Et si… et si elle avait été éjectée au moment du décollage? L'Audi a bien essayé de s'envoler. Pourquoi pas Vero?

Maman, regarde. Je suis un avion.

Qu'ai-je fait? Nom de Dieu, qu'ai-je fait?

Il faut que je sorte de cette bagnole. Tout de suite. Rien d'autre n'a d'importance. Elle est forcément là-dehors, dans le noir, la pluie, la boue. Vero. Je dois la sauver.

Je me faufile à l'arrière en rampant sur les coudes. Maintenant, il faut que je me casse en deux pour atteindre la portière. Elle ne s'ouvre pas. Je tire. La poignée se couvre de sang. Je pousse de toutes mes forces, je pleure, je supplie, j'implore. Rien n'y fait. L'impact? La sécurité enfant? *Et merde!*

Il y a une autre solution. Passer par le coffre. Je me remets en mouvement. Avec une lenteur exaspérante car la douleur dans ma tête me soulève l'estomac. Je sens monter la nausée. Je vais vomir mais je m'en fiche. Il faut que je sorte d'ici. Il faut que je trouve Vero.

Ma bouche s'emplit d'une substance liquide. Je crache un filet de bile, vestige de single malt premier choix et de l'amertume d'une longue nuit.

Je me traîne dans la flaque de dégueulis, toujours résolue à sortir par l'arrière. Enfin une bonne nouvelle : la porte du coffre est entrouverte, sans doute à cause du choc.

Je la relève entièrement. Ensuite, comme ramper me fait trop mal aux côtes – seraient-elles brisées? –, je me hisse à la force des bras et je m'étale à plat ventre dans la boue. Une boue tellement molle et gorgée d'eau qu'elle amortit ma chute. Je roule sur moi-même, le souffle haché par la douleur, l'effort physique et l'angoisse de me retrouver dans cette situation.

Je t'en prie, la pluie, va-t'en! Tu tomberas un autre jour.

Maman, regarde, je suis un avion.

La fatigue revient. Immense, accablante. Je pourrais rester là, vautrée dans la gadoue, à attendre les secours. On va bien venir me chercher. Quelqu'un qui aura assisté à l'accident. Un automobiliste qui passait par là. Ou quelqu'un à qui je manquerai. Qui s'inquiétera pour moi.

Le visage d'un homme surgit dans mon esprit mais s'efface avant que je puisse l'identifier.

Je murmure «Vero». Comme si la pluie pouvait m'entendre, ou bien la boue, ou bien la nuit sans étoiles.

L'odeur de la fumée, me dis-je machinalement. La chaleur du feu. Non, ça c'était la première fois. Fais un effort, bon sang! Concentre-toi!

Je me remets sur le ventre et c'est parti.

La distance est longue d'ici à la route. Entre deux, il y a de la boue, de l'herbe, des buissons clairsemés, des cailloux pointus. Je perçois des bruits au loin; des voitures qui passent en sifflant comme des oiseaux exotiques. Et moi qui rampe à la vitesse d'un escargot, je me rends compte du problème. Les véhicules sont tout là-haut; et moi tout en bas. Jamais ils ne me verront. Jamais personne ne s'arrêtera pour m'aider à trouver Vero.

Encore deux centimètres, cinq, dix. Je heurte une pierre et pousse un cri muet. Puis je m'empêtre dans les broussailles, je jure. Mes doigts tremblants se tendent, encore et encore. La douleur hurle si fort dans ma tête que je dois m'arrêter de temps en temps pour régurgiter de misérables filets de bile.

Vero.

Et puis : *Oh, Nicky, qu'as-tu fait ?*

J'entends de nouveau ce curieux gémissement. Je n'en tiens pas compte. Je ne veux pas m'avouer que c'est moi, l'animal en détresse.

Ça fait combien de temps que je me contorsionne sur cette pente boueuse ? Au moment où j'atteins le sommet, je suis couverte de la tête aux pieds d'une substance noire et visqueuse. Loin de me perturber, cette pensée m'amuse. Ça me va bien, me dis-je. On a l'aspect qu'on mérite.

Je ressemble à une femme qui sort de sa tombe.

Des phares. Comme deux têtes d'épingle. Ils se rapprochent. Je pousse sur mes bras. Je me mets à quatre pattes, c'est la seule solution pour que l'automobiliste me voie. C'est assez facile parce que je n'ai plus mal aux côtes. Mon corps est comme engourdi, le hurlement dans ma tête a dû faire sauter les circuits et mettre toutes mes fonctions en veille.

Ou alors je suis morte. C'est peut-être ça, la mort, me dis-je en ramenant une jambe sous mon ventre. Je me relève, lentement mais sûrement.

Un crissement de freins. La voiture dérape sur la chaussée mouillée, fait un bref tête-à-queue et, par miracle, s'arrête juste devant ma main levée, mon visage blême, strié de pluie.

« Nom de… » Un monsieur d'un certain âge, visiblement secoué, ouvre sa portière. L'habitacle

s'éclaire. Il pose un pied hésitant sur le macadam.
« Madame, vous allez bien ? »

Je suis incapable de répondre.

« Vous avez eu un accident ? Où est votre voiture ?
Voulez-vous que j'appelle les secours, madame ? »

Pas un mot.

Je pense : Vero.

Et soudain, tout me revient. Je me souviens. Une
gigantesque explosion de lumière, de terreur et de
rage. Une douleur fulgurante me transperce le crâne
mais aussi le cœur. Ça y est, je sais qui je suis. Je suis
le monstre caché sous le lit.

Le vieux monsieur recule d'un pas, comme s'il
lisait dans mes pensées.

« … Ne bougez pas, madame. Attendez… je, heu,
j'appelle une ambulance. »

L'homme replonge dans sa voiture faiblement
éclairée. Je ne parle pas. Je reste plantée sous la pluie,
les jambes flageolantes.

Je pense une dernière fois : Vero.

Puis le souvenir s'efface comme une page qui se
tourne.

Et je ne suis plus personne, juste une femme revenue par deux fois d'entre les morts.

2

Le téléphone sonna peu après cinq heures du matin : accident de voiture, un seul véhicule impliqué, sortie de route, blessures à déterminer. Comme le patelin en question n'avait pas de poste de police ouvert la nuit – bienvenue au fin fond du New Hampshire –, c'était aux agents du comté de s'y coller. Ou plus exactement à l'officier de patrouille Todd Reynes. Ce dernier débarqua un quart d'heure plus tard – re-bienvenue au fin fond du New Hampshire, avec ses petites routes en lacet ne menant jamais directement où vous voulez aller – et tomba sur les urgentistes qui s'activaient sous la pluie autour d'un brancard où une femme était sanglée, couverte de sang et de boue. On l'informa que la conductrice, grièvement blessée, puait tellement l'alcool qu'on devait se tenir à bonne distance pour éviter d'être soi-même intoxiqué.

Un vieux monsieur traînait dans les parages. L'automobiliste ayant découvert la victime et donné l'alerte. L'homme, qui se tenait en retrait, salua l'agent Reynes d'un petit signe de tête. Il semblait attendre qu'on l'interroge, qu'on lui demande de signer au bas d'un document ou d'exécuter telle ou telle formalité censée mettre un point final à sa participation involontaire.

L'agent Reynes lui rendit son salut. Pour lui, l'affaire ne faisait pas un pli. Conduite en état d'ivresse. Une seule victime, laquelle serait bientôt transportée à l'hôpital. Un seul véhicule endommagé, lequel ne tarderait pas à être évacué par le premier dépanneur disponible à cette heure matinale. Bref, la routine.

Mais soudain, la blessée couverte de sang et de boue leva une main et la posa sur une sangle. Le Velcro s'arracha dans un crissement lugubre. La femme se redressa d'un coup en hurlant : «Vero! Elle a disparu. Ce n'est qu'une petite fille. Au secours. Je vous en prie, faites quelque chose, mon Dieu. Au secours!»

D'où l'intervention subséquente du service d'enquêtes criminelles en la personne du brigadier Wyatt Foster, du bureau du shérif du North Country. Le brigadier Foster débarqua sur le lieu de l'accident peu après sept heures du matin. Sur le bitume qui avait séché entre-temps était rassemblé tout ce qui portait un uniforme depuis Concord jusqu'à la frontière canadienne. Bon, c'était peut-être un peu exagéré, pensa-t-il, mais pas tant que ça.

Wyatt descendit de son véhicule en grimaçant à cause du froid mordant. C'était la fin de l'automne et le soleil commençait juste à faire son apparition. Ces derniers jours, il avait tellement plu qu'on avait déclenché l'alerte inondation. Certains avaient même commencé à fabriquer des arches. On prévoyait une amélioration; ça, c'était la bonne nouvelle. La mauvaise, c'était que les trombes d'eau tombées durant la nuit avaient probablement nettoyé tous les indices susceptibles de les aider dans leurs recherches.

La brigade canine, pensa-t-il. Une tâche pareille dépassait les compétences humaines. Il fallait recourir aux chiens.

À une quinzaine de mètres devant lui, l'un de ses agents, Kevin Santos, regardait le fossé en contrebas de la route. Kevin portait sa grosse parka d'hiver, bien qu'on n'y soit pas encore. Une main dans la poche, l'autre crispée sur un gobelet en carton blanc contenant du café de chez Dunkin' Donuts. Wyatt le rejoignit.

«Tu n'en aurais pas un pour moi, par hasard?» demanda-t-il en montrant le breuvage fumant.

Kevin arqua un sourcil. Il avait dix ans de moins que Wyatt, et on l'avait surnommé le Cerveau à cause de sa mémoire exceptionnelle.

«J'en ai pris quatre. Dans ce genre de circonstances, on n'a jamais trop de café.» Belle initiative venant confirmer sa réputation de génie.

Joignant le geste à la parole, Kevin montra, sur le capot de son véhicule, le plateau cartonné percé de quatre trous et les trois gobelets d'arabica fichés dedans. Wyatt ne se fit pas prier.

«Tu me mets au parfum?» dit-il. Après la deuxième gorgée, son sang circulait mieux.

Kevin pointa le doigt. La chose qu'il désignait ainsi devait se trouver au fond du ravin. Quelques arbres poussaient sur sa pente escarpée mais il y avait surtout des taillis, des troncs couchés, des cailloux et tout ce qu'on trouve généralement dans un sous-bois. Et puis, tout en bas, à une quarantaine de mètres de la route, un ruisseau que Dame Nature, dans sa grande générosité, avait changé en torrent tumultueux.

Sur la berge, Wyatt discerna la partie arrière d'un 4 × 4 de couleur foncée. Le véhicule était planté dans le sol, le cul en l'air, la porte du coffre grande ouverte.

«Audi Q5», commenta Kevin.

Wyatt écarquilla les yeux. Il était scotché. Une bagnole de luxe, dernier modèle. Mais ce que ça lui apprenait ne lui faisait ni chaud ni froid. Dans le temps, quand on enquêtait sur des infractions commises en état d'ivresse, on avait souvent affaire à des vieux schnocks bourrés comme des coings ou à des gamins débiles. Aujourd'hui, la plupart des contrevenants étaient des mères de famille, des bourgeoises bon chic bon genre, visiblement shootées aux barbituriques mais refusant obstinément de l'admettre. Le genre qui vous donnait du fil à retordre.

«Il semble que le véhicule ait effectué une sortie de route à cet endroit précis», dit Kevin en désignant le sol avec son gobelet.

Wyatt suivit son geste. En effet, on voyait nettement des empreintes de pneus sur le bas-côté bourbeux. Des marques assez profondes pour avoir résisté à la pluie battante.

«Un vol plané de toute beauté», murmura Wyatt en retraçant la trajectoire qui menait jusqu'à la dernière demeure du Q5.

Poursuivant son exposé, Kevin lui montra le virage que l'Audi avait raté. La route tournait à gauche, la voiture était partie à droite. «C'est là qu'elle a perdu le contrôle», dit Wyatt en observant la courbure de la chaussée derrière lui, avant de passer aux empreintes de pneus laissées dans la boue, près de ses pieds. «Sinon, la sortie de route se serait produite nettement plus loin.

— Elle s'est peut-être endormie. Ou évanouie. Ce genre de chose. Todd connaît le problème par cœur.»

Wyatt confirma d'un signe de tête. Patrouilleur expérimenté, l'agent Todd Reynes avait longtemps exercé au sein de la DARE, la brigade de prévention contre la drogue. Il repérait les conducteurs bourrés à plusieurs kilomètres de distance, disait-il pour plaisanter. C'était aussi un joueur de hockey hors pair. Deux talents fort utiles dans cette contrée montagneuse du New Hampshire.

«Todd dit qu'elle puait la gnôle. Il y avait une bouteille dans sa voiture. Elle a dû exploser dans l'accident, parce que ses vêtements étaient imbibés de whisky.

— Du whisky?

— Du scotch, plus exactement. Et pas n'importe lequel. Glenlivet, single malt, dix-huit ans d'âge. Mais je triche – j'ai vu les restes de la bouteille.»

Wyatt leva les yeux au ciel. «Donc notre conductrice s'envoie une lampée de scotch, en renverse sur elle et rate le virage. Soit elle n'y voit plus clair, soit elle est déjà dans les vapes. En tout cas, elle part dans le décor.

— Ça se tient.» Ils en auraient le cœur net dès que l'équipe technique (TAR) aurait reconstitué la scène. Pour ce faire, leurs collègues se serviraient d'un tachéomètre, comme en ont les géomètres pour mesurer les angles, les trajectoires, les distances. Après, ils entreraient toutes ces données dans un ordinateur qui les recracherait en langage intelligible – quoi, comment, pourquoi. Par exemple, dans le cas d'un conducteur inconscient, le véhicule a tendance à quitter la route au ralenti ou au point mort, car la personne n'appuie plus sur l'accélérateur. En revanche, un chauffeur ivre mais éveillé roulera de manière assez incohérente – un dérapage par-ci, un coup de frein par-là – pour laisser des traces de gomme sur la chaussée. Wyatt et Kevin faisaient eux-mêmes partie de l'équipe TAR. Ils n'en étaient pas à leur premier constat, ni à leur dernier.

Mais ce matin, il y avait plus urgent. Ce matin, comme les dizaines d'autres flics en uniforme – police municipale, du comté, de l'État – qui piétinaient dans le froid et la boue, ils poursuivaient un seul et unique objectif : retrouver une petite fille disparue.

«Récapitulons, reprit sèchement Wyatt. Si l'on suppose que le véhicule a quitté la route ici et qu'il a atterri là en bas…

— Les officiers de patrouille ont ratissé la zone dans un rayon de quinze mètres autour du véhicule. Maintenant, on dirait qu'ils inspectent la pente. C'est raide mais la végétation est plutôt rare. Pourtant, comme tu peux le constater…»

De là où ils se tenaient, ils bénéficiaient d'une vue à cent quatre-vingts degrés. Évidemment, quelques heures plus tôt, en pleine nuit et avec la pluie qui tombait à seaux, cette pente broussailleuse devait être impraticable. À présent, il était sept heures vingt-cinq – Wyatt vérifia sa montre –, l'aube pointait et une lumière aqueuse, tirant sur le gris, éclairait le ravin détrempé.

Du coup, ils n'avaient même pas besoin de se déplacer pour embrasser du regard l'essentiel de la scène. Mais où qu'il posât les yeux, Wyatt ne voyait que… de la boue et encore de la boue.

« Les chiens », dit-il.

Kevin sourit. « J'ai appelé la brigade canine. »

Ils passèrent du bitume à la gadoue.

« Que sait-on de la gamine ? » demanda Wyatt pendant qu'ils descendaient péniblement le versant du ravin. La terre encore très molle rendait l'exercice hasardeux. Il marchait les yeux baissés, autant pour éviter de se briser le cou que pour s'assurer qu'il ne détruisait pas des indices potentiels. Les gouttes de café qui jaillissaient du petit trou perçant le couvercle de son gobelet s'écoulaient sur sa main. Il s'en voulait de gâcher un breuvage si précieux.

« Rien.

— Comment ça ? C'est impossible.

— La conductrice délirait à pleins tubes. L'alcool, les contusions, Dieu sait quoi encore. D'après Todd, elle est passée en deux secondes du mutisme à la crise d'hystérie. Les urgentistes ont dû l'attacher et l'emmener avant qu'elle ne blesse quelqu'un.

— Mais elle a quand même parlé d'une enfant.

— Vero. Elle l'a cherchée en vain. "Ce n'est qu'une petite fille. Aidez-moi, s'il vous plaît." »

Wyatt se rembrunit. Il n'aimait pas le tour que prenaient les choses. « De quel âge environ ?

— Il n'y avait pas de siège spécial sur la banquette. Et l'airbag côté passager ne s'est pas gonflé. On peut donc en déduire qu'elle est trop grande pour s'asseoir sur un siège de sécurité mais trop petite pour voyager à l'avant.

— Ce qui nous donne une tranche d'âge entre neuf et treize ans. Autrement dit, une préadolescente.

— Tu en sais plus long que moi sur la question, mon vieux. »

Wyatt leva les yeux au ciel mais ne renchérit pas. « Des traces de sang? demanda-t-il.

— C'est le moins qu'on puisse dire. L'habitacle est repeint en rouge. La peau de la conductrice présente des marques de lacération. Impossible de savoir de quand elles datent. Avant, pendant, après l'accident? Mais le temps qu'elle s'extirpe de son siège, qu'elle rampe jusqu'au coffre… Il y avait des éclats de verre partout… C'est proprement miraculeux qu'elle ait eu la force d'escalader la pente, puis d'arrêter une voiture qui passait.

— Escalader la pente? » Wyatt s'arrêta net.

Kevin l'imita, puis, dans un même mouvement, ils se tournèrent vers la route perchée tout là-haut. « Sinon, tu penses bien qu'on ne l'aurait jamais trouvée, raisonna Kevin. En pleine nuit, personne n'aurait remarqué une voiture accidentée au fond d'un ravin. On a déjà eu du mal à l'apercevoir tout à l'heure, alors qu'il faisait jour et qu'on savait où regarder.

— Merde alors, marmonna Wyatt. Incroyable… »

Il se targuait d'être un homme relativement costaud et en bonne forme physique, de par son métier d'abord mais aussi grâce à son autre passion, la menuiserie ; rien de tel que manier le marteau quelques heures par semaine pour conserver aux biceps et triceps leur fermeté d'origine. Malgré cela, il en avait bavé ne serait-ce que pour *descendre* cette pente couverte d'une épaisse couche visqueuse tout en se battant avec les ronces. Mais s'il avait dû emprunter le même chemin pour *monter*, qui plus est sous une pluie battante et avec de graves blessures… Non, c'était proprement inimaginable.

« Elle a fait signe à un automobiliste qui passait, poursuivit Kevin. Daniel Ledo, vétéran de la guerre de Corée. Selon lui, elle n'a pas desserré les dents, comme si elle était sous le coup d'un stress post-commotionnel. Il a dit qu'en médecine militaire, ça s'appelle le "choc de l'obus". Elle est restée plus ou moins amorphe jusqu'à ce que les urgentistes la hissent sur le brancard. À ce moment-là, elle repère Todd, et vlan, elle commence à gigoter en hurlant, "Vero, où est Vero, je ne l'ai pas trouvée, il faut aider Vero."

— Logiquement, si elle ne l'a pas trouvée, c'est qu'elle l'a cherchée.

— Sans doute, dit Kevin.

— Alors qu'elle avait de la boue jusqu'aux genoux. Je comprends mieux qu'elle ait réussi à s'extraire de l'épave et à grimper jusqu'à la route. Elle était désespérée. Elle voulait qu'on l'aide à retrouver son enfant.

— Ça peut se comprendre.

— Et nous… ?

— Toujours rien. Une douzaine d'officiers de patrouille ont passé le secteur au peigne fin pendant deux heures, sans parler de nos collègues des Eaux et Forêts – difficile de trouver plus qualifié qu'eux. Quand je suis arrivé sur les lieux, trente minutes avant toi, ils étaient en plein boum. Ils avaient commencé par quadriller le terrain autour de la bagnole puis ils ont étendu les recherches jusqu'à huit kilomètres. Et toujours aucun résultat susceptible d'éclaircir notre affaire. »

Wyatt comprenait ce que son équipier entendait par là. Si la fillette avait été projetée hors du véhicule, ils auraient déjà trouvé le corps. Si elle avait passé la nuit terrée dans un coin en attendant les secours, elle aurait déjà répondu aux appels des sauveteurs. Quelle autre possibilité ?

Wyatt regarda autour de lui en se demandant quelle distance une enfant blessée et désorientée pouvait parcourir sur un terrain aussi broussailleux. Ses yeux se posèrent sur l'ancien ruisseau devenu torrent. Le courant était assez fort pour emporter une personne inconsciente.

« Les chiens », répéta-t-il.

Ils continuèrent jusqu'à l'épave.

L'Audi Q5 Premium avait dû être magnifique, à l'état neuf. Une carrosserie anthracite aux reflets métallisés. Un habitacle bicolore, avec de superbes sièges en cuir gris argent, des boiseries laquées noir rehaussées de baguettes chromées. Ce genre de break était assez vaste pour contenir les courses de la semaine, la moitié d'une équipe de foot et le chien de la famille, tout cela sans rien perdre de son cachet.

Et voilà que cette petite merveille se trouvait plantée devant eux, cul par-dessus tête, le capot à moitié enfoui dans la gadoue, la porte du coffre béante, pareille à un missile qu'une erreur balistique aurait fait atterrir dans les forêts du New Hampshire.

«Jantes de 20 pouces avec finition au titane, marmonna Kevin sur un ton mi-envieux mi-révérencieux. Volant sport. Boîte de transmission automatique Tiptronic, huit vitesses. C'est la version 3.0, ce qui veut dire que son moteur six litres monte à quatre-vingt-dix kilomètres à l'heure départ arrêté en moins de six secondes. Un vrai tigre et, en plus, tu peux y mettre tes clubs de golf!»

Wyatt ne partageait pas la passion de Kevin pour les automobiles et les statistiques. «Quatre roues motrices?» C'était la seule chose qui l'intéressait.

«Comme toutes les Audi. C'est la base.

— Contrôle de stabilité? Freinage ABS? Autres équipements pour la conduite par temps de pluie?

— Elle a toute la panoplie. Et je ne te parle pas des phares au xénon, des LED pour les feux arrière et de la demi-douzaine d'airbags.

— Bref, est-ce que ce modèle est capable de rouler en toute sécurité dans les pires conditions météo? Genre nuit de tempête.

— Absolument. Sauf en cas d'incident mécanique ou informatique.»

Wyatt grommela. Il n'était pas surpris. En quelques années, les voitures étaient devenues des ordinateurs roulants. Et une Audi grand luxe comme celle-ci…

C'était dingue. Cette bagnole possédait une bonne douzaine de systèmes de sécurité différents, rien que pour assurer sa propre protection. Sans parler de celle du chauffeur. Alors, pour qu'elle ait fini dans cet état…

Pour enquêter sur un accident, la meilleure méthode consistait à dérouler les événements à l'envers. On commençait par le résultat final – l'épave – et on remontait jusqu'à l'élément déclencheur – le défaut de freinage ou le tête-à-queue suivi du choc dans le rail de sécurité. Dans le cas présent, le véhicule avait atterri selon un angle de quarante-cinq degrés, en plein sur le pif, pourrait-on dire, d'où les dommages concentrés sur la partie avant : capot enfoncé, pare-brise explosé, pareil pour les vitres conducteur et passagers. Et tous les autres dégâts associés à un choc frontal massif.

L'absence d'éraflures sur les flancs indiquait que l'Audi n'avait pas dévalé la pente mais qu'elle s'était envolée au-dessus des buissons. Avec suffisamment d'élan pour réussir un beau plongeon tête la première. Selon ses propres estimations, du moins ; les relevés au tachéomètre leur en apprendraient sans doute davantage. Mais de toute évidence, elle était sortie de la route là où ils avaient bu leur café puis, après un vol plané relativement bref, le capot avait percuté le fond du ravin.

Première question : pourquoi cette sortie de route ? Erreur de conduite due à la supposée ivresse de la conductrice ? Ou autre chose ? Deuxième question : à quelle vitesse roulait-elle et à combien de tours-minute ? En d'autres termes, la femme avait-elle appuyé sur le champignon au moment fatidique ou était-elle déjà évanouie ?

Wyatt avait de la chance, pour le coup. Ces ordinateurs roulants de dernière génération possédaient tous des enregistreurs de données fonctionnant comme la boîte noire d'un avion. Les ultimes instants du véhicule étaient donc accessibles. La police du comté n'étant pas jugée assez cool pour mériter son propre logiciel de transcription, ils devraient transmettre les données électroniques à leurs collègues de la police d'État, lesquels les entreraient dans leur système informatique et, abracadabra, la machine recracherait de quoi répondre à quelques-unes de leurs questions.

Mais pour l'instant, Wyatt préférait se consacrer au problème prioritaire. Une fillette âgée de neuf à treize ans était portée disparue.

Il y avait des empreintes de pas autour de l'épave mais, par leur nombre et surtout par leur taille, elles ne pouvaient appartenir qu'aux sauveteurs partis dès l'aube à la recherche de l'enfant. Celles des éventuels occupants du véhicule auraient démarré juste devant les portières. Pour en avoir le cœur net, Wyatt enfila un gant en latex et tenta d'ouvrir la porte avant, côté passager. Coincée, bien entendu. À l'arrière, même topo. La structure métallique n'avait pas résisté à la puissance de l'impact.

Restait celle du coffre, déjà ouverte. Il fit deux pas dans sa direction tout en examinant les empreintes dans la boue. Des semelles de bottes surtout. Comme celles que portaient les officiers de police.

«Ils ont vérifié les traces? demanda-t-il à Kevin. C'est Todd qui s'en est chargé ou l'un des premiers intervenants?

— Todd dit qu'il a regardé un peu partout avec sa torche. Il n'a rien vu, étant donné les conditions météo. De toute façon, empreintes ou pas, il s'est tout de suite dit que la conductrice était forcément sortie par le coffre puisque c'est la seule porte qui fonctionne.

— À supposer que la gosse ait été consciente, elle a dû passer par le coffre elle aussi, conclut Wyatt. Peut-être que… la mère a été réveillée par le choc. Elle reprend connaissance et, ne voyant plus son enfant, elle panique et accomplit l'exploit de remonter la pente pour chercher du secours. Mais d'un autre côté, s'il l'on tient compte de l'alcool qu'elle avait bu, de la force de l'impact, elle ne s'est peut-être pas réveillée tout de suite. Mettons qu'elle soit restée inconsciente pendant quinze, vingt ou trente minutes après l'accident. La gamine essaie de la secouer et, n'obtenant pas de réaction, elle prend peur et part seule dans la nature.»

Kevin ne savait que répondre. Le Cerveau préférait les statistiques aux hypothèses.

«Portable?» demanda Wyatt.

Cette question-là entrait dans son domaine de compétences. «On en a retrouvé un sous le tableau de bord, dit Kevin. Enregistré au nom de la conductrice. Sinon rien.»

Wyatt prit le temps de réfléchir. «Tu connais des ados sans portable?

— Il faudrait déjà que je connaisse des ados.

— Tes nièces, tes neveux…

— Ah oui. Ils ont tout le matos, iPod, smartphones, etc. De manière générale, on a intérêt à ce que les gosses ne s'éloignent jamais de ces engins-là. Sinon, ils risqueraient de nous parler.

— Donc, à supposer que la petite ait entre neuf et treize ans, il est probable qu'elle possède son portable à elle, et dans ce cas…» Il chercha la meilleure formule pour traduire sa pensée. «Pourquoi ne l'a-t-elle pas utilisé? Pourquoi n'est-elle pas restée dans la voiture, à l'abri de la tempête, pour appeler les secours? On capte, dans le coin?»

Kevin fit oui de la tête. «J'ai examiné le portable de la mère. Elle est chez Verizon. C'est mon fournisseur d'accès et j'ai quatre barres.

— Alors, rien ne l'empêchait d'appeler. À moins que…»

Wyatt s'efforça de se mettre à la place d'une fillette paniquée. Les enfants étaient souvent plus astucieux, plus solides qu'on ne l'imaginait. Il avait déjà eu l'occasion de s'en rendre compte, aussi bien dans le boulot que dans sa vie privée.

«Avec l'adrénaline qu'elle avait dans le corps, j'imagine que la pauvre gamine s'est trouvée confrontée au vieux dilemme : lutter ou fuir, proposa Kevin. Elle a peut-être opté pour la deuxième solution.

— À moins qu'elle n'ait été blessée, et peut-être à la tête…» Les possibilités étaient infinies. Et Wyatt détestait cela. Une image s'imposait à lui, celle de la jeune Sophie, neuf ans, avec son regard toujours perdu dans le lointain; Sophie avait vécu l'enfer et elle s'en était sortie. Qu'aurait-elle fait dans un tel cas de figure? La connaissant, elle n'aurait pas hésité un seul instant. Sans doute aurait-elle attrapé sa mère à bras-le-corps pour la hisser hors de la voiture et la traîner jusqu'en haut de la pente, avec ses petites mains. Elle en était tout à fait capable.

Sophie ne le détestait pas. Bon, c'est vrai, elle ne lui souriait jamais. Et elle ne lui adressait pas la parole. Comme s'il n'existait pas. Mais ce n'était pas si grave. La partie ne faisait que commencer et il avait encore pas mal de cartes dans sa manche. Enfin bon…

« Partons du principe qu'elle possède un portable, rebondit Wyatt. Appelle Verizon, demande-leur si d'autres personnes sont inscrites sur le compte de la mère. Tu sais, un forfait familial ou un truc comme ça. Parce que si ce téléphone existe…

— Nous pourrons le tracer, compléta Kevin.

— Et qui dit portable…

— … dit ado greffé dessus.

— Exactement. »

Satisfait d'avoir pu débloquer un tant soit peu la situation, Wyatt reprit son inspection de l'épave. Il passa côté chauffeur. Du verre de sécurité était répandu en menus morceaux sur le sol boueux. La femme avait peut-être heurté sa vitre avec le coude. Ou alors, elle l'avait défoncée à coups de poing au moment où elle cherchait désespérément à se libérer.

Il jeta un œil à l'intérieur. Comme dans la plupart des collisions frontales, le tableau de bord avait été plié en accordéon et la colonne de direction repoussée vers le siège du chauffeur. La ceinture de sécurité qui ne s'était pas rembobinée prouvait que la femme était attachée au moment de l'impact. Elle ne l'avait débouclée que pour sortir. Elle avait dû en baver pour s'extraire d'un tel fatras, songea-t-il. Surtout quand on pense aux blessures liées à ce type d'accident : fractures du pied ou de la cheville, le conducteur appuyant comme un fou sur le frein pour tenter d'empêcher l'inéluctable chute dans l'abîme ; genoux broyés par le tableau de bord ; contusions diverses au niveau de l'abdomen, des côtes, des épaules, à cause de la ceinture de sécurité. Sans parler des mains brûlées par les airbags, des pouces brisés sur les volants et des sternums défoncés par la colonne de direction.

D'autant plus que l'impact avait été du genre violent. La présence du sang le prouvait de manière explicite. Il avait giclé partout, sur le volant, le tableau de bord, le dossier du siège en cuir gris argent, en haut de la portière. La conductrice s'était probablement entaillé la peau à plusieurs endroits. Normal, puisque l'habitacle était jonché d'éclats de verre ; les plus gros provenant de la bouteille de scotch, les plus petits des vitres fumées qui avaient explosé sous le choc. Elle s'était accrochée à tout ce qui pouvait lui servir d'appui, d'où les traces sanglantes qu'on apercevait très nettement sur le tableau de bord, l'assise du siège et ailleurs.

Wyatt s'interrogeait. La conductrice était-elle consciente au moment de l'accident ? Ou s'était-elle évanouie juste avant la sortie de route pour se réveiller deux secondes après, au fond du ravin ? Le pire des scénarios étant qu'elle ait repris connaissance alors que le véhicule planait dans les airs. Il l'imaginait en train de hurler tout en écrasant inutilement la pédale de frein ou se retournant vers sa fille, assise à l'arrière, la main tendue dans un réflexe de dernière seconde. Comme pour tenter de rattraper l'erreur fatale qu'elle venait de commettre.

Wyatt hésitait à se prononcer. Peut-être à cause du respect qu'il éprouvait pour le geste courageux de cette femme qui, malgré ses blessures, avait réussi à se traîner hors de l'épave et à ramper jusqu'à la route dans l'espoir de sauver son enfant. Mais, après tout, quelle différence y avait-il entre elle et le pyromane qui parvient à s'échapper de l'immeuble auquel il a mis le feu?

Quand son regard tomba sur la boîte de vitesses, il fronça les sourcils. Le levier était positionné sur point mort alors que, normalement, une vitesse aurait dû être enclenchée. Il tourna la tête vers Kevin, debout derrière lui.

«Quelqu'un est entré dans la voiture?

— Non.

— On a coupé le moteur?

— Non, il a dû caler. Je ne sais pas. C'est Todd qui a débarqué en premier sur les lieux. Dès qu'il a su qu'une gamine avait disparu, il s'est focalisé uniquement là-dessus et les autres ont fait pareil.»

Wyatt hocha la tête; la protection de la vie humaine passait avant tout. «Le levier de vitesse est sur point mort», précisa-t-il.

Kevin réfléchit à son tour. «Lors d'un impact, les objets fusent dans tous les sens. Un sac a pu tomber sur le levier. La conductrice a pu le déplacer avec le coude, ou le heurter en essayant de se libérer.

— Peut-être.» Wyatt se redressa. Il n'était pas convaincu. Mais on verrait cela plus tard, une fois que la dépanneuse serait venue chercher le véhicule, qu'on aurait démonté les portières et les fauteuils pour les envoyer au labo de la police d'État. Là-bas, ils étudieraient la position du siège de la conductrice, les rétros, les empreintes de main. Gauche, droite. Ils s'appuieraient aussi sur les données fournies par le tachéomètre, l'ordinateur de bord. Reconstituer un accident comme celui-ci nécessitait des jours de travail, voire des semaines.

Mais ils y parviendraient. Wyatt n'en doutait pas. La Scientifique ne négligerait aucun détail. Tout cela pour que le monde entier sache ce qu'une mère imbibée de Glenlivet avait fait subir à son enfant, et à elle-même, lors d'une nuit de tempête, au fin fond du New Hampshire.

Un aboiement le tira de ses réflexions. La brigade canine était arrivée.

Il s'éloigna du véhicule en regardant sa montre.

Huit heures vingt-deux. Trois heures et quinze minutes s'étaient écoulées depuis le coup de fil d'alerte. Ils avaient un accident de la route à élucider et, plus important, un enfant à retrouver.

En définitive, songea-t-il, toutes les pistes ramenaient à un seul et même endroit. Elles suivaient la pente de ce ravin jusqu'au tronçon de route où le drame avait débuté et où un chien policier les attendait à présent.

Kevin et Wyatt commencèrent leur ascension.

3

« *Regarde, maman! Regarde! Je vole.* »

Elle part en courant, les bras grands ouverts. Avec sa petite bouche en cœur, elle imite le bruit d'un moteur d'avion. J'admire les longs cheveux bruns qui dansent dans son dos pendant qu'elle gambade dans la pièce exiguë.

Je me demande si j'avais la même énergie, à son âge. Si j'avais comme elle le courage de sauter par-dessus un obstacle puis de contourner adroitement le suivant.

Je pense que la réponse à cette question se niche quelque part au fond de mon esprit. Qu'elle y reste.

Profite de l'instant. Vero a quatre ans. Elle apprend à voler.

Elle glousse, elle accélère, gagne de la vitesse. Ses cris de joie allègent un peu le poids qui m'oppresse. Elle amorce un virage, passe derrière le canapé marron – tellement usé que la mousse sort par une fente du tissu, quelqu'un devrait arranger ça, aurait dû arranger ça? – et je vois ressurgir sa frimousse, ses bonnes joues roses, ses yeux gris qui pétillent sous ses cils touffus. Elle fonce droit vers moi, comme un bombardier sur sa cible.

« *Maman! Je vole, je vole, je vole.* »

Je t'aime. Je le pense mais je ne le dis pas. Les mots sont coincés dans ma gorge et je reste plantée là, prête à encaisser le choc de son petit corps contre le mien.

Ralentis. Vas-y doucement. Comme si je savais par avance ce qui va se produire.

À la dernière seconde, sa petite chaussure accroche le pied de la table basse. L'espace d'un bref instant, elle s'envole pour de bon, tête la première, battant l'air de ses membres.

Vero écarquille les yeux.

Sa bouche forme un O parfait.

« *Maman !* » *hurle-t-elle.*

Je souffle chut, ne fais pas de bruit. Il va t'entendre.

L'atterrissage est brutal. Boum. Crac.

Le braillement redouté démarre aussitôt.

Je redis chut, le plus bas possible.

Ses yeux noyés de larmes cherchent les miens.

On entend un homme gueuler dans la chambre. Puis des pas lourds, inquiétants.

« *Maman, je vole* », *répète Vero mais sans pleurer. Une simple constatation.*

Je voudrais lui dire je sais, je comprends.

J'aimerais lui tendre la main, toucher ses cheveux, caresser sa joue.

Mais au lieu de cela, je ferme les yeux parce que quelque part au fond de ma tête, je sais ce qui va se passer.

J'entends des machines biper. Je me réveille. La lumière est si forte qu'elle me blesse les yeux. Instinctivement, je grimace et détourne la tête, mais je le regrette aussitôt car une autre douleur explose sous mon front.

Je suis allongée dans un lit d'hôpital. Sur le dos, bras le long du corps, raide comme la justice. Mes mains reposent sur des draps blancs rugueux, surmontés d'une fine couverture bleue. Mon regard suit les barreaux métalliques qui m'environnent de toutes parts, glisse vers les fils électriques attachés à mon doigt par une pince et branchés sur des moniteurs, à l'autre bout. J'ai la bouche sèche, la gorge irritée. Je voudrais gémir mais je ne m'en sens pas la force.

J'ai mal… Partout. Du sommet du crâne aux ongles des orteils, des genoux jusqu'aux coudes. D'abord, je me dis que je suis tombée du vingtième étage et que je me suis brisé tous les os. Ensuite, je me demande pourquoi ils ont pris la peine de me rafistoler. Si j'ai eu le courage de faire ce geste, ils auraient dû respecter mon choix et me ficher la paix.

Puis je l'aperçois, assis dans le fauteuil au pied de mon lit. Il dort, le menton sur la poitrine.

Mon cœur se serre. Je pense : Je t'aime.

Ma tête éclate. Je pense : Dégage, ne t'approche pas de moi !

Puis : Mais bon sang, comment s'appelle-t-il déjà ?

Son visage buriné, plissé par l'inquiétude et le stress, même quand il dort, est loin d'être repoussant. C'est celui d'un homme qui a vécu. Une bonne trentaine d'années, plus probablement quarante et quelques. Cheveux bruns, quelques mèches grises, encore mince malgré son âge. Son corps me plaît ; c'est une évidence.

Et pourtant, je ne veux pas qu'il se réveille. Surtout, j'aurais préféré qu'il ne me trouve pas.

« *Maman, je vole* », murmure Vero au fond de ma tête.

C'est comment déjà, cette vieille blague de pilote ? Le plus dur n'est pas de voler mais d'atterrir.

L'homme ouvre les yeux.

Ils sont bruns, tristes, profonds. Ça ne m'étonne pas.

« Nicky ? dit-il à mi-voix, les mains posées sur les accoudoirs, le corps tendu comme un arc.

— Et Vero ? fais-je d'une voix rauque. Je t'en prie… dis-moi où est Vero ? »

Il se tait, retombe dans le fauteuil. À peine ai-je ouvert la bouche que je l'ai déjà contrarié. Il pose la main sur ses yeux, peut-être pour m'empêcher de voir la réponse qui s'y cache.

Après cela, l'homme que j'aime, l'homme que je déteste – mais comment s'appelle-t-il ? – me chuchote d'un air las : « S'il te plaît, ma chérie. Ne recommence pas. »

4

« Elle s'appelle Annie. C'est une brave bête. Quatre ans, un peu fofolle mais bourrée d'énergie. Et elle connaît bien son boulot, je vous le garantis. »

Le dresseur, Don Frechette, se pencha pour grattouiller sa chienne derrière les oreilles. Un geste affectueux auquel le fougueux labrador jaune répondit en remuant la queue avec une telle impétuosité qu'il faillit se fouetter le museau.

Wyatt aimait les chiens. La dernière fois qu'il avait travaillé sur une affaire classée, le chien renifleur avait déterré un os vieux de cinquante ans dans le lit d'un ruisseau asséché. Le truc sentait la terre et ressemblait à une branche. L'un de ses jeunes collègues s'apprêtait à le jeter comme un vulgaire bout de bois quand l'anthropologue judiciaire lui avait empoigné le bras. *Ce vieux machin ?* s'était étonnée la jeune recrue. *Mais ce n'est qu'un bâton.*

Sur l'instant, l'anthropologue judiciaire avait trouvé l'aventure plutôt marrante. Mais par la suite, elle lui avait confié sa perplexité. C'était incroyable. L'os ne contenait plus la moindre parcelle de matière organique. Alors, comment un chien avait-il pu sentir quelque chose? *Pourtant, ces bêtes ne se trompent jamais*, avait-elle ajouté d'un air pensif. Sur le terrain, pas besoin d'une technologie de pointe. Les derniers GPS à la mode, les analyses médico-légales ne valaient pas le flair d'un bon chien policier.

Tessa avait vaguement parlé d'adopter un chien. Ce week-end, il pourrait peut-être l'emmener avec Sophie visiter le refuge pour animaux. Si, grâce à lui, elles rentraient chez elles avec un nouveau pensionnaire, Wyatt monterait sûrement dans l'estime de la petite.

Ou alors peut-être qu'il en faisait trop? Tessa lui avait clairement signifié que la chose à éviter c'était d'en faire trop.

Non pas que Sophie le déteste, se redit-il. Enfin bon…

«Ça ira?» demanda-t-il en désignant l'imper léger de Frechette et les poils ras d'Annie. Il faisait à peine quatre degrés.

«Pas de problème. On ne va pas tarder à se réchauffer. J'apprécie le froid. Il conserve les odeurs et, du coup, facilite le travail du chien. En plus, quand il fait chaud, Annie fatigue plus vite. Ce matin, le temps est idéal. Ciel dégagé, pas trop d'humidité. Elle piaffe d'impatience. Bon, tu parlais d'un accident de voiture.

— Exact.

— Des bouts de verre?

— Oui, pas mal. Autour du véhicule.

— Je vais lui mettre ses bottes, alors. Le terrain?

— De la boue essentiellement. Un torrent. Des ronces et un mélange de cailloux et de branches mortes, comme d'hab. La pente est plutôt raide. Mais une fois qu'on est au fond, rien de méchant, franchement. Une promenade de santé. Je parie que les agents des Eaux et Forêts ont déjà fait l'aller-retour entre ici et le Maine.

 — Les Eaux et Forêts? Qui est de service aujourd'hui?

 — Barbara et Peter.

 — Je les aime bien, ces deux-là. Ils sont sympas. Ils n'ont rien trouvé?

 — Personne n'a rien trouvé. » Il n'y avait rien de surprenant à ce que le maître-chien connaisse les agents des Eaux et Forêts. Le New Hampshire étant un État riche en arbres et pauvre en habitants, il suffisait d'y séjourner quelque temps pour avoir l'impression de connaître tous ceux qu'on croisait et de croiser tous ceux qu'on connaissait.

 « Vous avez besoin d'infos sur la fillette disparue? demanda Kevin. D'après nos estimations, elle a entre neuf et treize ans. »

 Frechette le regarda en rigolant à moitié puis il se pencha vers sa chienne qui frétillait d'impatience. « Dis donc, ma fille, t'as besoin d'une description? Tu veux savoir le prénom de la gamine? Au cas où tu voudrais l'appeler. Je crois qu'elle a un manteau rose mais comme tu ne distingues pas les couleurs… »

 Kevin piqua un fard.

 « On se passera de ses mensurations, monsieur l'officier. La truffe d'Annie suffira amplement. Et

41

faites-moi confiance, si la gosse traîne dans le coin, Annie la ramènera chez elle. »

Après quelques échanges, ils s'accordèrent sur la stratégie de recherche. Ayant travaillé avec toutes sortes de chiens dans toutes sortes de situations, Wyatt savait que la plupart des dresseurs avaient des opinions bien arrêtées sur la manière de procéder. De plus, il fallait s'adapter au contexte. Ici, le périmètre était relativement restreint, les traces olfactives contaminées par les douzaines d'agents qui avaient piétiné le terrain. Par conséquent, Frechette comptait adopter la méthode du pistage. Il ferait monter Annie sur la banquette arrière et, avec un peu de chance, elle identifierait l'odeur de l'enfant et la suivrait. Une pratique qui convenait davantage aux limiers qu'aux labradors, confessa Frechette. Mais il avait pleinement confiance en sa chienne. Annie avait pour elle le talent, l'entraînement, l'énergie ; elle retrouverait la gamine.

Un petit labrador jaune, songea Wyatt. Un chiot tout mignon avec un ruban rouge autour du cou. *Tiens, Sophie. C'est pour toi.*

Sophie ne refuserait sans doute pas. Tout en persistant à le regarder de cet air lointain.

Wyatt avait un problème. Il s'en était rendu compte six mois auparavant. Il était tombé amoureux d'une femme formidable, Tessa Leoni, et de sa fille par la même occasion. Là était le hic : quand on a vingt ans, on espère que les parents de votre copine vous apprécieront ; quand on en a quarante, on prie pour que ses gosses vous acceptent. Or, la gosse en question, Sophie, était du genre coriace.

Non pas qu'elle le déteste. Enfin bon…

Redescente dans le ravin.

Les policiers étaient en train de dégager la zone à la demande du dresseur. Wyatt leur en avait donné l'ordre par radio. Cet appel lui avait coûté : renvoyer des sauveteurs pour laisser la place libre à un chien n'avait rien de facile. Mais en règle générale, un seul chien valait cent cinquante volontaires. Annie était donc leur meilleur atout. Et pour qu'elle puisse travailler dans des conditions optimales, on devait réduire au minimum les perturbations de son environnement olfactif.

À mi-pente, ils croisèrent des collègues qui remontaient vers la route. Barbara et Peter des Eaux et Forêts s'arrêtèrent pour flatter le museau d'Annie. Comme elle n'était pas encore en mission, la chienne répondit joyeusement à leurs caresses.

Les sauveteurs avaient l'air fatigués mais pas abattus, remarqua Wyatt. Cela faisait quatre heures que l'alerte avait été donnée, un laps de temps trop court pour s'avouer vaincu mais assez long pour commencer à s'interroger. Quelle distance la fillette avait-elle pu parcourir avant leur arrivée ? Pourquoi n'avait-elle pas rebroussé chemin en entendant leurs appels ?

Ils étaient passés de la simple battue à quelque chose de plus problématique. Une nuance qui n'échappait à personne, à commencer par Barbara et Peter, les plus aguerris de tous les agents présents sur le terrain.

Quand ils arrivèrent devant la carcasse de l'Audi, Frechette siffla entre ses dents.

«Bon sang. Sacré piqué. On dirait qu'elle est tombée d'une falaise. Ou un truc dans le genre.»

Wyatt s'abstint de tout commentaire. Les relevés du tachéomètre permettraient sans doute d'expliciter le «truc dans le genre», mais en attendant…

Annie semblait tout aussi impressionnée par le spectacle. Elle avait changé de comportement. De sa gorge sourdait un faible gémissement. Très calme à présent, elle observait son maître d'un air farouche. Elle comprenait qu'il était temps de s'y mettre, réalisa Wyatt que l'instinct des chiens n'en finissait pas de déconcerter.

Frechette lui ordonna de rester assise. Annie couina mais obéit. Puis il fit le tour de l'épave, inventoriant les bouts de verre, le sang, les plaques de tôle cabossée. Il reconnaissait le terrain pour lui faciliter la tâche, supposa Wyatt.

Le maître-chien jeta un œil par la vitre arrière. «C'est là que la gosse était assise?

— Probablement, répondit Kevin.

— C'est propre.»

Wyatt fronça les sourcils. «Que veux-tu dire?

— En général, les gens transportent des tas de machins dans leur bagnole. Des petites laines au cas où, surtout en cette saison, des paquets de biscuits, des bouteilles d'eau. Je ne sais pas, moi. Du courrier, des laisses. Enfin, le genre de choses qu'on trouve dans la mienne. Et dans la tienne aussi, j'imagine.»

Wyatt aurait eu du mal à le contredire. Il fit quelques pas vers lui. Lors de sa première inspection, il s'était surtout préoccupé de la partie avant de l'habitacle. Mais Frechette avait raison. Sur le sol à l'arrière, on apercevait quelques bouts de verre, soit projetés au moment où la bouteille avait explosé soit déplacés involontairement par la conductrice quand elle avait rampé pour sortir. En revanche, les menus objets de la vie quotidienne – gobelets sales, bouteilles d'eau, biscuits pour le goûter, iPad pour jouer en voiture… – étaient notoirement absents. Il n'y avait absolument rien sur la banquette et rien dans le coffre. Nada.

C'était comme si la conductrice avait estimé que le seul accessoire indispensable à un trajet en voiture était une bouteille de Glenlivet.

« Ça pose problème ? demanda Wyatt.

— Pas du tout. Au contraire. En fait, je craignais qu'il y ait davantage d'éclats de verre à l'arrière. À cause des pattes d'Annie. Mais d'après ce que je vois, on peut la faire entrer par le coffre et la laisser sauter sur la banquette. Hein, Annie ? »

Toujours immobile aux pieds de Kevin, le labrador jaune lui répondit en gémissant.

« On s'y met ? »

Un aboiement enthousiaste accueillit sa proposition.

« Très bien, ma chérie. Au boulot. Approche, Annie. Approche ! »

La chienne s'élança comme une flèche, se planta devant son maître puis attendit l'ordre suivant, les yeux rivés sur lui.

« Saute ! »

Elle bondit dans le coffre.

« Allez ! »

Elle atterrit sur le siège avant, mais sans renifler, sans chercher, ses grands yeux bruns toujours braqués sur Frechette dont la tête s'encadrait par l'ouverture.

« C'est bien, Annie. Maintenant je t'explique. Une petite fille a disparu. Tu dois retrouver sa trace. Sa trace, tu m'entends ? »

Wyatt trouvait bizarre qu'un dresseur s'adresse à son chien en employant autant de mots. Mais après tout, il n'y connaissait rien. D'autant qu'Annie réagissait à ce discours comme si elle comprenait tout. Les oreilles dressées, le corps tendu comme un ressort.

« Cherche ! »

Brusquement, la chienne baissa la tête. Sa truffe balaya la surface du siège, la poignée de la porte, la vitre. Tout en reniflant, elle retroussait les babines comme pour mieux capter l'odeur, la goûter sur sa langue.

« Allez, Annie. Cherche ! »

La chienne gémit, juste un petit coup, puis elle étendit sa recherche à la banquette arrière avec des mouvements précis, systématiques. Elle était en chasse, à présent, entièrement concentrée sur sa tâche. C'était évident. Son maître n'avait plus besoin de la guider.

Elle repartit dans l'autre sens, flairant l'arrière du dossier passager puis du dossier conducteur. Quand elle promena sa truffe sur les deux portes arrière, sans négliger un seul centimètre carré, son reniflement prit une tonalité angoissée, les couinements recommencèrent. Après quoi, elle tendit la patte pour tester le sol jonché d'éclats de verre et enfin descendit de la banquette.

Heureusement qu'elle porte des protections, songea Wyatt. Sinon, il n'aurait pas eu le courage de regarder.

On entendit encore une série de petits cris étranglés. Ensuite, Annie reprit son exploration des sièges, à l'avant, à l'arrière, à droite, à gauche. Légère comme une plume, elle sauta par-dessus un dossier et atterrit dans le coffre qu'elle entreprit aussitôt d'inspecter avec la même diligence.

Lorsqu'ils détectent une piste, les chiens réagissent chacun à leur manière. Certains se couchent, d'autres aboient. Wyatt ne discernait pas toutes les nuances mais, à première vue, Annie n'avait pas encore tiré le gros lot. Et c'était fort contrariant pour elle.

Elle lança un regard éperdu vers son maître et couina encore une fois pour exprimer sa frustration.

«Cherche!» insista Frechette.

La chienne se remit au travail, le nez collé au sol. Elle repassa sur les trois sièges formant la banquette arrière et, au bout de quelques minutes, s'immobilisa sur celui du milieu. Et que je renifle, et que je réfléchis, et que je rerenifle.

Tout à coup, elle pivota sur elle-même et visa la console centrale jonchée de tessons et autres éclats. Sans se presser, elle y posa une patte puis une autre. Elle se méfiait du verre, réalisa Wyatt. Du moins, elle en connaissait les dangers. Sa truffe survola la zone. Elle respirait fort. Et brusquement…

Whouaf.

Annie battit en retraite sur le siège central, à l'arrière. Whouaf. De là, elle repassa dans le coffre, les yeux braqués sur son maître, la queue dressée, le corps tendu.

Frechette avait reçu le message. « Vas-y, Annie. Suis la piste ! »

La chienne s'élança avec un tel enthousiasme qu'elle perdit la trace et dut revenir en arrière. Un instant plus tard, elle repartait en chasse, tête baissée, trottinant d'un buisson à l'autre, sans effort apparent. Elle s'engagea sur la pente ; ils lui emboîtèrent le pas.

Au fur et à mesure de la montée, Wyatt remarquait des détails qu'il avait négligés précédemment. Un arbuste avec une branche brisée. Une longue mèche de cheveux bruns suspendue entre deux feuilles. Quelqu'un était passé par là, et récemment, d'après l'aspect de la cassure.

Comme Annie n'avançait pas en ligne droite, les trois hommes veillaient à lui laisser tout l'espace nécessaire. Trois mètres devant eux, la chienne trottait allègrement, revenait sur ses pas, filait à droite, tournait à gauche. Un animal plus âgé, plus sage, aurait dosé son effort. Annie, elle, s'était jetée à corps perdu dans l'aventure, déterminée à réussir coûte que coûte.

Ils progressaient en zigzag comme s'ils suivaient une personne égarée cherchant son chemin dans la nuit.

Encore des anomalies : un caillou arraché à la terre, de l'herbe piétinée, un lambeau de tissu. À chaque fois, Wyatt posait un repère pour faciliter la suite de la procédure. Ils allaient devoir reporter sur un plan le tracé de cette piste et, ensuite, ils récupéreraient les indices et les enverraient au labo.

Aux deux tiers de la pente, ils virent une tache brun-rouge sur un gros rocher. Du sang, constata Wyatt. En quantité suffisante pour que la pluie elle-même ne l'ait pas dilué. Ils firent halte pour regarder Annie fourrer son museau à la base du rocher en poussant des gémissements poignants. La petite avait été blessée, tout compte fait. Peut-être avait-elle repris connaissance avant sa mère. Peut-être était-elle partie chercher du secours.

Un enfant seul marchant en pleine nuit sur le bas-côté d'une route…

Personne n'osait parler. Annie reprit sa quête, les trois hommes derrière elle.

Arrivée au sommet, elle aboya et partit ventre à terre. Elle parcourut quelques dizaines de mètres sur la route, vira à droite, vira à gauche et enfin, comme frappée de folie, se mit à tourner en cercle sur toute la largeur de la chaussée. Après quoi, elle repartit vers eux, redescendit trois mètres de pente, fit demi-tour et, d'un seul bond, regagna le bitume.

«Piste! ordonna Frechette, le sourcil froncé. Je vous avais prévenus. C'est une jeune chienne», souffla-t-il, autant pour expliquer le comportement de sa bête que pour s'en excuser.

Annie ne lui prêtait plus aucune attention. De nouveau, elle courait après sa queue. L'image même de la frustration.

Subitement, elle s'assit, tourna son regard vers Frechette, aboya deux fois, baissa la tête et se coucha. Si sociable, si dynamique quelques minutes plus tôt, la chienne leur battait froid, à présent.

« Qu'est-ce que ça veut dire ? demanda Wyatt.

— Elle a fini. Non seulement elle a perdu la trace mais elle est dans tous ses états à cause de ça. Il faut qu'elle se repose avant de recommencer. Laissez-nous souffler trente minutes. »

Wyatt fit un signe d'assentiment au dresseur qui partit remonter le moral de la pauvre Annie.

« Les chiens encaissent mal les échecs, commenta Kevin.

— C'est comme moi. » Planté au bord du ravin, Wyatt suivit du regard le chemin sinueux qu'ils avaient emprunté à la montée. D'après les indices, une personne – la petite fille ? – avait grimpé cette pente et ensuite…

« Brigadier. »

Wyatt se retourna vers l'agent Todd Reynes qui venait de l'interpeller. « Salut Todd. C'est vous qui êtes arrivé en premier, paraît-il. Merci d'avoir lancé les recherches.

— Pas de quoi, brigadier. C'est un chien renifleur, n'est-ce pas ?

— Ouais. Elle s'appelle Annie. Une jeune chienne mais qui bosse bien. Elle a suivi la piste jusqu'ici. Depuis, elle semble un peu désorientée.

— Elle a perdu la trace ?

— Apparemment.

— Je crois savoir pourquoi. »

Wyatt leva un sourcil. « Allez-y, parlez, l'encouragea-t-il.

— Vous voyez ce panneau là-bas ? »

En effet, à quatre mètres d'eux, un panneau jaune annonçait un virage dangereux.

« Je l'ai vu dès que je suis arrivé parce que Daniel Ledo, le type qui a donné l'alerte, se tenait juste à côté. Et là, à droite… » – Reynes pointa son doigt sur Annie qui, toujours couchée, considérait son dresseur d'un air rebelle – « … il y avait l'ambulance. »

Wyatt se crispa. « Vous voulez dire que…

— C'est à cet endroit que les urgentistes ont hissé la femme sur le brancard. »

Wyatt ferma les yeux. Évidemment. L'odeur que la chienne avait identifiée, la piste qui l'avait menée jusqu'en haut du ravin n'avaient rien à voir avec la gamine. En fait, Annie avait suivi la trace de la conductrice.

« Ça fait partie des risques, marmonna-t-il. Je veux dire, on peut ordonner à un chien de suivre une odeur mais on ne peut pas lui dire laquelle. »

Il rejoignit Frechette pour lui annoncer la mauvaise nouvelle. L'homme répéta que sa chienne avait besoin de repos et que, dans vingt à trente minutes, on referait un essai.

Ils recommencèrent une fois, deux fois. Avec les mêmes résultats.

Annie n'en démordait pas. La piste sortait du véhicule et continuait le long de la pente. Frechette lui fit renifler le sol autour de l'épave, sur la rive du petit torrent.

On voyait bien que la chienne devenait irritable, rétive. Après tout, elle avait fait son travail.

Une odeur. Une piste. Une personne. Et puis tout cela disparaissait mystérieusement au beau milieu de la route.

Telle était la version des faits, selon Annie. C'était clair et net.

Peu après dix heures, Wyatt déclara : «Allô, Houston, nous avons un problème.»

5

À quoi rêviez-vous quand vous étiez petits ? Quel métier envisagiez-vous d'exercer plus tard ? Astronaute ? Ballerine ? Ou bien superhéros pour pouvoir porter une cape rouge et sauter d'un gratte-ciel à l'autre ? Vous vouliez peut-être devenir avocat comme maman ou pompier comme papa. Ou alors vous n'aviez aucun exemple à suivre au sein de votre famille. Vous attendiez juste d'avoir l'âge de partir sans jamais vous retourner.

Quoi qu'il en soit, vous faisiez des rêves d'avenir.

Tout le monde rêve. Les petits garçons, les petites filles, les enfants des ghettos, les gosses de riches. Tout le monde aspire à devenir quelqu'un, à faire quelque chose de sa vie.

Moi aussi, je devais rêver. Et pourtant, j'ai beau me creuser la cervelle, je ne sais plus de quoi.

Le docteur est dans ma chambre, près de la porte. Elle discute avec l'homme qui prétend être mon mari. Leurs têtes sont penchées l'une vers l'autre, ils parlent à voix basse, comme deux amants. J'ignore pourquoi.

« Avant l'accident, est-ce qu'elle dormait mieux ?

— Non, quelques heures par nuit au maximum.

— Et ses migraines ?

— Pas d'amélioration. Elle n'ouvre pas la bouche. Je la retrouve souvent couchée sur le canapé, une poche de glace sur le front.

— Son humeur ? »

L'homme éclate d'un rire bref, sans joie. « Les bons jours, elle est déprimée. Les mauvais, c'est l'horreur. »

La femme hoche la tête. Sur le badge accroché à sa blouse, on lit son nom : DR SARE CELIK. Elle est belle, le teint sombre, les traits bien dessinés. De nouveau, je m'interroge sur le genre de relation qu'elle entretient avec mon mari. « La labilité émotionnelle est un effet secondaire classique dans le cas du syndrome post-commotionnel, explique-t-elle. C'est ce que les proches ont le plus de mal à supporter. Et sa mémoire ? Se souvient-elle mieux des événements récents ?

— Quand elle s'est réveillée, elle ne m'a pas reconnu. C'est ce qu'elle a dit, en tout cas. »

Le docteur Celik prend un air surpris et pose les yeux sur le dossier qu'elle tient en main. « Bien évidemment, j'ai ordonné un scanner du cerveau, en plus de l'IRM qu'elle a passée dès son admission aux urgences. Ces deux examens n'ont montré aucun signe alarmant mais, étant donné qu'elle a déjà subi plusieurs TCC, traumatismes cérébraux-crâniens, je demanderai à ce qu'on la surveille de près au cours des prochaines vingt-quatre heures. Comment a-t-elle réagi en découvrant qu'elle était ici ? Elle s'est affolée ? Elle a crié ? Pleuré ?

— Rien de tout cela. On aurait dit… Elle a fait comme si je n'étais pas son mari. En dehors de ça, elle n'a pas paru surprise.

— Elle avait bu. »

Mon mari rougit. Comme si c'était de sa faute. « Je croyais avoir jeté toutes les bouteilles qui traînaient dans la maison, murmure-t-il.

— Je vous en prie, n'oubliez pas ce que j'ai dit : la moindre goutte d'alcool perturbe le processus de guérison.

— Je sais.

— Est-ce le premier incident de ce genre ? »

Il hésite. Malgré mon état, je devine ce qu'il pense : ce n'est pas le premier.

Le docteur Celik lui lance un regard sévère. « Il existe un fort corollaire entre les lésions cérébrales et l'abus d'alcool, particulièrement chez les patients anciennement dépendants. Et comme votre femme a subi non pas un mais trois traumatismes en l'espace de quelques mois, elle est d'autant plus vulnérable. Un seul verre de vin l'affectera plus fortement à court terme, tout en augmentant les risques d'addiction à longue échéance.

— Je sais.

— Ce dernier accident va très certainement la faire régresser. Les TCC multiples subis presque coup sur coup ont tendance à produire des effets exponentiels. Rien d'étonnant à ce que son amnésie ait récidivé. Attendez-vous à d'autres symptômes : grosses migraines, difficultés de concentration, fatigue intense. Elle se plaindra d'hypersensibilité à la lumière ou à d'autres perceptions – odeurs, bruits, couleurs. À l'inverse, elle pourrait avoir des problèmes pour accommoder, voir trouble comme si elle était sous l'eau. Bien sûr, ces malaises ne feront qu'accroître son anxiété. Ne vous étonnez pas si ses changements d'humeur s'aggravent.

— Génial, dit l'homme d'une voix lugubre.

— À votre place, je veillerais à lui éviter toute contrariété. Quand elle rentrera, elle devra vivre dans le calme, manger, dormir à des heures régulières.

— Oui, bien sûr. Le fait qu'elle ne sache plus qui je suis ne l'empêchera pas de suivre mes conseils. »

Le docteur continue sur sa lancée. « Elle se fatiguera vite. Qu'elle ne passe pas trop de temps devant les écrans – pas de jeux vidéo, pas d'iPad, la télé à petites doses. Son cerveau doit se reposer. Et, j'oubliais, interdiction de conduire.

— Donc… une vie bien pépère, au lit à dix heures. »

Elle fronce les sourcils. L'homme – mon mari – passe sa main dans ses cheveux hirsutes.

Un souvenir me traverse l'esprit, comme un soupir. Je suis ailleurs, dans une autre pièce, à un autre moment.

Je t'en prie, Nicky, cessons de nous bagarrer. Ne recommence pas.

J'ai dû aimer cet homme, autrefois. Sinon, pourquoi sa présence m'affecterait-elle ainsi, aujourd'hui ?

Le docteur Celik poursuit ses recommandations. De toute évidence, elle connaît mon dossier sur le bout des doigts. Elle a parlé de TCC multiples. J'ai l'impression que ces trois lettres devraient signifier quelque chose pour moi. Mais je sais qu'elles ne vont pas rester dans ma tête. Et les voilà qui font la culbute, en avant, en arrière, dans un étourdissant numéro d'acrobatie alphabétique. Je jette l'éponge. J'ai mal au crâne. La douleur familière s'éveille dans mes tempes.

Je pense à Vero. Elle apprend à voler.

Mais si, en fin de compte, j'avais un rêve quand j'étais petite. J'arrive presque à m'en souvenir. Comme un mot qu'on a sur le bout de la langue. Il y a bien longtemps, dans un appartement minuscule qui sentait le tabac froid, la friture et le malheur, je rêvais d'herbe verte. J'imaginais des champs à perte de vue, des endroits où courir, la clarté du soleil sur mon visage.

J'avais un désir. Un désir immense que j'ai mis des années à identifier.

Je voulais qu'on m'aime.

Vero, je t'en prie, pardonne-moi.

Le docteur Celik s'en va. Mon mari revient s'asseoir à mon chevet. Son visage est redevenu grave, creusé de rides profondes. Il a du charme, décidément.

Quand il voit que je suis réveillée, il esquisse un sourire. Mais son regard reste soucieux. Il s'inquiète pour moi? Ou pour autre chose?

Il porte une chemise bleu ciel ouverte au col. Mes yeux se posent sur ce triangle de peau dorée par le soleil, les années passées au grand air. L'espace d'un instant, je me vois penchée sur lui. Mes lèvres se posent à la base de son cou, ma langue court le long de sa clavicule. Son visage ne m'évoque rien mais j'ai gardé son goût dans la bouche. J'en ai le frisson.

«Salut toi.» Il prend ma main, comme pour me rassurer. Il a le pouce calleux.

Je sens monter une migraine. Et avec elle, une fatigue immense.

Il a l'air de comprendre. «Mal à la tête?»

Les mots ne me viennent pas. Je le regarde fixement. Il me lâche la main, ses doigts glissent vers mes tempes. Il les masse. Je soupire en moi-même.

«Tu as eu un accident. Tu te rappelles?» me demande-t-il.

Je pense non. Mais je ne peux toujours pas parler.

«D'après le scanner crânien, tu as subi un nouveau traumatisme. Le troisième en six mois. À part ça, tu as des hématomes au niveau du sternum, des côtes déplacées et assez de points de suture pour recoudre plusieurs ourlets. Les médecins des urgences ont fait du bon travail. Le plus inquiétant, d'après la neurologue, c'est la commotion cérébrale. Ta *troisième*.

— Donne... des migraines, je murmure.

— Oui. Sans parler du reste : confusion, anxiété, fatigue générale, sensibilité à la lumière, perte de la mémoire à court terme. Et je te passe les petits inconvénients annexes, comme le fait de ne pas reconnaître son propre mari.» Il voudrait faire croire qu'il s'en fiche; c'est raté. «Tu vas retrouver la mémoire, ajoute-t-il plus sérieusement. Les migraines vont disparaître. Tu pourras de nouveau vivre normalement. Mais ça prendra du temps. Il faut que tu te reposes, que tu laisses tes neurones se rétablir à leur rythme.

— L'alcool c'est mauvais.»

Il se raidit, m'observe attentivement de ses yeux bruns. «L'alcool n'est pas recommandé pour les gens qui souffrent de lésions cérébrales.

— Mais je bois.

— Tu buvais.

— Je suis une ivrogne.» Je lis la réponse sur son visage. Autrefois, il pensait que sa présence me suffisait. Ce n'est plus le cas.

«Quand tu étais petit, que rêvais-tu de faire plus tard?»

Il fronce les sourcils. Quand il fait cette grimace, des pattes-d'oie apparaissent aux coins de ses yeux. Ça devrait l'enlaidir, le vieillir. Mais non, décidément.

«Je n'en sais rien. Pourquoi cette question?

— Comme ça.»

Il sourit. Ses deux pouces décrivent des cercles sur mes tempes. Il se tient si près de moi que l'odeur de sa peau me chatouille le nez. Il sent le propre, le savon. Un parfum familier mais aussi légèrement enivrant. Si je pouvais bouger, je me pencherais vers lui pour mieux le renifler.

Mais je ne le fais pas. En revanche, je sens l'obscurité grandir dans ma tête. Un sentiment de peur qui vient combattre le plaisir que me cause son odeur.

Sauve-toi. Cours.

C'est impossible. Je suis clouée au fond d'un lit d'hôpital, coincée entre des draps blancs. Je souffre d'une commotion cérébrale. Mon mari me masse les tempes, me caresse les cheveux.

«Je rêvais de te rencontrer, murmure-t-il d'une voix rauque. Je t'ai repérée entre mille, comme on dit dans les chansons. Tu m'ignorais totalement. Mais dès que je t'ai vue… j'ai su que je n'avais vécu que pour cet instant. Je n'avais d'yeux que pour toi, Nicky. Et ça n'a pas changé. »

Je sens son souffle sur ma joue. De nouveau, son odeur m'émeut. Si je pouvais, je tournerais la tête.

Sauve-toi. Cours.

Puis je vois l'hématome qui s'étire sur sa mâchoire. Et, c'est plus fort que moi, je lève un bras. Je le touche, je suis du doigt son contour jauni. Sa barbe est rêche, il n'a pas eu le temps de la raser ce matin. Il me laisse faire. Mais il cesse de me masser et je devine qu'il retient son souffle.

C'est moi qui lui ai fait ce bleu. Je le sais. J'ai frappé cet homme. Et je le referai à la prochaine occasion.

«Tu me détestes», je chuchote. Ce n'est pas une question.

«Jamais de la vie», se récrie-t-il. Il ment mal.

«C'est toi qui me détestes, ajoute-t-il plus bas. Mais tu refuses de dire pourquoi. Autrefois, nous étions heureux. Et puis… Je n'ai pas renoncé à mes rêves, Nicky. Et toi?»

J'ai dû commettre une erreur à un moment, me dis-je. Car j'ai peut-être oublié qui je suis mais je crois me rappeler ce dont je rêvais autrefois. Et cela n'avait rien à voir avec ça.

Vero. Son image s'assombrit sur les bords. Comme si mon esprit était trop épuisé pour la garder intacte, nette. Elle va s'en aller. Je veux la retenir, l'attraper par la main. Il faut qu'elle reste. C'est important. Je ne peux pas la laisser partir comme ça.

Elle me regarde. Son visage n'est plus le même ; il est moins rond, plus mûr. Vero n'est plus un bébé mais une fillette de dix, onze ou douze ans.

« *Pourquoi moi ?* » demande-t-elle d'une voix geignarde.

« Vero, dis-je.

— Chut », fait mon mari.

« *Pourquoi moi, pourquoi, pourquoi ?* »

Elle s'en va pour de bon. Elle me quitte. Je veux la prendre par le bras mais elle se dégage. Je n'y peux rien. Il fait si sombre. Ma tête va exploser. Peut-être a-t-elle déjà explosé.

« Vero !

— Nicky, je t'en supplie ! »

Je m'agite. Je me débats. Je sais, je ne sais pas. Je dois retrouver Vero, c'est tout ce qui compte. Il va m'en empêcher. Je le comprends maintenant. C'est lui qui m'en empêche.

« Infirmière, vite ! » crie une voix. L'homme qui se dit mon mari hurle à pleins poumons.

Vero, Vero, Vero. Elle s'éloigne.

Je cours. Dans mon lit d'hôpital ? Dans ma tête ? Peu importe. Je cours et je la rattrape. Je saisis son bras, je serre fort.

Vero se retourne.

Ses yeux ont disparu ; des asticots jaillissent de ses orbites vides et se tortillent sur son crâne blanchi.

« *Tu aurais dû me dire que les petites filles ne savent pas voler.* »

Un instant. Un fragment de souvenir. Et voilà, c'est fini.

Je suis une femme revenue par deux fois d'entre les morts. Je ne suis que cela.

L'infirmière arrive. J'ai cessé de lutter. Quand elle m'injecte le sédatif, je reste étendue sans bouger. Je regarde droit devant, au-delà de l'infirmière penchée sur moi, au-delà du visage défait de mon mari. Je fixe la porte ouverte et les deux policiers qui sont là, à m'attendre.

6

Wyatt et Kevin arrivèrent à temps pour le spectacle. La suspecte se débattait comme une folle furieuse tandis qu'à son chevet, un homme criait à l'aide tout en essayant de la maîtriser. Une infirmière débarqua en trombe et lui administra une double dose de calmants. C'était l'occasion ou jamais d'aller au fond des choses, se dit Wyatt.

La conductrice, une certaine Nicole Frank d'après le fichier des immatriculations, s'endormit dans la seconde. Ne restait donc que l'homme, un individu relativement débraillé et qui peinait à reprendre son souffle.

Le mari, supposa Wyatt. Ou le petit ami. Peu importait. Wyatt avait besoin de réponses, tout de suite, et il comptait bien en obtenir. Il avait déjà dépêché l'un de ses collaborateurs chez le juge pour solliciter un mandat de perquisition, lequel lui permettrait d'accéder au dossier médical de madame Frank. Wyatt voulait connaître son taux d'alcoolémie. Il avait également envoyé ses adjoints enquêter dans les magasins d'alcool situés autour du lieu de l'accident. Il espérait ainsi savoir où et quand Nicole

Frank s'était procuré cette bouteille de scotch dix-huit ans d'âge. Pour l'instant, ils cherchaient de quoi l'inculper pour conduite en état d'ivresse.

Mais il restait encore un problème à résoudre : l'enfant.

L'infirmière sortit de la chambre sans leur prêter attention. Ils se retrouvèrent en tête à tête avec l'homme. Entre trente-cinq et quarante-cinq ans, un mètre quatre-vingts. Un beau mâle buriné, pensa Wyatt. Comme disent les femmes. Pas le genre de mec à travailler derrière un bureau, en tout cas. Plutôt un manuel. Un type qui gagne sa vie à la sueur de son front.

«Monsieur Frank? demanda Wyatt, se laissant guider par son intuition.

— Oui?» Le regard inquiet qu'il tenait posé sur sa femme coulissa vers les deux policiers et se teinta d'agacement. Drôle d'attitude pour un homme dont l'enfant a disparu, se dit Wyatt. Normalement, il aurait dû les accueillir à bras ouverts, les abreuver de questions. Or, bien au contraire, il ne semblait avoir d'autre souci que sa femme. Cela signifiait-il que le sort de la petite Vero lui importait peu? Ou savait-il déjà ce qui lui était arrivé et pourquoi la police avait fait chou blanc?

Wyatt sentit monter l'adrénaline. Il décocha un coup d'œil à Kevin, lequel semblait partager ses soupçons. Mais au lieu d'attaquer bille en tête, les deux hommes adoptèrent d'instinct le comportement adéquat. Dans les affaires familiales, l'agressivité fournissait rarement de bons résultats. Mieux valait se placer du côté des parents, garder son calme, ouvrir le dialogue, tendre une perche, puis une autre, et voir ce que ça donnait.

Wyatt enclencha le processus sur un ton poli, aimable : «Pouvez-vous nous accorder un instant?

— Ma femme, répondit l'homme.

— Se repose, apparemment. Nous avons des questions à vous poser.

— C'est vous la police», marmonna l'homme. Mais au lieu de discuter, il se porta à leur rencontre. Il se montrait conciliant. Parfait.

Wyatt se présenta, présenta Kevin et apprit en retour que leur interlocuteur se prénommait Thomas. Et qu'il ne souhaitait pas qu'on l'abrège en Tom.

Wyatt lui proposa une tasse de café, histoire de détendre encore un peu l'atmosphère. En fin de matinée, il y avait beaucoup d'agitation dans les locaux de l'hôpital. Pour bavarder, ne valait-il pas mieux trouver un coin tranquille? Comme Thomas hésitait, Wyatt et Kevin s'engagèrent dans le couloir et, sous les néons presque aveuglants, mirent le cap sur la cafétéria en se disant que, trop las pour se rebiffer, il leur emboîterait le pas.

Quelques minutes plus tard, monsieur Frank était assis avec son café derrière un ficus artificiel. C'était le moment de passer aux choses sérieuses.

«Qui est Nicole Frank, par rapport à vous? demanda Wyatt, pour bien poser les bases.

— Nicky? C'est ma femme.

— Vous êtes ensemble depuis longtemps?»

Thomas Frank esquissa un sourire. «Depuis toujours. Je sais que ça fait un peu nunuche mais c'est la femme de ma vie. Je l'ai su dès le premier regard.

« — Comment vous êtes-vous rencontrés ?

— Sur un plateau de cinéma. À l'époque, on bossait tous les deux pour une société de production à La Nouvelle-Orléans. J'étais aux décors ; elle travaillait à la régie, vous savez, le service qui s'occupe des repas, entre autres. Le tournage devait durer un mois ; je l'ai tout de suite remarquée. Il me restait donc trente jours pour l'aborder et lui demander de sortir avec moi.

— Ça vous a pris combien de temps ? s'enquit Wyatt.

— Trois jours pour oser la saluer. Trois semaines pour qu'elle réponde. Elle était déjà timide à l'époque.

— Et depuis lors, vous ne vous êtes plus quittés ?

— Exact.

— Pourquoi vous êtes-vous installés dans le New Hampshire ? »

Thomas leur lança un regard fatigué. Il avait les yeux cernés, injectés de sang, comme quelqu'un qui ne dort pas suffisamment. Et ses insomnies ne dataient pas d'hier, supposa Wyatt. Des problèmes avec sa femme, son boulot, ses gosses ? Diverses possibilités défilèrent dans sa tête.

Thomas souleva les épaules. « Pourquoi pas. On est bien, ici. On peut faire des randonnées en montagne, se baigner dans les lacs. En plus, il n'y a pas de TVA, pas d'impôts sur le revenu. Le paradis, non ?

— Vous travaillez dans quoi, en ce moment ? renchérit Wyatt en jouant sur du velours.

— Toujours pareil. Sauf qu'aujourd'hui, j'ai ma société. Je dessine des décors, des accessoires de cinéma, je les fabrique. Nicky m'aide – elle s'occupe des finitions, de la peinture, des cosmétiques, ce genre de choses.

— Vous ne devriez pas plutôt habiter Los Angeles ? s'étonna Kevin. Ou New York ? »

Thomas secoua la tête. « Pas nécessairement. On tourne des films un peu partout, et surtout dans les États ou les villes ayant un régime fiscal favorable. La Nouvelle-Orléans, Seattle, Nashville, même Boston. On en produit un bon nombre dans cette région. Et ma présence sur le plateau n'est pas indispensable. J'ai gardé mes anciens contacts. Aujourd'hui, les décorateurs me remettent leurs projets. Je dessine, je fabrique, j'envoie. Et le tour est joué.

— Nicky fait la même chose ? insista Wyatt.

— Oui. Comme je vous ai dit.

— Où était votre femme hier soir, monsieur Frank ? »

Thomas se tortilla sur son siège, détourna le regard. « Je croyais qu'elle était à la maison, répondit-il, la gorge serrée. La dernière fois que je l'ai vue, elle dormait sur le canapé. »

Kevin et Wyatt échangèrent un coup d'œil. Il était temps de sortir la première perche, pensa Wyatt.

« Quelle heure était-il ? demanda-t-il, toujours aussi poliment.

— Je n'en sais rien. Huit heures, peut-être neuf. »

Wyatt le regarda attentivement. « Un peu tôt pour commencer sa nuit, commenta-t-il pendant que Kevin entrait en lice.

— La dernière fois que vous l'avez vue… »

Thomas reposa brusquement sa tasse de café. «Ce n'est pas de sa faute!»

Les deux policiers restèrent cois.

«Je veux dire, on était heureux. Tout allait pour le mieux. Notre couple fonctionnait, on menait une vie agréable. Et puis, voilà six mois de cela, Nicky est tombée dans l'escalier de la cave. Elle faisait la lessive, je ne sais plus trop. Je l'ai trouvée évanouie. Je l'ai emmenée aux urgences. Ils ont diagnostiqué une légère commotion. Rien de grave, un peu de repos et il n'y paraîtrait plus. Sauf qu'elle a commencé à avoir des insomnies, des sautes d'humeur. Elle était fatiguée, migraineuse. Elle n'arrivait plus à fixer son attention. Je me suis un peu renseigné. Ces symptômes se manifestent chez les gens qui se remettent d'une commotion cérébrale. Je me suis dit – et je lui ai dit – qu'il fallait prendre son mal en patience. Bientôt, tout rentrerait dans l'ordre. Mais quelque temps plus tard, elle est tombée sur les marches du perron. Elle n'a pas su me dire ce qui s'était passé exactement. Elle se revoyait en train de passer la porte. Après, elle a dû trébucher, se prendre les pieds dans un truc… Malheureusement, elle s'est de nouveau cogné la tête. Deux commotions en l'espace de trois mois.»

L'homme dévisagea les deux policiers qui le considéraient d'un air impassible pour lui mettre la pression, lui faire comprendre que son histoire les laissait sceptiques.

«Syndrome post-commotionnel, lâcha-t-il. Ma femme n'est pas alcoolique. Du moins, elle ne l'était pas. Elle n'est pas violente non plus. Enfin, pas à cette époque.» Quand il tourna la tête, un vague hématome apparut sur sa mâchoire. «Mais avec ces chutes, ces traumatismes à répétition... La neurologue dit que chaque nouveau choc aggrave son état de manière exponentielle. Il y a des choses qui m'échappent mais je connais ma femme... Et je sais qu'en ce moment, elle n'est pas elle-même.

— Donc vous l'avez laissée sans surveillance, hier soir, murmura Wyatt.

— J'étais dans mon atelier! Nous avons une dépendance au fond du jardin. J'y stocke mes outils, mon équipement... C'est là que je travaille. Mais, pour l'amour du Ciel, je m'occupe d'elle en permanence, sept jours sur sept. Du coup, je prends du retard. C'est ce qui arrive quand on a une femme malade. On prend du retard dans son travail et, pendant ce temps, les factures s'accumulent. Dès que je vois qu'elle dort, je file dans mon atelier. Je ne dis pas que j'ai raison. Je dis que c'est la seule chose à faire pour éviter que tout parte à vau-l'eau. Les médecins veulent qu'elle mène une vie régulière dans un environnement stable. Si on perdait la maison parce que je ne peux plus payer les traites, ce serait la catastrophe.

— Où s'est-elle procuré cette bouteille de scotch?» intervint Kevin, placide.

Thomas Frank piqua un fard, saisit sa tasse, avala une gorgée de café. «Je n'en sais rien.

— Les clés de la voiture? renchérit Wyatt.

— Dans le vide-poche, près de la porte d'entrée. Les médecins lui avaient déconseillé de conduire mais pas interdit.

— J'imagine qu'ils lui avaient aussi déconseillé de boire», insista lourdement Kevin.

Pincement de lèvres. «Oui, en effet.

— Mais elle boit quand même.» Wyatt avait dit cela pour que l'homme se tourne vers lui. Parce que le moment crucial était arrivé; il le sentait. Thomas Frank était à point : nerveux, irrité, déconcentré.

En plus, il venait de leur résumer sa vie de couple sans faire la moindre allusion à une petite fille prénommée Vero.

Wyatt se pencha et plongea ses yeux dans ceux de Thomas, soit pour y chercher la vérité, soit pour vérifier si ce type était effectivement le gros salopard qu'ils imaginaient. Kevin fit pareil de son côté.

S'approcher de la cible pour mieux ajuster le tir.

«Si vous nous parliez de votre fille, dit Wyatt. Où était-elle, la nuit dernière?»

Thomas Frank n'eut aucune réaction susceptible de le trahir. Ni frisson involontaire, ni mouvement de recul. Rien. «Pardon? fit-il, avec l'air de ne pas comprendre.

— Votre fille, Vero. La gamine portée disparue.»

Wyatt s'attendait à tout sauf à ça. Thomas ferma les yeux, soupira profondément et articula : «Je n'ai pas de fille.

— La fille de Nicky, alors…

— Brigadier, nous n'avons pas d'enfants. Ni ensemble, ni séparément. Je suis bien placé pour le savoir. Nous vivons sous le même toit depuis vingt-deux ans.»

«Écoutez, depuis sa première chute, Nicky dort très mal. Elle fait d'horribles cauchemars, mais pas seulement la nuit. Comment vous expliquer ? C'est comme si son cerveau était à l'envers. Elle ne se souvient pas des gens qu'elle connaît – par exemple, elle oublie mon nom – mais elle ne cesse d'évoquer des personnes qui n'existent pas. Pour dire les choses simplement, le réel est devenu l'imaginaire et l'imaginaire le réel. Nous avons consulté des spécialistes, nous avons essayé divers traitements. Mais les médecins ne peuvent rien faire à part répéter que les commotions cérébrales mettent du temps à guérir.

— Vero n'existe pas. » Wyatt avait besoin de le dire à haute voix tant il était dérouté. Il avait envisagé de nombreux cas de figure, mais pas celui-là.

« Il n'y a jamais eu de Vero.

— Pourtant, ce prénom vous dit quelque chose, nota Kevin dont le visage exprimait une semblable perplexité.

— Elle l'a déjà prononcé, dans son sommeil la plupart du temps. Et lors de certains… épisodes. Écoutez, au début, je me posais des questions. Je me disais que peut-être ma femme me cachait des choses. Seulement voilà, quand on l'interroge sur cette… Vero, Nicky fournit une histoire différente à chaque fois. On a parfois l'impression que c'est une enfant, voire un bébé, dont elle s'occupe. Un jour, j'ai trouvé Nicky cachée dans un placard en train de jouer à cache-cache avec "Vero". Parfois, c'est une jeune fille. Un soir, elle a laissé brûler le dîner parce que "Vero" l'avait fait tourner en bourrique, soi-disant. Elle m'a dit, tu sais ce que c'est avec les ados… Je pense que… Putain, je ne sais plus quoi penser. En tout cas, Vero n'est pas une personne réelle. C'est une chimère. Un raté du cerveau.

— Quand l'agent Reynes a débarqué sur les lieux de l'accident, votre femme n'en démordait pas, insista Wyatt. Elle avait perdu une petite fille nommée Vero et elle devait absolument la retrouver. Elle semblait très sûre d'elle-même.

— Bienvenue dans mon quotidien. » Thomas Frank poussa un soupir. Il ne semblait pas ironique, juste épuisé. « Je peux vous donner le nom de la neurologue qui la suit, proposa-t-il. Le docteur Sare Celik. Elle vous aidera peut-être à comprendre.

— Vero ne serait pas un membre de sa famille ? Une sœur ? Une amie d'enfance ?

— Nicky n'a pas de famille. Quand je l'ai rencontrée, elle était très jeune mais elle subvenait déjà à ses besoins depuis deux ans. Elle n'aime pas évoquer cette période de sa vie. Au début, j'ai essayé de la faire parler. Mais maintenant, vingt-deux ans plus tard… Qu'est-ce que ça peut faire ? Depuis lors… » Thomas Frank s'interrompit et leur jeta un regard éloquent. « Depuis lors, les choses se sont toujours bien passées entre nous. Nous n'avions aucun problème ; Nicky n'avait aucun problème. Vous devez me croire. Ma femme est juste… malade. Posez la question aux médecins. Je vous en prie, allez les voir.

— Dites-nous comment s'est déroulée la soirée d'hier.

— Nicky nous faisait du poulet, répondit immédiatement Thomas. Ce qui signifie qu'elle était dans un bon jour. Les personnes souffrant de traumatismes crâniens ont du mal à se concentrer. Il lui arrive de commencer une activité, un plat par exemple, et tout à coup... plus rien. Elle passe à autre chose. Mais hier soir, elle a préparé le poulet et l'a mis à cuire sans s'interrompre en cours de route.

— Que faisiez-vous pendant qu'elle cuisinait ?

— J'avais des appels à passer. Je suis resté à proximité, au cas où elle aurait oublié d'éteindre le feu sous une casserole. J'ai essayé de travailler un peu.

— Vous avez dîné. Du vin, de la bière ?

— L'alcool n'est pas recommandé pour les gens qui souffrent de lésions cérébrales, récita Thomas.

— Ce n'est pas une réponse.

— Pas de vin, pas de bière, aucun alcool. Nous avons mangé le poulet avec de la salade et du pain à l'ail.

— Et après ?

— Nous avons regardé la télé. La chaîne Home and Garden, rien de méchant. Je dois éviter tout ce qui risque de l'énerver. »

Thomas donna l'heure et le nom de l'émission. Wyatt prit note.

« Donc, il est huit heures du soir...

— Disons plutôt dix-neuf heures trente. Nicky commençait à s'assoupir sur le canapé. J'ai jeté un œil à la pendule en me disant qu'il était trop tôt pour se coucher. Mais, comme je disais, j'avais du boulot. Alors, je lui ai mis une couverture et je suis sorti de la maison sur la pointe des pieds pour regagner mon atelier.

— À quelle heure êtes-vous revenu ?

— Je ne sais pas. À vingt-trois heures, peut-être.

— Et vous avez vu que Nicky n'était plus là ?

— J'ai vu qu'elle n'était plus sur le canapé mais j'en ai déduit qu'elle était montée se coucher. J'ai regardé le dernier bulletin d'information et je suis monté, moi aussi. Et c'est là que j'ai compris mon erreur.

— Qu'avez-vous fait ?

— J'ai fait le tour de la maison en l'appelant. Puis j'ai eu l'idée de vérifier si sa voiture était garée dans l'allée. Comme elle n'y était pas, je me suis inquiété et je l'ai appelée sur son portable. »

Wyatt hocha la tête pour l'inciter à poursuivre.

Thomas Frank haussa les épaules. « Elle n'a jamais répondu. Je ne sais franchement pas ce qu'elle a pu fabriquer jusqu'au moment où l'hôpital a téléphoné pour m'avertir que ma femme avait été admise aux urgences.

— D'après vous, qu'a-t-elle pu faire entre huit heures du soir et cinq heures du matin ? demanda Wyatt.

— Je l'ignore. Elle a conduit », bredouilla Thomas. Mais il aurait tout aussi bien pu dire « elle a bu ».

« Et si elle avait rendu visite à quelqu'un ? Une amie, une confidente ? »

Un amant ?

« Nous sommes nouveaux dans la région. Nous venions d'emménager quand Nicky a fait sa première chute. Depuis, nous fréquentons exclusivement des membres du corps médical. Pas des… amis. »

Wyatt lui trouva un ton légèrement amer.

«Pour quelle raison aurait-elle choisi d'emprunter cette route? Y a-t-il un restaurant, une boutique, un lieu qu'elle aime particulièrement dans ce coin-là?

— Nous ne sortons guère.

— Votre femme a une marque de scotch préférée?»

Thomas pinça les lèvres et ne répondit pas. Wyatt n'en fut pas autrement surpris. Dans les affaires de conduite en état d'ivresse, on avait toujours beaucoup de mal à faire parler la famille.

Wyatt changea d'approche. «Revenons à Vero. Pourquoi votre femme aurait-elle voulu duper la police et l'envoyer sur les traces d'un enfant imaginaire?

— Ce n'est pas ainsi qu'elle considère les choses. Vous et moi, nous savons que Vero n'existe pas. Mais pour Nicky... Vero, du moins l'idée qu'elle s'en fait, appartient au domaine du réel.

— Elle était très agitée, tout à l'heure, quand nous sommes arrivés. Qu'est-ce qui a déclenché cela?

— Aucune idée. Ses crises sont souvent difficiles à expliquer. Il lui faudra une vie calme et régulière, pendant un an au moins.

— Entre deux bouteilles de scotch?

— Écoutez.» Thomas Frank se pencha et posa les mains sur ses genoux. «Je ne sais pas ce qui s'est passé la nuit dernière mais vous n'avez qu'à consulter son casier judiciaire. Elle n'a jamais enfreint la loi. Vous ne pourriez pas vous borner à lui coller une contravention?

« — Une contravention? Monsieur Frank, votre femme risque d'être inculpée pour conduite en état d'ivresse. C'est un crime passible de prison.

— Mais elle n'a blessé personne!

— Elle s'est blessée elle-même. Selon la loi, c'est suffisant. »

Frank paraissait sincèrement atterré.

« Mais... mais...

— Sans compter qu'à cause d'elle, les fonctionnaires du comté et de l'État ont perdu des heures à tenter de retrouver une enfant qui n'existe pas, poursuivit Wyatt.

— Ce n'est pas de sa faute!

— Eh bien...

— Je vous en prie, essayez de comprendre... » On voyait monter la panique dans le regard de Thomas Frank. « Ma femme n'est pas une délinquante. Elle est malade, c'est tout. Je m'occuperai d'elle. Je la surveillerai mieux. Ça n'arrivera plus.

— Je croyais que vous n'aviez pas le temps, que vous deviez bosser. Pour payer les factures et tout le reste.

— Je prendrai un congé. Ou j'embaucherai quelqu'un pour m'aider. Je vous en prie, messieurs. Ne l'inculpez pas. Elle va se remettre. Je vous le promets, je m'occuperai de tout. »

Wyatt l'observa attentivement. Thomas Frank ne mentait pas, décida-t-il. Il se croyait réellement en mesure de tout assumer. Et pourtant... quelque chose clochait dans cette histoire. Son sixième sens, ses vingt ans d'expérience professionnelle lui conseillaient d'y réfléchir à deux fois : quand une femme se retrouvait à l'hôpital c'était souvent à cause du mari. Syndrome post-commotionnel ou pas, il n'en restait pas moins que toutes les familles sans exception avaient leurs vilains petits secrets. Il fit donc une dernière tentative :

« Et Vero, alors ? demanda Wyatt. Vous prendrez soin d'elle aussi ? »

L'homme tressaillit. Ce qui n'était déjà pas si mal.

7

Je joue à la dînette avec Vero. Nous sommes assises autour d'une minuscule table en bois d'érable. Gros Nounours est posé en face d'elle, la princesse Priscilla en face de moi. La chambre peinte en vert clair est inondée de lumière. Sur l'un des murs s'étale une fresque représentant des roses grimpantes sur un treillage d'un blanc neigeux. Contre celui du fond, le petit lit de Vero disparaît derrière des mètres de tulle rose. C'est une pièce magnifique, un rêve de petite fille. Je ressens un pincement au cœur car je sais qu'elle déteste cet endroit autant que moi.

Vero me passe la théière. Délicatement, je verse un peu de jus de pomme dans mon adorable tasse en porcelaine. Je sers Gros Nounours, assis à ma gauche, avec ses pattes en peluche marron, sa joyeuse bedaine. Je viens de remarquer que Vero a collé des X sur ses yeux de verre. Même chose pour la princesse Priscilla.

Je regarde Vero, tout en mousseline rose rehaussée de perles.

« Pas grave, souffle-t-elle. Ils n'ont pas peur du noir. »

J'acquiesce, comme si ce qu'elle venait de dire avait un sens. Je pose la théière au milieu de la table. Les rosiers frémissent sur le mur. J'ai l'impression que des pétales se détachent des corolles et tombent par terre. Autre chose tombe en même temps qu'eux. Un liquide sombre qui s'écoule des épines. Du sang.

« Bois un peu de thé », dit Vero..

Nous siroterons de concert, dans un silence agréable. Nous croquons des gaufrettes à la vanille. Entre le jus de pomme et les biscuits, ce goûter est bien trop sucré ; j'en ai mal au cœur. Mais je continue à manger, à boire. J'ai envie de passer du temps avec Vero. Tout mon temps, et plus encore.

« Il va te quitter », dit-elle. Je sais qu'elle parle de Thomas. « Il te croit folle. »

Au lieu de répondre, je repose ma tasse miniature. J'aimerais pouvoir lui tendre les bras, la serrer contre moi. Je voudrais la rassurer, lui dire que tout ira bien. Que je regrette. Si j'avais su. Ce sont des choses qui arrivent.

Mais je ne veux pas mentir.

Soudain je réalise que cette table, cette pièce ne sont pas adaptées à son âge. Elle n'a pas six ans mais plutôt douze. Ses yeux gris acier sont redessinés au mascara, ses lèvres peintes en rouge vif.

Elle me regarde fixement tout en buvant son jus de pomme. À moins que ce ne soit du scotch, du Glenlivet dix-huit ans d'âge.

« Ce n'est pas de ta faute, je murmure.

— Menteuse.

— Si je pouvais revenir en arrière, je n'hésiterais pas.

« — Grosse menteuse.

— Vero...

— Chut... » Elle se lève brusquement. Je sais pourquoi, j'ai entendu moi aussi : des pas résonnent dans le couloir.

C'est plus fort que moi. Je frissonne. Vero sourit mais je n'aime pas l'air que ça lui donne.

Maintenant qu'elle est debout, je vois que sa robe lui arrive au nombril. Une tenue indécente pour une jeune fille de douze ans. J'aperçois des taches vertes et pourpres sous le tulle rose. Ses bras, ses jambes sont couverts de bleus.

Les pas se rapprochent. Les pétales tombent par poignées. Le sang coule des épines.

Je tends la main vers la femme-enfant, rigide comme une statue de marbre. Du regard, elle me défie de critiquer le décolleté de sa robe, l'état de ses membres.

« Sois forte », je murmure. Mais nous savons l'une comme l'autre que là n'est pas le problème. Vero a toujours été une fille solide. Mais dans ce monde, celles qui ne plient pas finissent par se rompre.

Et toujours ces bruits de pas. De plus en plus sonores. De plus en plus lourds.

« Tu n'aurais pas dû venir.

— Tu me manques...

— Tu m'as tuée. »

Ma bouche s'ouvre. Je ne trouve rien à dire.

« Sauve-toi », m'ordonne Vero. L'enfant en elle a repris le dessus. « Fiche le camp et ne te retourne pas. »

Mais je ne peux me résoudre à l'abandonner.

Encore une fois.

«Il est ici! Tu ne comprends pas? Il va te trouver, et quand il t'aura trouvée…

— Ce n'est pas de ta faute», je m'entends répéter. Mais Vero se détourne déjà.

«Pauvre idiote. Dégage. Va-t'en. Sauve-toi, bon sang! Cours!»

Je voudrais faire tout cela, mais je ne fais rien du tout. Je m'écarte de la table. Je m'approche de cette petite fille qui n'a plus rien d'enfantin. Je sais ce qui va se produire et pourtant je la prends dans mes bras.

Je sens son corps contre le mien, je renifle son odeur. Vero. Et dans le même instant, comme d'habitude, je me rappelle ce que j'ai fait.

Alors, elle se met à fondre entre mes bras. Elle n'est plus qu'un tas d'os grouillant d'asticots énormes qui gigotent et rampent sur moi.

Son crâne pivote lentement. Elle me regarde de ses yeux absents.

«Sauve-toi», m'ordonne le squelette de Vero.

Mais c'est trop tard. Il est déjà là.

J'ouvre les yeux. Des lumières brillent au plafond. Une chambre d'hôpital aseptisée. Je ne pense plus. J'agis.

J'arrache les premiers trucs qui me tombent sous la main. Les fils, le tube de la perfusion, l'aiguille plantée dans ma main. Du sang jaillit. C'est à cause des épines de rose, me dis-je en voyant les taches rouges se répandre sur les draps blancs. Il est là. Il est là.

C'est quoi ces barreaux le long de mon lit ? Ils sont relevés, je suis prise au piège. Je pousse de toutes mes forces. Ils ne bougent pas. Je me traîne sur les fesses jusqu'au bout du matelas, je saute. Mes pieds entrent en contact avec le sol glacé, je me rue vers la porte ouverte, ma chemise d'hôpital claque comme un drapeau dans le vent.

Il faut que je me sauve. Mais pour aller où ?

Je sors dans le couloir. Il est trop vaste, n'importe qui pourrait surgir et me voir. Comme un fait exprès, une infirmière apparaît au loin, me crie quelque chose.

Sauve-toi. Il arrive. Peut-être est-il déjà là.

Je cours droit devant moi, sans réfléchir, guidée par mon instinct. J'ai mal aux pieds, aux côtes, à la poitrine. Tant pis. Je dois fuir, rien d'autre ne compte. Il me faut un placard. Un réduit obscur où je me cacherais comme un animal dans sa tanière. Si je trouve un placard, je suis sauvée.

Des pas résonnent derrière moi. Des voix hurlent, en chœur.

Je passe un coin de mur. Il est là devant moi.

« Nicky », dit Thomas.

Il écarte les bras, me bloque le passage. Son visage n'exprime rien. Je ne vois que ses yeux sombres qui pénètrent dans les miens comme des vrilles.

« Il est là, dis-je, affolée.

— Chuuut, répond mon mari.

— Non, non, il faut que je m'en aille. Vite. C'est Vero qui l'a dit. »

Son regard vacille. Pendant une seconde, j'ai presque l'impression qu'il me croit. Et puis :

« Écoute le son de ma voix, Nicky. Concentre-toi. Sur ma voix. Écoute comme elle est calme, apaisante.

— *Faut que je me tire d'ici!*

— Concentre-toi sur ma voix. Laisse tomber le reste. Ma voix et rien d'autre, Nicky. Concentre-toi et tout s'arrangera. »

Je ne veux pas l'écouter. Je me tiens bien droite, mais je chancelle, ma poitrine se serre, j'ai du mal à respirer, j'ai un squelette dans la tête et des asticots sur les bras. Il ne le sait pas mais le rosier saigne toujours et je n'ai pas pu la sauver. J'ai échoué mille fois, je l'ai trahie de mille manières. Je reviens vers elle sans cesse. Mais à chaque fois, j'échoue. Impossible de la sauver.

Soudain, une fatigue immense, absolue, m'envahit. Je n'en peux plus.

« Tout va bien, murmure Thomas. Viens, ma chérie. Tu dois avoir froid. Viens te recoucher. »

Il fait un pas.

« *Pourquoi moi?* » souffle Vero dans ma tête. Mais elle ne pleurniche plus, elle s'exprime posément.

« Comment va ta tête? demande Thomas. Tu as la migraine? »

Et aussitôt, mon crâne explose. Je plaque mes mains sur mes tempes, je ferme les yeux très fort. Thomas vient de franchir le peu d'espace qui nous séparait encore. Ses bras m'enveloppent, se referment sur moi, comme un piège à loup. Les infirmiers se dispersent. Normal. Le mari est arrivé. Il va tout prendre en charge.

« Écoute le son de ma voix », ordonne-t-il.

J'obéis. J'écoute le son de sa voix. Ses mains pèsent sur mes épaules. Je fais demi-tour. Je marche gentiment à côté de lui.

Dans la chambre, il rabat sans difficulté les barreaux de mon lit. Il m'aide à grimper. C'est haut. Il glisse mes jambes tremblantes sous le drap, remonte la couverture bleue sur ma poitrine.

Je le fusille du regard, je crois qu'il jubile intérieurement. J'ignore à quel jeu nous jouons. En tout cas, il a gagné et j'ai perdu. Mais soudain je vois ses yeux. Ils sont noyés de larmes, son visage est un masque de douleur. Il se reprend, fait de gros efforts pour cacher son désarroi. Pour mon bien ou pour le sien ?

« Je t'en prie, ma chérie, ne refais jamais ça. Tu te donnes en spectacle… » Sa voix se brise, il détourne le regard. Il a de la peine. À cause de moi. Je me sens stupide. Dois-je lui présenter des excuses ? Ces yeux sombres, si sombres. Je l'ai tant aimé autrefois. Est-ce que je l'aime encore ?

Il déglutit. « Je sais que tu ne me crois pas. Tu n'arrives plus à démêler le vrai du faux. Mais sache que je t'aime, Nicky. Je n'ai jamais voulu que ton bonheur. Même si tu n'en gardes aucun souvenir.

— Je veux rentrer à la maison », je chuchote.

Il esquisse un sourire las.

« Les médecins ne seront pas d'accord. Tu es très malade, Nicky. Trois commotions cérébrales. En plus, tu as des côtes fêlées.

— Tu me soigneras.

— Avec ce qui s'est passé au cours des six derniers mois, je doute que le docteur Celik me fasse encore confiance.

— Ce n'est pas de ta faute si je bois. »

Il ne répond pas.

« Je ne boirai plus une goutte d'alcool. » Promesse d'ivrogne. « Emmène-moi loin d'ici. Les lumières sont trop vives. J'ai mal aux yeux.

— La police désire t'interroger, dit-il à brûle-pourpoint. Que ce soit ici ou à la maison, il faudra bien que tu leur parles, Nicky.

— Mais je ne me souviens de rien !

— Pas même d'avoir acheté du Glenlivet ? » répond-il du tac au tac.

Sa question me prend de court. Est-ce que je me revois en train d'acheter la bouteille de scotch ? Peut-être. Vaguement.

« Je veux rentrer à la maison », je répète.

Il ouvre la bouche. La referme. Il ne sait plus que faire de moi, c'est évident. Et s'il me quittait ? Me manquerait-il ?

Va-t-il me manquer ?

« Tu te rappelles la promesse que je t'ai faite, lors de notre première nuit à La Nouvelle-Orléans ? » demande-t-il soudain.

Je ne me rappelle pas. Il doit le lire sur mon visage.

« Un jour, il y a bien longtemps, tu m'as dit que j'étais ton seul foyer, ta seule maison. »

Ça ne m'évoque rien.

« Un jour, il y a bien longtemps, tu m'as dit que mon amour te rendait forte. »

Je reste sans voix.

« En ce temps-là, tu disais que rien ne pouvait t'atteindre tant que nous étions ensemble. »

Je ne trouve rien à répondre. Est-ce vraiment de moi qu'il parle?

Il devine mes pensées. Ses épaules s'affaissent. Il me regarde d'un air impassible. «Nous avions passé un accord, cette nuit-là. Dès que tu sentirais l'odeur de la fumée, tu devais me prendre la main. Tu sens l'odeur de la fumée, en ce moment, Nicky?»

Je fronce les sourcils. Pour la première fois, ses paroles éveillent un écho en moi. Je hoche la tête, lentement.

«Tu l'as sentie la nuit dernière?»

Je prends le temps de réfléchir. «Après l'accident», je murmure.

Un muscle tressaille sur sa mâchoire. Ça veut dire qu'il m'a entendue. Ça veut dire qu'il souffre.

Ma voix s'élève d'un ton. «Je suis déjà morte une fois.»

Mon mari ne semble pas surpris.

«Une femme ne peut pas ressusciter comme ça tous les quatre matins.

— On va régler le problème», répond calmement Thomas.

Pour le coup, c'est moi qui souris. J'ai peut-être oublié son nom mais je sais quand il me ment.

Vero.

Alors, je tends la main et je la referme sur celle de mon mari.

8

«Comment va la troupe?» lança Tessa à l'autre bout du fil.

Wyatt réfléchit et, faute de trouver une repartie amusante, répondit en soupirant : «La matinée a été longue. Longue et pleine d'imprévus. Mais j'ai eu une bonne idée : je me suis dit qu'on devrait adopter un chiot.

— Quoi?»

Il l'imagina se redressant sur son siège en clignant ses jolis yeux bleus.

«Un petit labrador jaune, poursuivit Wyatt. Un amour de chiot qui t'accueille sur le pas de la porte en remuant la queue et en te faisant des tas de câlins. Ce serait super.

— Super pour qui? Les chiens ça mange, tu sais? Et on doit les sortir régulièrement, les faire courir. Nous sommes toujours par monts et par vaux, Sophie et moi.

— Madame Ennis pourrait donner un coup de main.

— Madame Ennis a soixante-douze ans…

— Et c'est la nana la plus solide que je connaisse. En fait, si ça ne marche pas entre nous, je pense que je jetterai mon dévolu sur elle. »

Il sentit qu'elle levait les yeux au ciel. Pourquoi lui avoir parlé du chien ? Que cherchait-il exactement ? Il avait besoin de souffler, d'oublier un peu cette affaire qui n'en était peut-être même pas une. Et pourtant si, il y avait là de quoi ouvrir une enquête, ne serait-ce que pour élucider les circonstances de l'accident.

— D'où te vient cette lubie ? s'étonna Tessa.

— C'est parce que avec un chien, tout va mieux. Demande à Sophie.

— Ça, c'est un coup bas.

— Bien sûr, je me chargerai de faire les présentations. J'ai besoin de monter dans son estime, tu le sais bien.

— J'imagine que tu y penses depuis quelque temps, dit Tessa.

— J'ai passé la matinée avec un chien policier, expliqua Wyatt. Ça aurait mieux marché si nous avions suivi la trace d'une personne en chair et en os et pas celle d'une chimère surgie d'un cerveau perturbé. » Il se remit à soupirer, bien malgré lui.

« À ce point-là ?

— Ouais. Du coup, je ne pourrai pas me libérer pour le dîner, malheureusement. Maintenant qu'on a éliminé les fantômes, il reste une scène de crime à étudier et un accident de voiture à reconstituer.

— Mets-moi au parfum, tu veux ? Vous avez des éléments ? »

Au bout de la ligne, Wyatt entendit Tessa changer de position, pour s'installer plus confortablement, supposa-t-il, dans son fauteuil de bureau en cuir noir. Tessa ne posait pas seulement la question ; elle voulait la réponse. Ça faisait partie de ce qu'il appréciait le plus dans le fait de sortir avec une collègue. Tessa ne se bornait pas à lui demander comment s'était passée sa journée, elle prenait plaisir à la décortiquer avec lui. Et parfois, au fil de la conversation, des idées surgissaient.

Wyatt attendait dans son véhicule de patrouille que la police d'État débarque avec le boîtier permettant de récupérer les données électroniques de l'Audi. Il avait donc tout le temps de satisfaire la curiosité de Tessa.

« Accident de la circulation impliquant un seul véhicule, sortie de route, conduite en état d'ivresse.

— Taux d'alcoolémie ?

— Eh bien, c'est là que ça se complique. La conductrice puait la gnôle mais, d'après les analyses effectuées à l'hôpital, elle n'avait que 0,6 gramme…

— Ce qui ne suffit pas à qualifier l'état d'ivresse.

— Certes mais elle souffre d'un truc qui s'appelle syndrome post-commotionnel. Elle a reçu trop de chocs sur la tête au cours des six derniers mois. Selon les médecins, chez une personne comme elle, quelques gouttes d'alcool suffisent. Alors, je ne jette pas encore l'éponge. On pourrait éventuellement faire valoir que, dans son cas, un taux de 0,6 gramme constitue une infraction. »

Wyatt avait longuement mûri la question car c'était à lui de décider si l'affaire méritait qu'on engage une action. D'après les lois du New Hampshire, les flics du comté avaient toute latitude en la matière. Par conséquent, Wyatt était à la fois chargé d'enquêter et de poursuivre en justice. Et si l'on tenait compte des blessures de la conductrice, il était fort possible que cet accident finisse au pénal. Dans ce cas, le procureur du comté prendrait le relais. Pourtant Wyatt n'en aurait pas terminé pour autant. Ce serait encore à lui d'organiser l'audience de mise en liberté sous caution et l'audience préliminaire. Pour blaguer, il disait souvent qu'il était moitié flic, moitié juriste. Mais, à la façon dont fonctionnait le système judiciaire en ce moment, il devait passer quatre-vingt-dix pour cent de son temps dans la peau du juriste, ne serait-ce que pour traiter les affaires courantes.

« Intéressant, dit Tessa. Donc la conductrice était saoule sans l'être.

— Ce n'est pas impossible. À part ça, l'état d'ivresse en question est lié à une bouteille de scotch dix-huit ans d'âge…

— Des goûts de luxe.

— Tu devrais voir la bagnole. Bref. Comme elle a payé sa bouteille avec une carte de crédit, les gars ont pu se rendre chez le caviste, à une quinzaine de kilomètres du lieu de l'accident. On est en train de visionner les bandes vidéo. Peut-être qu'on l'apercevra à la caisse. Tout compte fait, la matinée a été plutôt productive, jusqu'à présent.

— Et pourtant, il y a un truc qui te chiffonne…, devina Tessa.

— Le magasin ferme à vingt-trois heures. L'accident s'est produit aux environs de cinq heures du matin. Qu'est-ce qu'elle a bien pu faire durant ce laps de temps ? Parce que, si elle était restée à picoler dans sa voiture, elle aurait largement plus de 0,6 gramme d'alcool dans le sang.

— Quelqu'un pour l'aider ?

— Possible.

— Un mari ?

— Il était dans son atelier, paraît-il. À ce qu'il prétend, il n'avait même pas réalisé que sa femme avait disparu.

— Il sera privé de cadeau pour la Saint-Valentin. Ça s'est passé dans quel coin ? Il y avait du monde ? Des boutiques, des restaurants, des bars ? De quoi se distraire ?

— Nada. J'ai compté deux stations-service entre le magasin d'alcool et le lieu de l'accident ; rien d'autre. Je ne vois vraiment pas ce qu'elle a pu faire pendant six heures.

— Peut-être que… » Il l'entendait presque réfléchir. « Peut-être qu'elle n'a rien fait de particulier. Peut-être qu'elle a juste… flâné. Histoire de réfléchir, de faire le point. Quand je patrouillais la nuit, c'était incroyable le nombre d'automobilistes solitaires que je trouvais garés le long des routes. Si la tienne souffre d'une commotion cérébrale, elle a sûrement tendance à perdre ses repères. Encore une âme errante qui cherche la lumière.

— Et pour la trouver, elle s'achète une bouteille de scotch et elle noie son chagrin…

— Elle n'a pas pu le noyer avec 0,6 gramme.

— Et après, elle prend la route. À la recherche d'une petite fille qui n'existe pas.

— Une petite fille?» La voix de Tessa grimpa dans les aigus.

Wyatt fit la grimace. Il aurait mieux fait de tenir sa langue. «Au moment où le premier flic est arrivé sur les lieux, la femme a dit qu'elle cherchait sa fille Vero. Seulement voilà, le mari prétend qu'ils n'ont jamais eu d'enfant. Et ils sont ensemble depuis vingt-deux ans.

— Donc, elle est à côté de ses pompes.

— Elle n'en est pas à son premier traumatisme crânien. La première fois, elle a chuté dans l'escalier de la cave alors qu'elle faisait la lessive. Ensuite, elle est tombée devant chez elle. Et maintenant, cet accident de voiture. Résultat, elle a des pertes de mémoire, d'importantes sautes d'humeur, des migraines et elle ne supporte pas la lumière.

— Je m'en voudrais d'insister mais oublier des trucs et en inventer sont deux choses bien différentes.

— C'est-à-dire?

— Les médecins t'ont-ils affirmé qu'elle avait des bouffées délirantes?

— Les toubibs se retranchent derrière le secret médical. Ce que nous savons, nous le tenons du mari.

— Mais enfin, tu sais bien que les maris sont toujours les derniers au courant.

— Je t'assure, ils n'ont pas d'enfant…

— Et pourtant elle le cherche. Écoute, même si elle avait des tendances délirantes, pourquoi aurait-elle imaginé un truc pareil? Parmi toutes les idées folles qui lui passent par la tête, pourquoi s'est-elle arrêtée sur celle-là précisément? À ta place, je vérifierais aussi l'odomètre. Peut-être n'a-t-elle rien fait d'autre pendant six heures que parcourir la région de long en large à la recherche de sa fille perdue.

— Qui n'existe pas, répéta Wyatt.

— Mais qui a de l'importance pour elle. Clairement. C'est la première fois qu'elle agit ainsi?»

Wyatt hésita. «Je n'ai pas pensé à poser la question.

— Des amis, des proches?

— Ils sont nouveaux dans la région.

— Quel métier?

— Le mari et la femme travaillent ensemble, ils sont à leur compte. Ils fabriquent des accessoires de cinéma.

— Ce qui veut dire que sa seule famille, son seul contact avec le monde c'est son mari, s'écria Tessa. Le même qui déclare qu'ils n'ont pas d'enfant. Le même qui raconte que sa femme a eu trois "accidents" en l'espace de six mois.»

Wyatt la recevait cinq sur cinq. Lui aussi trouvait ça louche. Et pour un flic, il n'y avait pas de parano sans cause.

«Tu pencherais pour un cas de violence conjugale? J'avoue que j'y pense, moi aussi. Et ça m'inquiète.» Wyatt revit l'hématome qui jaunissait sur la mâchoire de Thomas Frank. Sa femme l'avait-elle frappé involontairement lors d'une crise de nerfs ou lui avait-elle fait ce bleu en essayant de se défendre?

«Ça correspond au profil, dit Tessa, sans oublier qu'un homme qui cogne sur sa femme…

— Cogne aussi sur ses enfants. Mais ça mène à quoi? Une gamine qui n'existe pas ne peut pas mourir. Là, on tombe dans le domaine de la pure conjecture. J'ai déjà gâché ma matinée et l'argent du contribuable à suivre une fausse piste. Maintenant, je crois que le shérif apprécierait qu'on repasse dans le concret.

— As-tu interrogé la femme ?

— Chaque chose en son temps.

— Quoi, tu ne lui as pas encore parlé ? fit Tessa, ébahie.

— On lui avait administré un sédatif ! Je t'ai dit qu'elle était blessée.

— Donc, tu n'as pas pu recueillir son témoignage…

— Ce sera fait demain à la première heure. Le toubib dit qu'elle a besoin de repos. Du coup, ça nous laisse le temps de mettre les choses à plat : accident impliquant une seule voiture ; conductrice seule au volant ; conduite en état d'ivresse, à voir. »

De nouveau, il sentit que Tessa levait les yeux au ciel. Le truc dingue c'était que sa fille avait exactement la même mimique.

« Bon, d'accord. Jouons-le à ta façon. Concentrons-nous sur l'accident… Si son taux d'alcoolémie ne dépassait pas 0,6 gramme, pourquoi s'est-elle retrouvée dans le décor ?

— Les conditions météo. Ses troubles neurologiques associés à la consommation d'alcool. Quoi qu'il en soit, sa voiture a fait une sortie de route et elle est tombée dans un ravin.

— C'était involontaire ou elle s'est jetée exprès ?

— Pour répondre à ça, nous avons besoin des données de l'enregistreur de bord. La police d'État est sur le coup.

— Suicide?

— Comme elle avait bouclé sa ceinture, je place une croix dans la colonne des "non". Mais à cause de cette bouteille de scotch, je dois aussi cocher la colonne des "oui". Cela dit, il faut tenir compte d'un élément essentiel : après l'accident, la conductrice a rampé jusqu'à la route sous la pluie battante pour chercher de l'aide. Un talus haut d'une quarantaine de mètres.

— Ce qui tendrait à prouver qu'elle tenait à la vie, commenta Tessa.

— Sauf que… » Wyatt s'interrompit, craignant d'en dire trop. « Apparemment, c'est pour sa fille qu'elle s'est démenée ainsi. Pour qu'on sauve Vero.

— Celle qui n'existe pas ?

— Tout juste.

— Un simple fantasme, donc, ricana Tessa.

— Tu n'as pas rendez-vous pour déjeuner ? répliqua Wyatt, agacé. Tu sais, avec ton enquêtrice préférée, D.D. Warren.

— La seule l'unique.

— Bonne chance, alors.

— La chance ne suffira pas. Tu n'aurais pas une armure à me prêter ? »

Cette fois, ce fut à Wyatt de lever les yeux au ciel. Puis il raccrocha.

Ses collègues de la police d'État étaient des gens sympas. Dans le New Hampshire, tous les flics passaient par la même académie, qu'ils travaillent pour la ville, le comté ou les Eaux et Forêts. Ils étaient donc sur la même longueur d'onde. Dans cette région montagneuse faiblement peuplée, on avait tout intérêt à se serrer les coudes entre services, surtout au nord de Concord où la police manquait cruellement de moyens. Pas seulement en termes d'effectifs mais aussi de matériel. Contrairement à ce qu'on voit dans les séries où les experts exercent dans des labos dignes de stations spatiales, où chaque commando SWAT se balade avec 100 000 dollars d'équipement sur le dos, les enquêteurs du monde réel doivent surtout compter sur l'entraide… voire le système D. Par exemple, Wyatt avait déjà mené des opérations antidrogue avec du matériel de surveillance glané dans plusieurs villes différentes. Il en venait à se dire que son travail consistait moins à faire respecter l'ordre qu'à demander l'aumône.

Wyatt s'avança vers Jean Huntoon qui venait d'arriver avec le récupérateur de données. Ils s'étaient déjà rencontrés par deux fois, sur d'autres affaires. Ils échangèrent une poignée de main, quelques considérations météorologiques, et se mirent en route. Huntoon tenait la forme : une jeune femme mince d'un mètre soixante-cinq qui participait à des courses cyclistes d'endurance quand son travail lui en laissait le loisir. En plus, elle n'avait pas passé sa matinée à descendre et remonter cette fichue pente, songea amèrement Wyatt lorsqu'il vit qu'elle était déjà au fond du ravin.

« Triste fin pour une si belle bagnole, observa Huntoon quand il l'eut rejointe.

— Les hybrides eux-mêmes n'ont pas été conçus pour voler.

« — Elle a encaissé tout l'impact par l'avant. En plein sur le pif. » Huntoon se retourna pour mieux apprécier la distance qu'ils venaient de parcourir depuis la route. « Elle a dû décoller de là et arriver jusqu'ici en vol plané. D'autres véhicules impliqués ?

— Je ne crois pas.

— Des traces de freinage ?

— Non. »

Huntoon souleva un sourcil épilé. « C'est jamais bon signe. Très bien, vous avez des questions. Je vais tenter de fournir les réponses. »

Huntoon posa son ordi sur une surface relativement plate, près du pare-brise défoncé, déroula quelques câbles et se mit au travail.

Pour autopsier un véhicule, on avait le choix entre deux méthodes. L'une consistait à démanteler la voiture sur place et transporter chaque morceau, portes, sièges, boîte noire, jusqu'au labo de l'État. Si l'affaire relevait du bureau du shérif, Wyatt ou l'un de ses homologues devait alors suivre les pièces et assister au processus d'expertise.

Cette affaire suscitait chez Wyatt une tension qu'il ne parvenait pas à s'expliquer. Peut-être parce qu'elle avait démarré de manière chaotique avec ces dizaines d'agents mobilisés pour rien. Maintenant, il avait l'impression qu'on la leur avait confisquée. Il éprouvait le besoin de reprendre les choses en main, de savoir qui, quoi, quand, où, pourquoi et comment.

Il voulait étudier l'accident sous l'angle des faits, et rien d'autre. Le truc basique. Ensuite, au vu des éléments, son équipe et lui pourraient se retrousser les manches.

Raison pour laquelle il avait demandé à Jean Huntoon de devoir charger les données de l'Audi sur place, au lieu d'attendre une journée entière leur retour du labo.

Cela dit, récupérer des données sur le lieu même d'un accident supposait de travailler dans des conditions précaires, entre éclats de verre et flaques de sang. Ces inconvénients ne semblaient guère affecter la bonne humeur de Jean. Elle en avait vu d'autres. Tout en sifflotant, elle commença par connecter la boîte noire à son ordinateur, régla un truc par-ci, en ajusta un autre par-là et quand tout fut conforme à ses désirs, elle se releva et attendit.

Une heure auparavant, Kevin et deux autres membres de l'équipe TAR avaient terminé les relevés au tachéomètre. Entre ça et les infos que ne manquerait pas de leur fournir l'ordinateur de bord, Wyatt espérait obtenir un joli petit descriptif taillé au cordeau.

« Pas mal, les empreintes », observa Huntoon en montrant deux taches laissées par des mains ensanglantées sur le tableau de bord.

Wyatt acquiesça en connaisseur. C'était connu, on trouvait rarement de belles empreintes digitales à l'intérieur des véhicules. À cause des matières rugueuses tapissant les habitacles. Pour sa part, il regardait systématiquement dans la boîte à gants. Sur la face interne du couvercle, de préférence. Les volants, les portières, les leviers de vitesse ne donnaient strictement rien, la plupart du temps. Mais dans le couvercle de la boîte à gants, on avait une belle couche de plastique bien lisse, rarement touchée et seulement par quelques personnes. Au cours de sa carrière, Wyatt avait prélevé dans des boîtes à gants un certain nombre d'empreintes qui avaient permis d'arrêter des délinquants. Un motif de fierté pour un flic.

«Et pour celles-là, on fait quoi? demanda Huntoon en observant la portière côté chauffeur, couverte de traînées sanguinolentes.

— Je préférerais que ton équipe s'en charge. Ce soir, on démontera la portière pour l'envoyer au labo. Avec une bonne partie du tableau de bord. Ça réduira les risques de dilution.»

Huntoon approuva d'un hochement de tête. Pour prélever un échantillon de sang, on se servait d'un tampon imbibé d'eau stérilisée, ce qui tendait à diluer la substance à analyser. Et comme la science médico-légale bénéficiait aujourd'hui d'une très haute technicité, on attendait d'un policier non seulement qu'il trouve des indices mais aussi qu'il les préserve.

«C'était une femme qui conduisait? demanda Huntoon.

— Oui.»

Huntoon désigna le pare-brise brisé puis le siège du conducteur. «Il est réglé à la même distance que le mien. Taille moyenne.»

Wyatt contourna le véhicule pour voir la chose de plus près. Huntoon avait raison pour le réglage du siège. Pendant qu'on y était, autant passer en revue la partie gauche de l'habitacle.

« La ceinture de sécurité est déroulée, donc je suppose qu'elle l'avait mise, dit-il. Les rétros… »

En ce qui concernait les rétros, c'était plus difficile à dire. En temps normal, on s'installait sur le siège du chauffeur pour vérifier leur position mais, comme il y avait du verre partout et que les portières refusaient de s'ouvrir, on verrait cela plus tard. Wyatt se promit de repasser quand l'équipe technique aurait démonté les portières.

Il se pencha dans un sens, se démancha le cou dans l'autre. « Tout m'a l'air normal. »

Huntoon le rejoignit et se contorsionna à son tour. « À mon avis, les rétros sont bien positionnés », dit-elle.

L'ordinateur bipa. Elle revint sur ses pas.

Pendant qu'elle vérifiait les données affichées sur l'écran, Wyatt résuma ses premières constatations. « D'après la position du siège, des rétros, nous avons affaire à une conductrice de taille moyenne, entre un mètre soixante et soixante-cinq. Rien qui indique la présence d'une autre personne à bord. D'ailleurs, le chien policier qui est passé ce matin nous a juré qu'elle était seule. Et maintenant, est-ce que tu peux me dire… ?

— Le contrôle de stabilité était désactivé.

— Quoi ? » Wyatt s'arrêta net. Parmi toutes les anomalies que sa collègue aurait pu identifier, c'était la seule qu'il n'avait pas prévue.

« Ce modèle est équipé d'un contrôleur de stabilité. Tu sais, pour que le véhicule se replace dans la bonne trajectoire si jamais le conducteur fait une fausse manœuvre, dérape, oublie de lever le pied dans un virage. L'ordinateur de bord calcule la menace potentielle et décide s'il doit freiner, décélérer. Sauf qu'ici le contrôle de stabilité a été coupé.

— Y a-t-il une commande qui permette de passer en mode manuel?» demanda Wyatt, se rappelant que les véhicules haut de gamme possédaient cette option. Il avait dû le lire quelque part, puisque bien évidemment il n'aurait jamais pu s'offrir un tel engin avec ce qu'il gagnait. Mais il savait que certains conducteurs amateurs de sensations fortes préféraient désactiver le système de contrôle, histoire de tester les limites de leur bolide sans être gênés par un ordinateur programmé pour les contraindre à la prudence.

«Absolument.» Huntoon tourna son regard vers lui. «Ta cliente se shoote à l'adrénaline?

— Je n'en ai aucune idée.

— Elle roulait à cinquante, cinquante-cinq kilomètres à l'heure.» Huntoon se pencha pour lire la suite. «Attends un peu : le moteur ne tournait pas.»

Wyatt la regarda fixement. «Il était au point mort.

— D'ailleurs, c'est ce qu'indique le levier de vitesse», précisa Huntoon en le désignant d'un geste du menton. Wyatt l'avait déjà remarqué en début de matinée, mais il en était arrivé à la conclusion que la conductrice avait dû le heurter durant l'accident.

«Comment une voiture peut-elle rouler à une telle vitesse alors qu'elle est au point mort? bredouilla Wyatt.

— Si elle descend une pente, répondit Huntoon, le regard levé vers la route au-dessus d'eux.

— Ou si on la pousse.»

Huntoon jeta un autre coup d'œil vers la route, son regard sombre voilé par la réflexion. «Ouais, c'est bien possible. Tu crois toujours qu'il s'agit d'un accident?»

Pour toute réponse, Wyatt marmonna : «Et merde.»

9

L'inspectrice Tessa Leoni examinait son reflet dans le miroir d'un œil critique. Elle n'était pas femme à passer des heures devant sa garde-robe en se demandant ce qu'elle allait mettre. Au début de sa carrière, l'État du Massachusetts avait eu l'obligeance de lui épargner ce genre de tracas – pour aller bosser, il lui avait suffi d'endosser sa tenue de flic. Après l'incident, quand l'État et elle s'étaient séparés d'un commun accord et qu'elle était devenue consultante en sécurité dans le privé, elle avait troqué l'uniforme bleu nuit contre un tailleur Ann Taylor bleu marine. Une fois qu'on commence à porter du bleu, peut-être que c'est pour la vie.

Tessa fit la grimace. Elle aurait préféré éviter ce rapprochement pourtant évident : flic un jour, flic toujours. Cela dit, flic, elle ne l'était plus.

Histoire de se remonter le moral, elle songea que les choses allaient plutôt bien pour elle. Sa fille était heureuse, du moins autant que pouvait l'être une enfant constamment sur ses gardes se remettant tout doucement d'une expérience traumatique. Madame Ennis, leur ancienne voisine, puits de sagesse installé à demeure chez elles, était heureuse elle aussi et n'avait pas sa pareille pour mijoter de bons petits plats en s'aidant des conseils culinaires prodigués par les chaînes du câble.

Et puis… Et puis il y avait Wyatt.

Tessa n'aurait jamais cru pouvoir sortir de nouveau avec un homme. Surtout un homme sexy qu'elle respectait et qui lui inspirait une confiance absolue. Il l'acceptait telle qu'elle était, malgré son lourd passé et le fait qu'on la soupçonnait d'avoir abattu son mari. Wyatt n'était décidément pas un type ordinaire.

Et bon, Sophie ne le détestait pas vraiment. Enfin, pas plus qu'un autre.

Tessa soupira et reporta son attention sur sa tenue de travail. Tailleur bleu marine. Veste stricte mais élégante, pantalon droit. Cet ensemble la faisait paraître plus grande, plus mince, plus coriace.

Et c'était tant mieux parce que aujourd'hui, elle devait déjeuner avec le commandant D.D. Warren de la police criminelle de Boston. Une pointure.

Pourquoi Tessa avait-elle cherché à la revoir ?

Parce que c'était son boulot, qu'elle était une vraie pro et qu'elle s'en sortirait parfaitement.

Tessa avait l'estomac noué. Elle s'en voulait d'être aussi nerveuse. D.D. était une vieille connaissance, après tout. C'était elle qui avait mené l'enquête sur le meurtre de son mari. Et dernièrement, les deux femmes avaient résolu ensemble – plus ou moins – une affaire dans laquelle une famille avait été enlevée.

Le fait que Tessa ait porté l'uniforme pourrait influencer D.D. Ou pas. En tout cas, Tessa savait d'expérience que les femmes flics souffraient d'isolement. Et elle comprenait mieux que quiconque ce que D.D. vivait en ce moment, du fait de sa récente blessure.

D'où ce déjeuner.

Tessa réussit enfin à boutonner le col de sa chemise blanche. Ainsi vêtue, elle ressemblait davantage à un agent fédéral qu'à une consultante en sécurité. Mais quelle importance ? L'habit ne fait pas le moine.

Tessa ne se berçait pas d'illusions. Dans sa vie, il y avait du bon – Sophie, madame Ennis, Wyatt et peut-être un jour, pourquoi pas, un petit chien – et du moins bon. Des mauvaises décisions, des faux pas qu'elle ne pouvait effacer. Elle avait encore des cicatrices ; elle faisait encore des cauchemars.

Et parfois elle se demandait si une femme comme elle méritait d'être heureuse.

Dans ces moments-là, elle regardait sa fille et elle cessait de s'apitoyer sur son sort.

Bref. Tout cela pour dire qu'il était temps de se comporter en adulte et d'aller retrouver D.D. au restaurant.

Tessa débarqua au Legal Sea Foods dans le Prudential Center avec quinze minutes d'avance. Elle voulait pouvoir choisir la table, de préférence dans un coin à l'écart, et planter le décor.

Mais bien sûr, D.D. l'attendait déjà, assise dans un coin à l'écart, le dos au mur. En voyant Tessa s'approcher derrière la serveuse, elle se leva à demi. L'inspectrice de la Crim bougeait sans trop de difficulté ; on ne voyait pas d'emblée où elle était blessée.

Tessa remarqua tout de même que son bras gauche était un peu trop collé à son torse.

Elles échangèrent une poignée de main. D.D. portait son habituelle veste en cuir caramel, un pantalon large couleur kaki et une chemise turquoise. Une chemise d'homme, Tessa en aurait mis sa main au feu. Preuve supplémentaire que la super-inspectrice n'était pas au top de sa forme. En revanche, ses cheveux courts et bouclés étaient toujours aussi indociles. Il lui restait donc une bonne dose de combativité.

Bien, songea Tessa. C'était d'autant mieux.

«Comment va Jack?» demanda Tessa en s'asseyant face à elle. Jack était le fils de D.D. Il avait quoi? Deux ans, trois ans? Le temps passait si vite.

«Il en est au stade des comptines. Nous lisons *Les Contes de ma mère l'Oye*, nous chantons des berceuses. Et Sophie? renchérit D.D.

— Ça va. Elle fait de la gym, du taekwondo, du tir à la carabine.»

D.D. la regardait avec un petit sourire. «J'ai entendu certaines rumeurs. Vous et le brigadier Wyatt Foster? J'imagine qu'il s'est produit un genre de réaction chimique durant l'affaire Denbe.

— On sort ensemble depuis six mois.

— Super. Vous l'avez présenté à Sophie?»

Malgré elle, Tessa marqua une seconde d'hésitation. D.D. leva un sourcil inquisiteur.

«Nous avons fait deux sorties ensemble tous les trois, confessa Tessa. Elle n'a quasiment pas cessé de… de le dévisager. Vous voyez, le genre de regard qu'on pourrait poser sur un serial killer ou un délinquant sexuel, vous et moi. Elle n'a rien dit d'insolent ni d'irrespectueux… mais à la place de Wyatt, j'aurais pris mes jambes à mon cou. Sophie a parfois une attitude très dérangeante.

— Ils devraient construire quelque chose ensemble, conseilla D.D. Wyatt est menuisier, n'est-ce pas ? Il pourrait lui apprendre à fabriquer des trucs. Sophie sera trop occupée à manier les outils pour penser à autre chose et pendant ce temps, peut-être que la magie opérera. Wyatt est plutôt charmant avec sa dégaine de gentleman farmer. L'essentiel c'est de créer des liens.

— Pas mal pour la mère d'un petit garçon.

— Une femme flic doit se tenir prête à affronter toutes sortes de désagréments. Y compris ceux causés par les petites filles de neuf ans. »

D.D. ouvrit son menu. Tessa fit de même. La serveuse se présenta ; elles passèrent commande. Des crevettes pour Tessa. Du potage aux palourdes et un filet de cabillaud pour D.D. Elles restèrent à l'eau. Puis vint le moment d'aborder le sujet.

« J'ai appris pour votre bras », dit Tessa en imitant la posture raide de D.D. L'enquêtrice avait été blessée dans le cadre de son travail. Le bruit courait que c'était grave et pas encore consolidé. Et aussi qu'elle risquait d'être déclarée inapte. La brigade criminelle était attentive à la condition physique de ses officiers de terrain. Ils lui proposeraient sans doute un poste de bureau. Sauf que D.D., tout comme Tessa, ne supportait pas de rester assise toute la sainte journée.

« Je m'en doutais. » D.D. lui décocha un regard peu amène. « Vous êtes venue me parler reconversion ?

— S'informer ne fait jamais de mal, répondit gentiment Tessa. Et j'imagine que vous n'êtes pas foncièrement contre puisque vous avez accepté cette invitation.»

D.D. haussa l'épaule droite pour exprimer ses doutes sans toutefois jeter de l'huile sur le feu. «Vous aimez ce que vous faites? demanda-t-elle, non sans curiosité.

— Plus que je n'aurais cru au départ. Par exemple, j'ai aimé travailler sur la disparition de la famille Denbe... Me battre pour les retrouver alors que tout semblait perdu. On fonctionne de la même manière toutes les deux. Plus c'est compliqué, plus on est efficaces.

— Vous choisissez un exemple très particulier. En plus, n'oubliez pas que la police de Boston vous a donné un sacré coup de main.

— Vous seriez surprise de constater le nombre d'exemples particuliers qu'on rencontre dans le monde de l'entreprise. Entre l'argent, les egos surdimensionnés et la concurrence à l'échelle mondiale, il arrive que certains pètent un câble.

— Et ça vous plaît.

— Oui. J'en suis la première surprise. En plus, pour être honnête, les horaires de boulot me conviennent davantage. Ma fille sait que, neuf fois sur dix, je rentrerai à la maison pour dîner. Et que je serai dispo le week-end pour assister à ses compétitions. On a quatre semaines de congés payés par an et le salaire qu'on touche nous permet de les passer dans des endroits où le soleil brille.

— Il n'y a que l'argent qui compte, pour vous?

— Exact. Mon job est supérieur au vôtre à bien des égards.

— Pas tous.

— Passionnant, grassement payé et conciliable avec la vie de famille. Allez-y, dites-moi ce qui vous manquerait si vous décidiez de bosser dans le privé?

— Phil et Neil, répondit platement D.D. Mes coéquipiers. Vous avez toujours été une louve solitaire, Tessa. Alors que moi, j'ai toujours aimé travailler en équipe. »

Les plats arrivèrent sur ces entrefaites. Elles continuèrent à papoter de choses et d'autres, prirent des nouvelles de leurs amis communs. L'inspecteur Bobby Dodge, de la police d'État, se portait comme un charme. Il était toujours avec Annabelle, ils avaient trois enfants maintenant et venaient d'acheter une baraque à rénover en banlieue. « Avec un grand jardin, précisa D.D. Idéal pour creuser une piscine, installer un trampoline et faire des barbecues l'été. Oh, et ils ont adopté un chiot, un berger australien. Pour garder leur troupeau de marmots, probablement. »

Et ainsi de suite. Elles parlèrent des collègues, des affaires qu'elles avaient résolues, ou pas. À la fin du repas, Tessa sortit sa carte de crédit professionnelle et renfourcha son cheval de bataille.

« Vous me promettez d'y penser ? dit-elle pour conclure. Pourquoi ne pas passer un entretien, juste pour voir ? Ça ne fait jamais de mal de savoir ce qui se passe ailleurs. »

D.D. hocha la tête. Certes, elle adorait son équipe mais si jamais elle ratait son test d'aptitude, elle devrait faire une croix sur les enquêtes de terrain.

Tessa lui offrait une planche de salut. Elle lui témoignait une grande confiance en lui proposant un poste chez Northledge Investigations.

« En parlant de chien, repartit D.D. alors qu'elles se levaient pour partir, la brigade a rouvert un vieux dossier.

— Ah oui ?

— Un type jouait dans la nature avec son chien, dit D.D. Il a jeté un bâton. Le bâton est tombé dans un ruisseau. Et vous savez ce qu'il y avait dans l'eau ? Un pistolet noir de petit calibre qu'il est allé aussitôt porter à la police. Les analyses ont révélé que l'arme correspondait à la balle retrouvée dans le cadavre de John Preston Purcell. Vous savez, le tueur à gages qui s'est fait descendre il y a trois ans. »

Tessa ne répondit rien.

« Ça m'a donné matière à réflexion, dit D.D. d'une voix atone. Il reste pas mal de questions en suspens depuis cette fameuse nuit…

— Ma fille va bien, répliqua Tessa.

— Et j'en suis ravie, croyez-le. » D.D. hocha la tête. « Mais vous et moi, Tessa… Oui, vous avez raison, nous sommes des femmes d'action. Nous sommes faites pour porter une plaque, bon sang. Et les gens qui portent des plaques sont censés soutenir le système, faire respecter la loi. Il y a des limites à ne pas franchir. Et vous… »

D.D. s'interrompit. Ce qu'elle soupçonnait, jamais elle n'arriverait à le prouver, et elles le savaient toutes les deux. De son côté, Tessa gardait le silence. Ce qu'elle avait fait, jamais elle ne l'avouerait, et elles le savaient toutes les deux.

«Ne prenez pas ça comme une menace, dit enfin D.D.

— Ah non? Comment dois-je le prendre, alors?

— Je vous refile un tuyau. D'après radio-moquette, les geeks du labo auraient récupéré une empreinte. Les homicides ne sont pas soumis à prescription, n'est-ce pas? Ça veut dire que si jamais on trouve un nouvel indice…»

Elle n'eut pas besoin d'achever sa phrase. Tessa avait compris.

D.D. s'éloigna de la table. «La police de Boston n'est pas en charge du dossier Purcell, ajouta-t-elle pendant qu'elles traversaient la salle pour rejoindre la sortie. L'État l'a confié à un nouveau venu, l'enquêteur Rick Stein. Il paraît que c'est un super-flic, le genre de mec qui déteste les affaires non résolues et les questions sans réponse. Je pense que vous entendrez parler de lui d'ici peu.

— Super, dit Tessa.

— Vous pourriez prendre les devants, livrer des infos sans attendre qu'on vous les soutire», suggéra l'inspectrice.

Tessa la fusilla du regard.

«Vous êtes toujours une louve solitaire, Tessa, souffla D.D. tandis qu'elles franchissaient la porte.

— Je n'ai jamais eu l'occasion de travailler avec vos équipiers», répondit Tessa.

D.D. se contenta de sourire. «Merci pour le déjeuner. J'y réfléchirai.»

Elles partirent chacune de son côté.

10

Thomas est de retour. Il était parti en disant que j'avais besoin de repos alors que c'est lui qui est mort de fatigue. En le voyant réapparaître devant moi, je m'aperçois avec surprise que son prénom m'est revenu et que sa présence me fait presque plaisir. Il m'a apporté une tenue de rechange. Un legging noir et un pull large couleur cannelle. Des vêtements qui ne me disent rien à première vue, mais quand je les porte à mon nez et que je respire…

Une brève réminiscence. Je suis pelotonnée au fond d'un canapé en cuir marron, un livre entre les mains, une tasse de thé sur la table en verre devant moi. En face, dans un fauteuil assorti, Thomas est concentré sur ses mots croisés du matin.

J'ai une soudaine envie de flocons d'avoine mais j'ignore si c'est normal ou pas.

Le docteur Celik s'encadre sur le seuil. Elle tient un sac en papier kraft, me regarde d'un air absent puis se tourne vers Thomas. Ils reprennent leurs messes basses à l'autre bout de la chambre. Comme s'ils étaient intimes, me dis-je encore une fois. Je me demande si je suis d'un tempérament jaloux, ou si

Thomas m'a déjà trompée. Comment l'ai-je su? En ai-je été affectée?

Suis-je une bonne épouse? Apparemment, je suis plutôt du genre difficile à vivre. Et si j'en crois l'hématome sur la mâchoire de Thomas, je m'énerve facilement. Mais qu'en est-il de ma nature profonde? Suis-je une femme tendre, douce, maternelle? Ou bien dominatrice, autoritaire? Une mégère?

J'ai peut-être des problèmes de mémoire mais des choses aussi basiques, je devrais m'en souvenir, non? Mes traits de personnalité, ma vie de couple, les moments forts de ma relation avec mon mari.

Mais j'ai beau faire, rien ne s'allume dans ma tête, sans doute à cause de cette immense fatigue. Cette impression de nager entre deux eaux. C'est bien l'image que le docteur a donnée à Thomas, n'est-ce pas? Et c'est précisément ce que je ressens. Comme si je flottais tranquillement alors que le monde part à la dérive.

La voix du docteur Celik grimpe dans les aigus. Pas besoin d'être Prix Nobel de médecine pour comprendre qu'elle refuse de me laisser sortir. Elle veut que je reste en observation, subisse d'autres examens, continue à recevoir la visite de ces infirmières qui passent toutes les heures pour m'enfoncer des aiguilles dans la chair, prendre ma température et me terroriser.

Je suis peut-être sous l'eau mais je n'ai pas l'intention de me laisser faire. Je ne resterai pas dans cet hôpital. Les appareils sont trop bruyants, les lumières trop vives, les bruits de pas sur le lino du couloir résonnent dans ma tête. Pour se remettre d'une commotion cérébrale, ce n'est pas le lieu idéal. On est très loin de l'ambiance zen dont j'ai absolument besoin.

Et ça discute, et le ton monte.

« Vous allez contre l'avis du corps médical. Vous comprenez ça ? Je vous répète que votre femme doit rester ici encore vingt-quatre heures minimum. Elle peut faire un œdème cérébral, ou une hémorragie. Si vous la ramenez chez vous, vous lui faites courir un risque majeur. »

Vais-je reconnaître ma maison ? Je tente de l'imaginer. Aussitôt, je vois une grande villa coloniale avec des murs gris et des volets noirs. C'est peut-être une photo dans un magazine ou bien c'est ma vraie maison ; je le saurai bientôt. J'essaie de visualiser un chat ou un chien mais je n'y arrive pas. Apparemment, mon mari et moi nous suffisons l'un à l'autre. Nous travaillons ensemble ; Thomas me l'a dit. Il fabrique des pièces de décor, des accessoires de cinéma et moi, je l'aide à les peaufiner. Nous vivons, travaillons, dormons ensemble.

De deux choses l'une : soit nous sommes très amoureux, soit non, et alors son bleu au menton s'explique mieux.

Puis… me vient un autre souvenir : je me vois assise sur une véranda inondée de soleil. Des plantes grimpantes déroulent leurs vrilles sur le pourtour des larges baies vitrées dont elles adoucissent les lignes. Des dalles sur le sol, des murs bariolés. Et moi, au milieu de tout cela, occupée à peindre. Et à sourire. Je le sens, ce sourire, étalé sur mon visage. Je suis heureuse.

La voix de Thomas retentit derrière moi, depuis le seuil : *Dis donc, chérie, tu veux grignoter quelque chose ?*

Mon sourire s'épanouit. Mon bonheur aussi.

« Nicky. »

Me revoilà dans le présent. Une chambre d'hôpital. Moi, allongée sur le lit. Mon mari debout à côté. « Le docteur Celik veut bien que tu sortes », me dit-il. Je trouve cela plutôt bizarre puisque, tout à l'heure, j'ai cru entendre le contraire. « Mais tu dois promettre de te ménager. Et nous devrons repasser dans quelques jours pour un suivi. »

Je hoche la tête. Ce geste me fait mal mais ça reste supportable. Puis, très vite, je plisse le nez. Thomas tient le sac en papier que le docteur avait en entrant. Je renifle une odeur de sang, puissante, mêlée à de la terre. Et aussi… une odeur de whisky. J'hésite entre frémir de dégoût et me pencher pour mieux en profiter.

« Tes vêtements », dit Thomas en levant le sac frappé du logo « risques biologiques ».

D'abord j'ai un blanc, puis je comprends ce qu'il veut dire : les vêtements que je portais la nuit dernière, au moment de l'accident.

Je dis sans trop réfléchir : « On peut les prendre ? Mais la police… Je croyais qu'ils avaient des questions à me poser.

— Tu n'avais que 0,6 gramme d'alcool dans le sang. Dans le New Hampshire, le taux plancher est de 0,8. N'ayant aucune charge contre toi, ils n'ont pas le droit de saisir tes effets personnels. »

J'acquiesce. Mon mari semble très au courant des dispositions légales. Dois-je m'en étonner ? M'en inquiéter ?

«Mais ils sont imprégnés de sang... fichus.» Les choses sont encore floues dans ma tête. Pourquoi a-t-il récupéré ces fringues immettables? Pour quoi faire?

Au lieu de répondre, il me désigne les vêtements propres empilés au pied de mon lit.

«Tu crois que tu vas pouvoir t'habiller seule?

— Oui.

— Bon. Dans ce cas, je cours à la pharmacie acheter les médicaments qu'on t'a prescrits; je reviens dans vingt minutes.

— Quelle heure est-il?

— Dix-sept heures trente.

— La nuit est tombée.

— Oui.

— Vero n'a pas peur du noir», dis-je pour sa gouverne.

Thomas soupire et sort de la chambre.

Nous habitons une grande maison coloniale à un étage. Je ne saurais en dire la couleur parce qu'il fait sombre. Après avoir roulé pendant quarante minutes sur de jolies routes de campagne puis d'autres, plus étroites et tortueuses, Thomas s'engage dans une allée, s'arrête et coupe le moteur. Nous restons assis tous les deux sans rien dire. Seuls dans l'obscurité.

Puis Thomas ouvre sa portière, fait le tour et m'aide à descendre.

Mes côtes sont toujours douloureuses. Ma poitrine aussi, dès que je respire trop fort. En revanche, si je marche lentement, si je bouge le moins possible, je m'en sors plutôt bien. Il faut grimper quatre marches pour accéder au perron couvert d'une marquise. Sous la lumière de l'applique placée en hauteur, la porte d'entrée semble peinte en rouge. Mais rouge bordeaux ou rouge sang? Avons-nous plaisanté à ce sujet, autrefois?

Thomas tourne la clé dans la serrure, me fait signe d'entrer.

On pénètre dans ma maison par un vestibule voûté. Au sol des carreaux d'ardoise, au plafond un lustre noir en fer forgé, devant moi un escalier double. Spontanément, je m'avance vers la console en merisier. Deux photos encadrées. Sur l'une, j'imagine que c'est nous, plus jeunes, plus heureux, en train de rire sur une plage. Des tessons de poterie décorent le cadre; aussitôt, je songe au Mexique. Un voyage agréable. Nous buvions de la tequila au petit déjeuner et nous passions nos après-midi à chevaucher les déferlantes aux commandes d'un jet-ski. Nous étions stupides, imprudents et follement, passionnément amoureux.

Le Mexique me manque. Encore aujourd'hui.

La deuxième photo est un portrait en noir et blanc. Il n'y a que moi sur ce cliché. Comme la source lumineuse est derrière ma tête, une lampe posée sur une table peut-être, on ne distingue pas mes traits. Des boucles brunes rebiquent autour de mon visage en ombres chinoises. J'ai l'air songeuse. Je repose la photo d'un geste automatique.

«J'ai toujours aimé ce portrait de toi», dit Thomas en jetant ses clés dans un vide-poches sur la console. Il me regarde à la dérobée.

Je n'ai pas besoin de demander pour savoir que c'est lui qui l'a prise et que, juste avant, j'avais pleuré. Une vraie crise de larmes avec sanglots irrépressibles, nez qui ruisselle, joues trempées. Il s'était tellement inquiété qu'il avait sorti son appareil pour tenter de me distraire.

Il m'arrive de pleurer sans raison.

Tout compte fait, je n'ai pas tout oublié, du moins en ce qui me concerne.

Thomas s'enfonce dans la maison. Je le suis. Je me retrouve devant le canapé en cuir marron, la table basse en verre. Après la salle de séjour, il y a la cuisine. Des placards en bois clair, de l'érable, pour éviter d'assombrir la pièce. C'est aussi moi qui ai choisi les carreaux de céramique vert écume, parce que cette couleur m'évoquait l'océan. Un guéridon pour manger à deux, avec un socle en fer forgé et un plateau incrusté de mosaïque figurant des papillons parce que j'ai toujours rêvé de voler.

C'est mon territoire. Tout comme la véranda attenante et ses murs aux teintes audacieuses, alternance de vert citron et de rose magenta. Dès qu'il a découvert mon choix de couleurs, Thomas a poussé un gémissement. Non, tu ne vas pas m'obliger à faire ça, avait-il lancé en feignant l'épouvante. Mais c'était ma pièce, mon espace à moi, je pouvais l'arranger à ma façon, et donc, j'ai tenu bon. Vert citron et rose magenta.

Tant qu'il n'y avait pas de fresque représentant un rosier grimpant.

« L'atelier est par-derrière, dit-il en montrant la porte de la véranda. Toi, tu travailles ici. Et moi, là-bas.

— On n'est pas côte à côte?

— Pas souvent. Je fabrique; tu peins. On se complète.»

Il me conduit à l'étage. Je n'aperçois aucune photo sur les cloisons de la cage d'escalier, ce qui me surprend sans que je sache pourquoi. Je m'attendais peut-être à en voir. Il y a trois chambres au premier, dont une grande avec un cabinet de toilette, des moulures au plafond et un gigantesque lit à baldaquin en merisier.

Je n'ai pas pu acheter une telle monstruosité. C'est certainement Thomas. Ce lit, je le déteste déjà.

Thomas ne fait aucun commentaire; il continue son tour du propriétaire.

«Pourquoi une maison si vaste alors que nous ne sommes que deux? Nous recevons beaucoup?

— Elle nous a plu, bien que nous n'ayons pas besoin d'une telle surface. Mais comme nous travaillons à domicile, ce n'est pas plus mal.»

Je passe dans la plus petite des deux autres chambres. J'y trouve une jolie banquette-lit en fer forgé peint en blanc, recouverte d'un édredon jaune beurre frais.

«J'aime cette pièce.»

Il ne répond rien.

Je saisis un coin de l'édredon, je tâte la qualité de l'étoffe. Il est fait main. Mais pas par moi, me dis-je immédiatement. Je ne suis pas assez douée pour réaliser une telle merveille. Et pourtant…

Je sais qui l'a cousu. Elle me manque.

L'espace d'un court instant, j'ai de nouveau cette étrange impression. Comme un vide au fond de ma poitrine. Et ce désir violent d'être aimée.

119

«Tu peux dormir là, si tu veux, me propose Thomas à voix basse.

— OK.» Je ne lève même pas les yeux vers lui. Cette pièce m'appartient ; la grande chambre est à lui. Il peut dire ce qu'il veut. Moi je sais ce qu'il en est.

Thomas me demande si j'ai faim. Oui, j'ai faim. Nous redescendons dans la cuisine. Il bat des œufs pour préparer deux omelettes au fromage. Je découpe un melon avec un couteau dont j'admire la finesse de la lame. Si cette cuisine est effectivement mon domaine, je dois prendre soin des ustensiles.

Nous nous installons autour de la table du salon. Et je réalise que je me déplace sans réfléchir d'un endroit à l'autre. Comme si je retrouvais les automatismes que j'ai acquis depuis six mois que nous habitons ici. Deux personnes évoluant dans un espace de 220 mètres carrés, confortable, meublé avec goût mais presque dépourvu d'objets personnels comme des photos de famille, des bibelots et autres babioles.

Peut-être n'avons-nous pas fini de déballer les cartons. Peut-être aimons-nous les intérieurs dépouillés.

Après le dîner, Thomas me propose de regarder un film. Mais je vois bien qu'il dort debout. Moi, en revanche, je n'ai pas du tout sommeil, je suis même excitée comme une puce. J'ai l'impression que si le brouillard se levait, si j'arrivais à me concentrer, à me dépasser un tant soit peu, tous les secrets de l'univers me seraient révélés.

Je lui dis d'aller se coucher. Il proteste pour la forme. Alors j'insiste, allez, va dormir. Il fronce un peu les sourcils et finit par obéir.

Quand il a disparu en haut de l'escalier, je m'empare de la télécommande. Je sais m'en servir, je trouve aussitôt la touche qui permet d'accéder à mes chaînes préférées. En fait, tant que je ne réfléchis pas, que je me contente d'agir, je n'ai pas de problèmes du tout.

Je zappe sur TV Land. Je regarde quelques épisodes de *L'Île aux naufragés*, un vieux feuilleton qui me semble convenir à une femme souffrant de commotions cérébrales multiples. Pas de violence, rien d'énervant. Enfin, excepté les passages où le capitaine frappe Gilligan avec son chapeau. Je ne vais pas jusqu'à me taper *Les Craquantes*. Mon cas n'est pas si désespéré.

J'éteins la télé, j'arpente le salon. Je tombe sur une pile de livres, des poches essentiellement. On dirait que j'aime bien Nora Roberts, tandis que Thomas préfère Ken Follett. Après, je retourne dans la cuisine, j'ouvre tous les placards, le garde-manger. Je veux en avoir le cœur net.

Une chose est sûre, il n'y a pas une goutte d'alcool ici. Ni bière ni vin. Sans parler d'une bouteille de scotch digne de ce nom.

Je suis déçue. Profondément déçue. Une petite rasade de single malt m'aurait fait un bien fou.

Je sors de la pièce pour monter l'escalier. L'effort me fait souffler comme un phoque mais j'arrive vivante au sommet. Je m'enferme dans la petite chambre avec le bel édredon jaune beurre frais.

Et là, je me couche sans me déshabiller, jambes tendues, mains croisées sur la poitrine. Comme une petite fille dans un cercueil.

Et ensuite, je respire à fond.

Vero.

Elle a rajeuni. C'est une bambine, à nouveau. Toute mignonne, grassouillette avec de bonnes joues et des menottes potelées. Elle court autour de la pièce en faisant des bruits d'avion avec sa bouche, elle saute par-dessus les coussins, elle voudrait s'envoler.

Je t'aime, je t'aime, je t'aime.

Vero vole. Vero vole.

Des bruits de pas dans le couloir.

Je rêve, me dis-je en moi-même.

Je suis encore en train de rêver, je me répète.

Et je vois Thomas surgir dans la chambre.

11

Les Frank habitaient une maison coloniale grise relativement neuve. Des volets noirs, un perron surmonté d'une marquise, une allée en brique contournant un charmant parterre. Bien que l'automne soit déjà relativement avancé, on y voyait encore quelques pensées flétries et ces plantes qui ressemblaient à des choux et dont Wyatt oubliait toujours le nom. Quelqu'un avait donc pris la peine de replanter des végétaux adaptés à la saison. Nicky Frank ? Son mari Thomas ?

Kevin et Wyatt avaient tellement de choses à apprendre qu'ils avaient décidé de démarrer la journée par une petite visite à domicile.

Wyatt repassait encore dans son esprit les remarques que Tessa lui avait faites la veille au téléphone. N'ayant pu parler avec Nicky Frank, que savaient-ils exactement sur son compte ? Rien ou presque. Entre autres, ils ignoraient si elle se souvenait de ses deux précédents «accidents». En général, les véhicules au point mort n'ont pas trop tendance à verser dans le fossé. Ça pouvait arriver, supposa-t-il. Par exemple, le conducteur s'endort dans une descente et heurte le levier de vitesse avec le coude. Un peu tiré par les cheveux, quand même. D'où les questions qu'il se posait également à propos de cette histoire de scotch. Nicky avait-elle bu d'elle-même? Ou quelqu'un s'était-il arrangé pour que cette femme à laquelle les médecins avaient prescrit une totale abstinence s'endorme au volant?

Sur certaines affaires, on disposait d'éléments bien tangibles, sur d'autres on avait surtout des intuitions. Ce qui était sympa quand on menait une enquête, se disait Wyatt, c'était de creuser ses intuitions. Bon d'accord, on avait passé le comté au peigne fin pour retrouver une fillette qui n'existait pas. Bon d'accord, il s'était fait remonter les bretelles par le shérif. Mais ce dernier lui-même avait fini par reconnaître que le couple Frank n'était pas blanc-bleu, entre ces trois accidents coup sur coup et cette histoire délirante de gamine disparue.

Wyatt se chargea de toquer à la porte, un grand panneau de bois couleur groseille fraîchement repeint. Pour une maison qu'ils occupaient depuis six mois seulement, il fallait reconnaître qu'elle était superbement rénovée. Les Frank n'avaient dû épargner ni leur temps ni leur peine. Était-ce la preuve qu'ils avaient résolu de s'y installer définitivement? Kevin avait fait des recherches sur eux, la veille au soir. Les Frank avaient la bougeotte. Une seule fois, ils étaient restés deux ans dans un même lieu mais sinon, ils vivaient comme des nomades, un jour ici, le lendemain ailleurs.

Couraient-ils après le boulot? Le mari cherchait-il à effacer ses traces? Ou bien était-ce simplement leur mode de vie? Autant de questions à élucider.

Wyatt aimait relever les défis.

D'où sa relation avec Tessa.

Il frappa encore. Des coups plus sonores, plus insistants. Finalement, des pas se firent entendre. Une seconde plus tard, la porte s'ouvrit. Thomas Frank se tenait devant eux. On aurait dit qu'il venait de se réveiller.

«Bonjour!» claironna Wyatt.

L'homme, pieds nus, en tenue de jogging, le regardait fixement. «Quelle heure est-il?

— Huit heures du matin.

— Ce n'est pas un peu tôt pour les visites?

— On a apporté du café.»

Thomas ne goûtait pas leur humour.

«Monsieur, insista Kevin. Nous avons des questions à poser à votre épouse.

— Elle dort; elle a besoin de repos…

— C'est bon.» Nicky venait d'apparaître derrière Thomas, sur les marches de l'escalier. Elle aussi était vêtue négligemment – legging, pull trop grand – et ses cheveux mouillés laissaient supposer qu'elle sortait de la douche.

Même à cette distance, Wyatt vit les points de suture sur son front, son œil gauche, sous sa pommette droite, sans parler des hématomes et autres écorchures qui mouchetaient son visage. La veille, elle faisait peine à voir. À présent, c'était encore pire; et ça durerait jusqu'à ce que les bleus disparaissent. Mais elle tenait sur ses jambes. La tête droite, le regard clair.

Wyatt ressentit ce frisson qui saisit le chasseur de gros gibier au départ d'une expédition. Ce matin, les choses s'annonçaient bien.

L'air maussade, Thomas s'effaça pour laisser passer les deux policiers. Sans hésiter une seule seconde, Wyatt et Kevin pénétrèrent dans le vestibule et refermèrent la porte derrière eux. À première vue, Wyatt trouva l'endroit agréable à l'œil, pour peu qu'on apprécie les intérieurs modernes et dépouillés, mais curieusement froid. C'était plus un décor qu'un lieu d'habitation. Rien ne manquait : le canapé de chez Pottery Barn, la table basse de la taille qu'il fallait, le grand tapis moelleux. Aucune touche vraiment personnelle jusqu'à ce qu'ils entrent dans la cuisine donnant sur une véranda incroyablement bariolée. Voyant que Thomas évitait soigneusement de regarder les murs de cette pièce, Wyatt déduisit que Nicky avait un penchant pour les couleurs criardes, au contraire de son mari.

Kevin déposa sur le comptoir de la cuisine le plateau en carton où étaient plantés les quatre gobelets de café. Thomas accepta ce petit cadeau en soupirant. Nicky se servit de l'eau.

«Est-ce que je bois du café? demanda-t-elle à son mari avec une curiosité non feinte.

— Tu préfères le thé, l'informa Thomas.

— Pourtant, l'odeur me plaît beaucoup.»

Thomas leva les yeux vers elle. «Tu sais, tu n'es pas obligée de leur parler. Tu étais en dessous du seuil légal. Tu n'as pas commis d'infraction. Tu t'en souviens?» Il leur décocha un regard pour qu'ils comprennent bien qu'il était au courant. «Surtout que le docteur Celik t'a recommandé du repos. Si tu te sens fatiguée, va t'allonger. Je peux m'occuper de ça.»

Faisait-il preuve d'autorité pour préserver la santé de sa femme ou pour l'empêcher de discuter avec la police ? se demanda Wyatt.

Question d'autant plus intéressante que, visiblement, Nicky se la posait aussi.

« Nous avons juste deux ou trois petites choses à éclaircir, répondit Wyatt. Qu'il y ait eu délit ou pas, nous avons obligation d'enquêter sur tous les accidents. Simple formalité. Ça ne prendra pas long-temps.

— Je n'y vois pas d'inconvénient, dit Nicky. Asseyons-nous dans la véranda. Si j'ai besoin de quelque chose, je te le dirai. »

Contrarié, Thomas prit son café et s'éclipsa.

D'après les informations qu'ils avaient glanées sur lui, l'homme était propriétaire de la société qu'il diri-geait, Ambix Productions, laquelle lui avait rapporté 250 000 dollars l'année précédente. Ce qui pouvait expliquer la belle maison et les voitures de luxe. Les Frank avaient 40 000 dollars sur leur compte ban-caire, de quoi voir venir si jamais la femme n'était plus en mesure de travailler. Les graves difficultés financières évoquées par Thomas à l'hôpital étaient donc largement surestimées. C'était peut-être un homme consciencieux ou bien un accro du boulot. En tout cas, ces accidents à répétition avaient dû réduire son rendement, et pas seulement depuis une semaine ou deux mais au cours des six derniers mois.

Cela suffisait-il à expliquer son attitude hyperpro-tectrice ? Ou bien, encore une fois, y avait-il autre chose là-dessous ? Les jours comme celui-ci, Wyatt ne regrettait pas d'avoir choisi le métier de flic.

Quand Thomas fut parti, Nicky emmena Wyatt et Kevin dans la véranda lumineuse. Wyatt nota qu'elle se déplaçait avec précaution. Elle avait encore mal partout, supposa-t-il, mais son humeur semblait au beau fixe.

«J'aime cette pièce», dit-elle en choisissant une chaise de jardin munie d'un coussin. Wyatt et Kevin s'installèrent dans les fauteuils en osier qui lui faisaient face. «Elle est à moi, poursuivit-elle en repliant une jambe sous ses fesses. Et la chambre jaune au premier aussi.

— Vous avez reconnu les lieux? demanda Wyatt. Vous vous sentez chez vous?

— Oui. Tant que je ne réfléchis pas. Si je me contente d'agir sans me poser de questions, je retrouve facilement les choses. Mais si, par exemple, je me demande où sont les assiettes... alors ça se complique terriblement.

— Vous avez recours à votre mémoire musculaire», expliqua Kevin.

Nicky haussa les épaules. En séchant, ses cheveux bruns formaient des boucles autour de son visage. C'était une femme séduisante, remarqua Wyatt, ou du moins le redeviendrait-elle quand ses blessures seraient cicatrisées.

«Je fais avec les moyens du bord, répondit-elle. Il faut bien, puisque je n'ai plus toute ma tête.

— Vous avez la migraine aujourd'hui?

— Non. Juste... des douleurs. Partout. J'ai l'impression d'être passée dans une essoreuse. Le docteur m'a donné des antalgiques mais je pense que, dans un premier temps, je vais carburer à l'Advil.

— Et Vero? hasarda Wyatt. Elle va mieux, elle aussi?»

Il vit Nicky se figer en plantant ses yeux dans les siens. «Vous me croyez folle, brigadier?

— Je ne suis sûr de rien.

— Je n'ai pas de fille.

— Et pourtant, hier…

— Je venais d'avoir un grave accident, je m'étais cogné la tête. Encore une fois. Je ne savais plus ce que je disais. Qu'y a-t-il d'étonnant à cela?

— Vous n'avez pas d'enfants?

— Non. Je suis stérile. C'est ainsi, nous ne serons jamais parents.» Elle sourit d'un air pensif. «C'est drôle, je me rappelle à peine le nom de mon mari. Mais le souvenir de mon infertilité, ça je ne peux pas y échapper.»

Wyatt s'accorda un instant de réflexion. Comment devait-il interpréter cet aveu? Elle ne pouvait pas avoir d'enfants mais peut-être en désirait-elle tout au fond d'elle-même. Peut-être son subconscient en avait-il créé un. Possible, supposa-t-il. Mais cela outrepassait le cadre de ses compétences.

«Pourquoi ce prénom en particulier? intervint Kevin.

— Je l'ignore.

— Il y a une Vero dans votre famille? Votre mère, votre sœur? Une grand-tante?

— Je n'ai pas de famille.

— Personne?» s'étonna Wyatt.

Elle le regarda franchement. «Non. Personne. Il n'y a que Thomas et moi. C'est amplement suffisant, je vous assure.»

OK. Wyatt prit note. Décidément, Tessa avait visé juste. De toute évidence, Nicky Franck menait une vie de recluse. Le couple se suffisait à lui-même. À cela près que son mari était incapable de lui éviter les «accidents».

«Avez-vous des souvenirs de la nuit de mercredi? demanda Wyatt.

— Celle de l'accident?

— Oui.

— Aucun.

— Pas le moindre?

— Malheureusement. J'ai beau chercher... je ne vois rien du tout.»

Wyatt jeta un regard à Kevin, lequel répondit d'un signe de tête.

«Madame Frank, démarra Kevin. Accepteriez-vous de faire un test avec moi? Un exercice de mémoire. Des fois, ça aide à se rappeler certaines choses.

— En quoi cela consiste-t-il?

— C'est très simple. Vous vous détendez et moi, j'essaie de vous faire revivre l'événement en mettant l'accent sur les sensations. Vous savez, les odeurs, les sons, ce genre de choses. Aborder les souvenirs par la bande s'avère souvent plus efficace que les attaquer de front.

— Ce n'est pas de l'hypnose, n'est-ce pas?

— Rien à voir.

— Parce que mon cerveau me cause déjà assez de soucis. Il ne manquerait plus qu'on aille trifouiller dedans.

— Je ne trifouillerai pas, je n'exercerai aucune influence. Je vais juste vous poser des questions et vous répondrez ce qui vous vient à l'esprit.»

Nicky pinça les lèvres. Elle ne parvenait pas à se décider. Puis elle hocha la tête de manière presque imperceptible. Elle était partante.

«Très bien. Fermez les yeux. Respirez à fond. Nous sommes mercredi soir. Il est dix-sept heures. Où êtes-vous?

— Chez moi.

— Que portez-vous?

— Un jean. Un col roulé noir. Une polaire grise.

— Comment vous sentez-vous?

— Je me sens bien. À mon aise. J'aime bien traîner dans ces vêtements.

— Que faites-vous?

— Je… prépare le dîner. Des blancs de poulet. Ils marinent depuis le matin dans une sauce à l'italienne. Maintenant, ils sont prêts pour la cuisson. Je vais commencer par les saisir à la poêle et après, je les passerai au four. Je vais faire du riz aussi. Et peut-être des brocolis à la vapeur.» Elle marqua une pause. «J'ai la migraine.

— Vous prenez des cachets?

— C'est fait. J'ai avalé quatre comprimés d'Advil. Mais c'est insuffisant. L'odeur du poulet… me donne la nausée.

— Alors, que faites-vous?

— J'ai besoin de m'allonger. Parfois, je mets une poche de glace dans une serviette et je la pose sur mes yeux. Ça soulage.

— Et maintenant?

— J'enfourne le poulet. J'ai réglé le minuteur pour qu'il ne brûle pas. Je renonce aux brocolis. Le riz est dans le cuiseur-vapeur. Je n'ai pas à m'en occuper.

Je prends ma poche de glace. Je me dirige vers le canapé.

— Où est votre mari ?

— Je ne sais pas.

— Dans la maison ?

— Je ne sais pas.

— Dans l'atelier ?

— Je ne sais pas.

— OK. Donc, vous êtes allongée, la poche de glace sur la tête.

— Je crois que je m'endors. Il fait sombre, il fait frais, c'est agréable. Je ferme les yeux. J'aime dormir. Quand je dors, Vero vient me voir. Elle est contente, elle porte sa robe à fleurs préférée. Elle veut danser. Je l'attrape par les bras et nous tournons dans la pièce. Mais nous sommes dans la petite chambre maintenant, celle avec le tapis bleu tout râpé et les fenêtres fermées et les lits jumeaux collés l'un contre l'autre comme s'ils n'en faisaient qu'un. La fin est proche. C'est dans cette chambre qu'on se dira adieu. Je le sais chaque fois que je pose les yeux sur le tapis. Je devrais arrêter. C'est trop dur de la voir comme ça tout le temps. Mais je l'aime. Je l'ai toujours aimée. Et je suis tellement triste pour elle. Avant j'ignorais que les regrets pouvaient être si lourds à porter. Oh, mon Dieu, je l'entends approcher. Dans le couloir. Il faut qu'on se sauve. Mais une seule de nous réussit à s'enfuir. Toujours la même. Moi.

— Nicky… » Wyatt la regardait, médusé. Elle avait toujours les yeux fermés, tournés vers ses souvenirs. Ou plutôt, le souvenir d'un souvenir. Et elle pleurait. Qu'elle en soit consciente ou pas, son visage ruisselait de larmes.

« Vous vous réveillez ? chuchota Kevin.

— J'ai entendu la sonnerie du minuteur. Le poulet. C'est cuit.

— Et ensuite ?

— Thomas. Il est là, devant moi. Il me regarde. J'ai peut-être crié ; j'ai peut-être hurlé Vero. Je n'aurais pas dû. Je sors le poulet du four. Je le dispose sur les assiettes. Je sers le riz. J'apporte le tout sur la table. Thomas me regarde faire. Il me complimente. J'ai réussi le dîner, chose rare en ce moment. Nous mangeons en silence. Avant, à table, on n'arrêtait pas de discuter. Avant, on s'aimait. »

Wyatt et Kevin échangèrent un regard.

« Après dîner, que faites-vous ? poursuivit Kevin.

— La vaisselle.

— Et Thomas ?

— Il retourne travailler. Son boulot est très important. Il travaille. Je nettoie la cuisine. Mais je fais tomber une assiette. Elle se fracasse sur le sol. Mes mains tremblent. Je suis fatiguée. Sans forces. Avant, je n'étais pas si faible. Maintenant, je suis tout le temps crevée. Thomas est très patient avec moi. Comme s'il n'avait pas assez de travail, il faut encore qu'il fasse garde-malade. Je ramasse les morceaux et je vais les porter dans la poubelle dehors. Avec un peu de chance, il ne remarquera rien. Je ne veux pas qu'il soit triste.

— Que se passe-t-il quand Thomas est triste ? insista Kevin.

— Je ne veux pas qu'il soit triste, répéta Nicky.

— Vous jetez l'assiette cassée et après, que faites-vous?»

Nicky s'abîma dans le silence. Les yeux toujours fermés, les joues presque sèches. «Je ne devrais pas, murmura-t-elle. C'est mal. Je ne devrais pas le faire. Il va se mettre en colère. Je ne devrais pas le faire.

— Faire quoi, Nicky?

— Chut, souffla-t-elle. Je le quitte.»

«Mais non, reprit-elle trente secondes plus tard. Je ne peux pas le quitter. J'ai besoin de lui. Je n'ai que lui pour me protéger.

— Vous protéger contre quoi?

— Vous ne pouvez pas imaginer.

— Avez-vous des ennemis, votre mari et vous? Quelqu'un vous a-t-il menacés?

— Des épines, des gouttes de sang. Ces horribles roses qui grimpent le long du mur.

— Nicky…

— Vous ne voyez pas combien je suis mauvaise.»

Elle s'exprimait avec clarté mais, de nouveau, Wyatt eut un frisson. Plus il l'écoutait parler, plus elle lui faisait l'effet d'une victime. Une femme sous influence, persuadée de mal agir, d'être une source permanente de déception pour son mari.

«Je suis fatiguée, murmura-t-elle. J'ai mal à la tête.

— Encore une petite minute, intervint Wyatt. Vous avez mal comme ce soir-là?

— Oui. Il faut que j'aille chercher une poche de glace. Que je m'étende.

— Que portiez-vous, déjà? lui redemanda Kevin pour l'obliger à se recentrer sur ses questions.

— Un jean. Un col roulé noir. Ma polaire grise préférée.

— Vous vous sentez bien ?

— Oui.

— Couchée sur le canapé. Mais vous avez mal à la tête.

— Oui.

— Quand prenez-vous votre manteau ?»

Pause. Nicky fronce les sourcils sans ouvrir les yeux. «Mon manteau ?

— À moins que vous n'ayez pris vos clés de voiture en premier ?» dit Wyatt en se promettant d'interroger le personnel de l'hôpital. Ils avaient emballé les vêtements que Nicky portait ce soir-là. Certes, la police n'avait pas le droit de les saisir, mais rien ne l'empêchait de poser la question aux infirmiers ou aux urgentistes. Nicky avait-elle un manteau en arrivant ? Parce qu'il n'y en avait pas dans sa voiture.

Mais Nicky faisait non de la tête. «Je suis sur le canapé.

— À quel moment vous levez-vous ?

— Vero, murmura-t-elle.

— Vero ?

— J'ai essayé de voler. Comme Vero. Mais les petites filles ne savent pas voler. Elle s'est écrasée. Je me suis écrasée. Et maintenant je dois la retrouver. C'est pour ça que je suis revenue d'entre les morts. Pour ça et rien d'autre.

— Vous avez pris votre voiture pour essayer de la retrouver ? demanda Kevin.

— Non, je suis sortie de ma voiture pour la retrouver.

« — Où êtes-vous allée, Nicky ?

— Allée ?

— Vous êtes au volant, vous roulez dans la nuit. »

Mais Nicky n'était pas d'accord. Elle ouvrit les yeux et les posa sur les deux policiers. « Je ne roule pas. Je suis sur le canapé. »

Wyatt l'observait avec une grande attention. La première pièce du puzzle venait de se mettre en place. « Dans ce cas, qui vous a donné la bouteille de scotch ? »

Nicky ne répondit pas.

12

« Je croyais qu'ils avaient juste quelques questions. »

Je scrute le visage de mon mari. Thomas a refait son apparition aussitôt après le départ des deux enquêteurs. Ils se sont bien gardés de me dire qu'évoquer des souvenirs par la bande revient à marcher dans un couloir obscur peuplé de formes patibulaires. Mes souvenirs sont des ombres glacées. Ils ne veulent pas être dérangés, même par moi.

« Avons-nous des amis ? »

Thomas me considère avec une certaine curiosité. Il est allé se doucher pendant que je discutais avec la police. Ses cheveux humides sont collés à son cou. J'ai envie de les toucher du bout des doigts.

« Pas encore, dit-il.

— Que veux-tu dire ?

— Nous venions d'emménager quand tu es tombée dans l'escalier, et depuis… j'ai l'impression qu'on ne fréquente que des médecins.

— Je ne me rappelle pas être tombée dans l'escalier.

— D'après le toubib, c'est courant en cas de commotion cérébrale.

— Je ne me revois pas en train de faire la lessive. »

Il hausse les épaules. « C'est toujours toi qui t'y colles. Tu ne veux pas que je m'en occupe. Il paraît que j'abîme tes vêtements délicats. »

Ces derniers mots réveillent quelque chose en moi. Oui, je les ai prononcés. Oui, c'est moi qui fais la lessive. Et pourtant, je n'arrive pas à visionner la machine à laver. C'est peut-être comme pour les assiettes dans la cuisine. Je ne peux pas les situer mais si je tends la main sans réfléchir, je les trouve.

« J'ai le droit d'entrer dans ton atelier ? »

Thomas me fait un sourire tordu, se penche et me murmure à l'oreille : « Pourquoi ? Tu crois que les cadavres de mes précédentes épouses sont cachés à l'intérieur ? »

Je réponds avec le plus grand sérieux : « Oui.

— Alors viens. Je vais te faire visiter. Tu pourras contempler le génie à l'œuvre. »

Il est déjà en tenue : jean, chemise en flanelle bleue. Il enfile une veste kaki par-dessus et traverse la véranda pour sortir dans le jardin. Je n'avais pas encore vu les grosses bottes de sécurité posées près de la porte. Il se chausse tout en désignant mes pieds nus. Avec un temps de retard, je retourne dans l'entrée, j'ouvre le meuble à chaussures et, sans réfléchir, j'attrape une paire de gros chaussons L.L. Bean à semelles de caoutchouc. Encore un effet de ma mémoire musculaire. J'ai eu le temps de me créer des automatismes depuis six mois que je vis ici.

Il fait froid dehors. L'humidité me saisit au moment où nous franchissons la porte. Le ciel est gris, le sol détrempé par la pluie qui est tombée plusieurs jours durant. Les fins d'automne en Nouvelle-Angleterre n'ont rien de séduisant. Des arbres squelettiques, de l'herbe jaunie. Novembre sert uniquement à faire la transition entre les rouges flamboyants d'octobre et les blancs ouatés de décembre.

Nous devrions passer le mois de novembre en Arizona, me dis-je avant de m'apercevoir que nous avons déjà évoqué ce sujet. C'est même moi qui en ai parlé après une crise de larmes, un jour où je n'en pouvais plus de ce ciel plombé et de ces nuits qui tombent à dix-sept heures.

Mais visiblement, ce voyage n'a pas eu lieu. Peut-être à cause de mes traumatismes crâniens. J'étais déjà difficile à vivre.

L'atelier est plus vaste que je n'imaginais. Rien à voir avec un abri de jardin classique. On pourrait y garer une voiture. Une peinture gris aluminium recouvre les cloisons. On dirait un préfabriqué. Ça fait moche mais d'ici, je n'aperçois aucun voisin susceptible de s'en plaindre. Et comme c'est nous qui l'avons construit, je suppose que sa présence nous est indifférente. Thomas a coulé lui-même la dalle de béton. Il est très doué pour ces choses-là. Après quoi, des ouvriers sont venus poser les panneaux et, quelques jours plus tard, le tour était joué. Basique mais bien isolé, avec une chaudière à gaz, l'électricité. Il n'y a pas l'eau courante ; quand il en a besoin, Thomas repasse dans la maison.

J'avais l'intention de planter une haie au printemps prochain, ou de créer un talus garni de fleurs et d'arbustes. De quoi dresser un écran entre cette horreur et nos fenêtres. Encore un projet dont nous avons discuté, Thomas et moi. Encore un projet qui ne verra sans doute jamais le jour, à cause de mes «accidents» en série.

Le brigadier Wyatt a laissé entendre que j'étais isolée, voire que mon mari était un danger pour moi. Trois commotions cérébrales, c'est beaucoup pour une seule personne. Et pourquoi, en l'espace de six mois, n'avons-nous lié connaissance avec personne? Nous ignorons même qui sont nos voisins.

Nous n'avons pas d'amis. Je le savais avant d'interroger Thomas. Nous vivons en vase clos et depuis bien longtemps. Nous sommes heureux ainsi, du moins c'est ce qu'on se dit, mais je crois que nous nous mentons. Pas forcément l'un à l'autre, plutôt à nous-mêmes. Ce mensonge-là est le plus facile à faire et le plus difficile à défaire.

Il y a une serrure à la porte de l'atelier. Thomas tire une clé de sa poche, ouvre. Je trouve ce verrou inutile jusqu'à ce que je voie ce qui est entreposé à l'intérieur.

Ne cherche pas où est l'assiette, attrape-la, me dis-je. Mais ici, cette méthode ne fonctionne pas. Ma mémoire musculaire ne m'est d'aucun secours; dès que je pénètre dans cette atmosphère moisie, je perds tous mes repères. C'est le territoire de Thomas, pas le mien. J'éprouve une certaine confusion mêlée d'une légère angoisse.

Thomas allume les lumières au plafond. Je grimace en me protégeant les yeux, par réflexe. Thomas voit mon geste et actionne un autre interrupteur qui éteint la moitié des ampoules. Maintenant, je peux retirer ma main et regarder autour de moi.

L'espace me paraît étonnamment grand. Le toit est en pente, les poutres visibles. Devant moi, plusieurs établis pliables sont disposés bout à bout, formant le genre de comptoir sur lequel travaillent les décorateurs de cinéma.

Des étagères métalliques, des panneaux en contreplaqué couvrent la surface des murs. Sur les panneaux sont accrochés divers outils. Les étagères supportent toute sorte de matériaux, bouts de bois, tuyaux en plastique. Cet atelier est trop encombré, trop chargé à mon goût. Je préfère me focaliser sur une seule chose. Un engin flambant neuf qui ressemble à une grosse imprimante, placé en évidence sur sa propre table. Quand je m'approche, l'odeur de plastique qui s'en dégage suscite en moi une étonnante appréhension.

Nous nous sommes disputés au sujet de cette machine. Il voulait l'acheter; je ne voulais pas. Apparemment, c'est moi qui ai perdu puisqu'elle est ici et que sa vue me contrarie toujours autant.

«Qu'est-ce que c'est?»

Thomas me regarde attentivement. Soit il se demande si je me rappelle cette histoire, soit il hésite à entrer dans les détails. Après tout, pourquoi raviver un différend que j'ai peut-être oublié?

«Une imprimante 3D», finit-il par avouer.

Je hoche la tête. D'autres fragments de souvenirs viennent s'agréger aux précédents. «On crée un objet par ordinateur, n'importe quel objet, puis on l'envoie vers l'imprimante qui le restitue en trois dimensions.

— Oui, c'est cela.

— Des accessoires de cinéma. Un faux couteau par exemple.

— Ce serait faisable mais il existe déjà des entreprises spécialisées dans les armes factices. En fait, tous les objets d'usage courant se trouvent facilement sur catalogue. En revanche, je peux concevoir un trophée sur mesure, par exemple, pour une scène où l'outsider finit par remporter la victoire. Je fabrique une coupe en plastique, je la fixe sur un socle en bois et toi, tu te charges de la finition en appliquant une feuille d'or par-dessus. Ensuite, durant la phase de promotion du film, nous pouvons reproduire cette coupe au format miniature et en distribuer des exemplaires aux directeurs de studios, aux critiques de cinéma, etc. »

J'opine. Tout ce qu'il dit me semble parfaitement logique. Alors, pourquoi suis-je persuadée qu'il me ment ?

Je m'entends répondre : « Les imprimantes 3D peuvent servir à fabriquer des pistolets en plastique.

— Exact.

— Tu en as déjà fait ?

— Je te l'ai dit, ce type d'accessoires s'achète sur catalogue à des prix nettement inférieurs. »

Je lève les yeux vers lui. « Et des vrais pistolets, tu en fabriques ?

— Il n'y a pas de raison. Les vrais pistolets aussi reviennent moins cher quand on les achète par correspondance… ou dans la boutique du coin.

— Mais un pistolet en plastique serait intraçable.

142

— Je crois savoir que dans la rue, on peut se procurer des armes de poing dont les numéros de série ont été effacés à coups de lime ou avec de l'acide.

— Tu m'as l'air drôlement bien renseigné.

— Je le suis. Quand j'ai suggéré d'acheter cette machine, c'est l'argument que tu m'as opposé. L'imprimante 3D est en train de tout révolutionner, depuis les objets manufacturés jusqu'à la médecine. Sans oublier les accessoires de film, bien sûr. Je m'efforce de rester à la pointe du progrès, un point c'est tout. Mais toi, tu vois du danger partout. »

Il a raison ; je vois du danger partout. Que m'est-il arrivé pour que je sois aussi parano ?

« Est-ce que tu aimes ton travail ? » Je suis curieuse d'entendre sa réponse.

« Oui. Il est concret, créatif, flexible au niveau des horaires. On peut l'exercer où on veut, quand on veut. Nous avons beaucoup de chance.

— Est-ce que j'aime notre travail ? »

Il hausse les épaules, détourne le regard. Je deviens méfiante. « Tu aimes peindre et c'est l'essentiel de ta contribution. Mais dernièrement… » Ses yeux reviennent vers moi. « Pourquoi cette question, Nicky ?

— Je veux arrêter, m'entends-je dire. Je démissionne.

— Que veux-tu faire d'autre ? »

J'ouvre la bouche mais je ne trouve rien à répondre. « Je ne sais pas. Je veux juste… arrêter.

— Nous avons emménagé ici pour tout recommencer de zéro. Nous habitions Atlanta mais tu disais que la neige te manquait. Alors, nous avons cherché sur Internet et le New Hampshire nous a plu. Bientôt il y aura toute la neige que tu souhaites, par ici. Seras-tu satisfaite pour autant ? Là est la question ?

— Pourquoi ai-je oublié cette chute dans l'escalier du sous-sol ?

— À cause du traumatisme crânien.

— Et l'autre nuit ? C'est pareil. Je ne me souviens de rien, ni d'avoir pris la voiture, ni d'avoir mis mon manteau, ni d'avoir attrapé les clés, ni de m'être assise au volant. Je ne suis pas aussi débile, Thomas. Je devrais au moins me souvenir d'un de ces gestes.

— Pas forcément. La neurologue dit qu'il n'y a pas de règle absolue en cas de syndrome post-commotionnel.

— Est-ce que tu m'as fait boire ?

— Quoi ?» Pour la première fois, il est à court d'arguments.

«Est-ce que tu m'as versé le premier verre de scotch ? C'est la question que m'ont posée les enquêteurs. Tu m'aurais fait boire avant de m'installer au volant.

— Bien sûr que non !

— Qui alors ? Puisque nous ne fréquentons personne. »

Thomas accuse le coup. Il se passe la main dans les cheveux, fait un pas vers moi. «Personne ne t'a fait boire. Cette bouteille, je ne l'ai même jamais vue ici. Tu as dû l'acheter quelque part. Sur la route. Tu ne t'en souviens peut-être pas mais tu as pris la voiture, Nicky, et tu es partie. Je t'ai cherchée partout dans la maison avant de m'en apercevoir.

— Je ne me souviens…

— Le 24 août 1993. Nous sommes allés acheter des beignets au Café du Monde, à La Nouvelle-Orléans. Comme tu ne les avais jamais goûtés, je t'en ai pris une demi-douzaine. Tu t'es mise à rire en disant qu'ils étaient les meilleurs du monde. Et c'est là que je t'ai embrassée. Notre premier baiser avait le goût de la cannelle et du sucre glace. Je ne me suis jamais lassé de t'embrasser. Tu te rappelles ?»

Il fait encore un pas vers moi. Ses yeux sombres me fascinent. Je réponds : «Oui.

— Trois jours plus tard, dans un petit appart minable avec juste un matelas par terre et pas même la télé, nous avons fait l'amour pour la première fois. Après, tu t'es mise à pleurer. J'ai paniqué. J'ai cru que je t'avais fait mal. Mais toi, tu as continué à sangloter et tu m'as dit de te serrer fort. Ce que j'ai fait. Il t'arrive encore de pleurer après l'amour. Et moi, je te serre fort, comme cette nuit-là. Tu te rappelles ?

— Oui.

— Le 1er septembre 1993. Le tournage est fini. Le film est dans la boîte. Que se passe-t-il à ce moment-là ? Je te demande en mariage. Tu ne réponds rien. Tu ne me regardes même pas. Je te prends par les bras. Tu dis, arrête, tu me fais mal. Mais je n'arrête pas. Je t'oblige à me regarder dans les yeux. Je te dis, je t'aime, j'ai besoin de toi. Reste avec moi et je t'offrirai la terre entière. Demande-moi ce que tu veux. Sois ma femme. Tu te rappelles ?

— Oui.

— Je te protégerai. Je donnerai ma vie pour toi. Je te l'ai promis. Tu te rappelles ?»

Je voudrais regarder ailleurs mais où ? Je suis coincée contre l'établi, il est juste devant moi, tellement près que je sens la chaleur qui émane de son corps, l'odeur de sa peau. Je deviens toute molle.

En même temps, je suis prise au piège.

Et l'espace d'un instant, j'ai envie de le frapper.

Je le défie du regard. « Nous n'avons pas de chien, pas de chat, pas d'amis. Nous déménageons sans arrêt.

— C'est toi qui l'exiges, pas moi. Le 2 septembre 1993. Nous quittons La Nouvelle-Orléans. Tu dois absolument partir, soi-disant. Pas d'explication. Tu dois absolument changer de nom. Pas d'explication. Tu insistes pour que je change de nom, moi aussi. Ni toi ni moi n'évoquons ton comportement étrange. Et pourtant, tu te réveilles en hurlant presque chaque nuit, tu es de plus en plus nerveuse, tu t'enfermes à clé, tu es persuadée qu'on te suit, tu as des sueurs froides. Tu veux partir, alors on part. Tu veux qu'on prenne une autre identité. D'accord. Pendant deux ans, je suis passé de ville en ville, j'ai changé de nom quasiment toutes les semaines. Pour toi, Nicky. Jusqu'à ce que tes crises de panique s'atténuent et que tu acceptes enfin de devenir ma femme. J'ai fait cela parce que je t'aimais plus que tout. Tu te rappelles ? »

Je note qu'il emploie le verbe *aimer* à l'imparfait.

Mais il est toujours penché sur moi, dans l'attente d'une réponse. Est-ce que je me souviens de tout cela, oui ou non ? Est-ce que je revois le moment où cet homme a accepté d'aller n'importe où, de prendre n'importe quel nom pour moi ? Le moment où je l'ai supplié de partir et où il a dit oui ?

L'odeur des beignets. Le goût du sucre glace. Thomas, plus jeune, mais déjà si triste, si attentif.

Je le regarde. Je le vois.

Et je murmure : « Oui. »

13

«Très bien. Réfléchissons.»

Onze heures du matin, il faisait froid, le ciel était gris. Kevin et Wyatt étaient de nouveau sur le lieu de l'accident. La police d'État avait fini par déplacer l'épave de l'Audi Q5. Il leur avait fallu un treuil, des câbles et quelques bordées de jurons mais ils y étaient arrivés.

Désormais, pour retracer le plongeon du véhicule au fond du ravin, on devait se contenter de suivre les broussailles enchevêtrées, les brindilles cassées et les cailloux arrachés au sol. Sans oublier, bien sûr, les empreintes de pneus dans la boue, sur le bas-côté de la route, là même où Kevin et Wyatt se tenaient. On connaissait le point d'arrivée de l'Audi. À présent, il s'agissait de reconstituer son parcours depuis son point de départ.

«Nous savons que la carte de crédit de Nicky a servi à payer la bouteille de scotch mercredi soir aux environs de vingt-deux heures. Le magasin se trouve à quinze kilomètres d'ici.

— Exact, acquiesça Kevin.

— Mais aucun témoin ne l'a vue sur les lieux.

— D'après la caissière, il y avait trop de monde pour qu'elle se souvienne d'une cliente en particulier.

— Et manque de bol, les vidéos de surveillance sont illisibles.

— Quand on enregistre dix mille fois sur le même disque, il faut s'attendre à des défaillances.

— Conclusion, nous savons d'où vient la bouteille mais pas qui l'a achetée. C'est soit elle, soit quelqu'un de son entourage proche.

— Autrement dit, le mari, compléta Kevin.

— Ce type ne me revient pas, dit Wyatt. Trois commotions cérébrales. Pour moi, ça ressemble plus à un mode opératoire qu'à des accidents. Mais la question reste entière : si le whisky a été acheté aux environs de vingt-deux heures, que s'est-il passé ensuite ?

— Il l'a ramené à la maison, il a fait boire sa femme, proposa Kevin.

— Et quand il a vu qu'elle était ivre… enfin, elle ne l'était pas au regard de la loi, mais bon, étant donné son état de santé…

— Il a dû croire qu'elle avait franchi le seuil légal.

— Il l'oblige à monter dans sa propre voiture, poursuivit Wyatt.

— Il l'emmène dans la cambrousse, il roule au hasard.

— Ou peut-être a-t-il déjà repéré un endroit, corrige Wyatt. Une descente abrupte suivie d'un virage à gauche. Sur une route peu fréquentée où il pourra s'arrêter, descendre de voiture, installer sa femme derrière le volant, desserrer le frein à main et laisser la force de gravité faire le reste. Il ne pouvait pas prendre un tronçon de route au hasard. Il a fallu qu'il cherche, qu'il prépare son coup. »

Ils avaient presque atteint le sommet de la côte. Vue de là-haut, la pente à quarante degrés était impressionnante. Surtout avec le panneau jaune planté tout en bas qui signalait le prochain virage. Par temps de pluie, en pleine nuit, les accidents devaient être fréquents. Il suffisait de pas grand-chose, juste un petit coup de pouce et…

« Il a dû pousser la voiture, dit Kevin. Sinon, elle n'aurait pas roulé assez vite pour partir en vol plané… »

Wyatt suivit du regard l'inclinaison du macadam. Son collègue avait raison. « Reprenons. Thomas assied sa femme derrière le volant, attache sa ceinture de sécurité, place le levier au point mort. Il a fallu qu'il se dépêche : l'Audi a dû commencer à rouler dès qu'il a claqué la portière. Il se précipite à l'arrière et pousse de toutes ses forces afin d'accélérer le mouvement induit par la force d'inertie. »

Les deux enquêteurs mimèrent la scène. « C'est parfaitement faisable, conclut Kevin.

— On devrait rechercher les empreintes digitales autour du coffre, ajouta Wyatt en observant ses deux mains écartées devant lui, comme s'il poussait.

— Et les vêtements du mari ? Sa veste, dit Kevin. En cette saison, il y a toujours de la terre dans les voitures, surtout par ce temps. Il s'est peut-être sali.

— Comment peut-on prévoir qu'une voiture roulera jusqu'en bas en suivant une ligne droite ? » renchérit Wyatt. De nouveau, il considéra la déclivité.

Le bitume partait tout droit, du moins à première vue, mais quand on regardait mieux, on remarquait qu'il tournait un peu vers la gauche, avec un léger décroché sur la droite pour finir.

«On peut attacher le volant afin qu'il reste dans l'axe, dit Kevin.

— Nous n'avons rien trouvé sur place qui ait pu servir à cela. Ni corde, ni foulard. Comme le maître-chien l'a lui-même fait remarquer, il n'y avait pas d'objets personnels dans la voiture.

— Peut-être qu'elle le tenait.

— Nicky?»

Kevin haussa les épaules. «Elle n'est pas vraiment saoule mais ses commotions décuplent l'effet de l'alcool. Elle se retrouve aux commandes, son mari lui dit, "Tiens bien le volant"… Elle ne pouvait pas imaginer ce qui allait se passer. Elle a tendance à suivre les ordres sans réfléchir. Alors, quand le virage se présente, elle continue tout droit.

— Elle a pu retirer ses mains, les lever.»

D'après le rapport médical, les pouces de Nicky n'avaient subi aucun dommage, ce qui signifiait qu'elle avait lâché le volant au moment où l'airbag s'était déployé. Certains conducteurs avaient le réflexe de s'accrocher au volant. D'autres lâchaient tout, comme s'ils se jetaient dans le vide. Il y avait certainement une explication freudienne à ces deux types de comportement. Pour sa part, Wyatt s'en tenait aux constatations : une partie des automobilistes lâchaient, les autres non.

«Très bien, récapitula-t-il. Il fait sombre, il pleut, la route est déserte, Nicky a plus ou moins perdu connaissance à cause du scotch et de sa double commotion cérébrale. Si elle était inconsciente, cela implique que Thomas a dû la déplacer d'un siège à l'autre.

— Ce type m'a l'air plutôt costaud, répliqua Kevin. Alors que sa femme est menue. L'exercice n'a sans doute pas été très gracieux mais j'imagine qu'il y est arrivé sans trop de peine. En revanche, je me demande pourquoi Thomas Frank a bouclé la ceinture de Nicky. S'il voulait qu'elle meure, il aurait mieux fait de ne pas l'attacher, non?

— La force de l'habitude? Pour éviter d'éveiller les soupçons?

— Quels soupçons? Sa femme transporte une bouteille de scotch dans sa voiture. Elle est trop ivre pour penser à boucler sa ceinture. Tout le monde aurait trouvé ça normal.»

Wyatt haussa les épaules. «Je ne sais pas. De toute évidence, nous n'avons pas affaire à un génie du crime. Je veux dire, si notre théorie se vérifie, c'est quand même la troisième fois qu'il essaie de zigouiller sa femme.

— En supposant qu'il soit responsable des deux premières chutes.

— En supposant qu'il soit responsable des deux premières chutes, abonda Wyatt.

— Ça fait beaucoup de suppositions.

— Raison pour laquelle nous nous creusons les méninges. Il faut étudier toutes les suppositions jusqu'à ce qu'un indice vienne en corroborer une. C'est ainsi que nous est venue l'idée d'examiner l'arrière du véhicule, au cas où Thomas Frank y aurait laissé l'empreinte de ses doigts, ou mieux, de ses paumes. Pendant qu'on y est, on se penchera aussi sur le fermoir de la ceinture et le levier de vitesse.

— Pour obtenir quoi? Les empreintes d'un mari dans la voiture de sa femme.

— Un mandat du procureur nous autorisant à analyser les vêtements qu'il portait cette nuit-là. Ce qui serait sans doute plus intéressant.

— En supposant qu'il ne les a pas déjà passés à la machine.»

Wyatt leva les yeux au ciel. «Avec un peu de chance on pourra reconstituer la bouteille de Glenlivet. Et trouver des empreintes dessus.»

Kevin lui jeta un coup d'œil. «Et c'est moi qui passe trop de temps devant la télé?

— Bon, d'accord. Allez, donne-moi ta version des faits.

— Comment est-il rentré chez lui? s'exécuta Kevin.

— Je ne…» Wyatt venait de saisir la remarque de son équipier.

«Dans le scénario que nous venons d'évoquer, poursuivit Kevin, le mari conduit sa femme jusqu'à cet endroit balayé par le vent et la pluie. Il l'installe au volant et la pousse dans le vide. Et après, que fait-il? Il se tape quarante-cinq kilomètres à pinces sous le déluge pour rentrer chez lui?

— Ou il arrête un automobiliste sur la route, murmura Wyatt.

— Ce qui nous fait un témoin potentiel. À supposer bien sûr qu'il soit tombé sur une bonne âme. Les gens susceptibles de s'arrêter en pleine nuit sous la pluie battante pour dépanner un inconnu ne sont pas légion.

— Pourtant il y en a», répliqua Wyatt. On était dans le New Hampshire et, dans le New Hampshire, le stop se pratiquait encore, et pas qu'un peu. Les bonnes voitures n'étaient pas données et les habitants du coin n'exerçaient pas tous des métiers assez lucratifs pour s'en payer une.

«Mais il prenait le risque de se faire remarquer, poursuivit-il comme s'il se parlait à lui-même. Et de ficher en l'air son plan si bien conçu. Je veux dire, il nous suffit d'organiser une conférence de presse : au fait, on peut savoir si quelqu'un a pris un gars en stop, telle nuit à telle heure dans tel secteur? Si c'est Thomas qui a fait le coup, comment pourra-t-il expliquer sa présence à proximité de la voiture accidentée de sa femme? Il est trop malin pour commettre une pareille bévue.

— Peut-être qu'il a planqué un véhicule quelque part, dit Kevin. Pour pouvoir rentrer à la maison après.

— Mais où l'aurait-il laissé? rétorqua Wyatt. La station-service la plus proche est à plusieurs kilomètres et, de toute façon, ça ne change rien au problème. S'il laisse une voiture quelque part, comment fait-il pour rentrer ensuite? Dans un cas comme dans l'autre, il aurait dû solliciter l'aide d'un tiers. Soit dans la journée du mercredi soit plus tard, pendant la tempête.

— Un coup de fil à un ami, suggéra Kevin. J'ai crevé, peux-tu venir me chercher?

— Il dit qu'il n'a pas d'amis.

— Pour nous dissuader d'aller les interroger.»

Wyatt fronça les sourcils. «Je n'aime pas cela, lâcha-t-il. Qu'il ait été mis en scène ou pas, cet accident soulève trop de questions sans réponse. Et si l'Audi avait quitté la route avant d'atteindre sa pleine vitesse? Et pourquoi boucler la ceinture de sécurité d'une personne qu'on veut tuer? Et qu'a fait le suspect après avoir balancé la voiture dans le fossé? Est-il rentré chez lui à pied sous la pluie battante?

— Il a forcément bénéficié d'une aide, acquiesça Kevin. Un complice.

— Ce qui soulève une question cruciale : pourquoi un mari hyperprotecteur chercherait-il tout à coup à tuer sa femme?

— Parce qu'elle a rencontré quelqu'un d'autre et qu'elle menace de le quitter.

— Ou alors…», fit Wyatt.

Kevin reprit la balle au bond. «Ou alors, c'est lui qui la trompe. Il veut se débarrasser d'elle tout en gardant pour lui la totalité de leurs biens.

— Du coup, au lieu d'un ami, c'est peut-être *une amie* que nous cherchons. Une femme qui se serait garée au sommet de la colline, tous phares éteints, en attendant que son amant ait terminé le boulot.»

Quel genre de femme était capable de faire une chose pareille pour un homme? Wyatt et Kevin en avaient vu défiler un certain nombre, aussi se gardèrent-ils de tout commentaire.

«On devrait retourner à la station-service, dit Wyatt au bout d'un moment. On récupère leurs enregistrements vidéo de la semaine dernière. On regarde si des véhicules sont passés dans le coin à plusieurs reprises dans un court laps de temps, comme pour reconnaître le terrain…

— Ou parce que c'est leur trajet habituel.

— Il suffira d'interroger leurs propriétaires. Et rien ne nous empêche de visionner les vidéos de la nuit en question, entre quatre et six heures du matin. Nous verrons peut-être quelqu'un traîner à proximité, une femme par exemple, attendant le coup de fil de son amant, assise au volant d'une berline sans signes distinctifs.»

Kevin hocha la tête. Cette perspective ne l'enchantait guère; passer en revue des heures d'enregistrement vidéo de mauvaise qualité était plus difficile qu'on ne le pensait généralement. Mais c'était jouable et, honnêtement, ils n'avaient pas grand-chose d'autre à se mettre sous la dent.

«Je pense que c'est le mari, dit Kevin pendant qu'ils remontaient en voiture. Mais je doute qu'on le voie sur l'enregistrement. Le bonhomme est du genre méticuleux. La chute dans l'escalier et celle devant la porte d'entrée ressemblent à des exercices d'échauffement. Maintenant il passe à la vitesse supérieure.

— Dans ce cas, elle n'aurait pas dû porter sa ceinture de sécurité», marmonna Wyatt.

Kevin ne répondit pas. Ils roulèrent en silence jusqu'à la station-service. Il était temps de se remettre au travail.

14

Je flotte dans l'obscurité. Seule. Les rideaux sont tirés, la porte verrouillée, l'édredon jaune remonté jusqu'à mon menton. Un incendie fait rage dans ma tête mais tant que je garde les yeux fermés, la douleur est supportable. J'aime l'obscurité. Sa fraîcheur, le réconfort qu'elle me procure.

Je touche l'édredon du bout des doigts et je repense à la femme qui l'a confectionné. Elle me manque. Depuis toujours. C'est drôle, on aurait tendance à croire que le temps rend les choses plus faciles, qu'avec les années la douleur s'atténue. Et pourtant, son absence me pèse, aujourd'hui plus que jamais.

Pour éviter de rester bloquée là-dessus, je convoque Vero.

Des images d'elle défilent dans ma tête, comme un diaporama. Vero à l'âge de trois ans, six ans, dix, douze, quatorze. Elles passent tellement vite que je les vois floues et, dès que je tente de ralentir, son squelette apparaît, qui me demande : « *Pourquoi moi, pourquoi moi, pourquoi moi ?* »

Un bruit. Des pas. Quelqu'un marche au rez-de-chaussée. Thomas, me dis-je. Il tourne en rond dans la maison. Qu'a-t-il fait depuis le départ de la police ? Le ménage, peut-être, pour effacer les indices. Les questions des enquêteurs me turlupinent. Trois accidents en l'espace de six mois seulement, c'est beaucoup pour une seule femme, non ? Une femme qui n'a pas de famille, pas d'amis, qui dépend entièrement de son mari, à ce qu'il semble du moins. Même s'il prétend que je suis responsable de cette situation, que nous vivons selon mes règles.

Est-ce exact ? Honnêtement, je n'en sais rien. J'ai vaguement l'impression qu'il dit vrai, mais pourquoi aurais-je imposé cela ? Et quel homme serait capable de tout abandonner pour une fille qu'il connaît à peine ?

Je sens qu'il y a autre chose là-dessous, des éléments que je devrais connaître mais qui m'échappent. Plus j'essaie de les retrouver moins j'y arrive. On dirait que mes souvenirs me tiennent à distance. Je les entends qui chuchotent interminablement : *Prends garde, prends garde, prends garde.*

J'accède plus aisément à ma mémoire musculaire. C'est un fait. D'un côté, il y a la réflexion et de l'autre, les gestes du quotidien. Mais, si c'est le cas, pourquoi n'ai-je aucun souvenir de ceux que j'ai effectués cette nuit-là, avant ma randonnée nocturne ? Pourtant, j'ai bien dû enfiler un manteau, attraper les clés de contact, m'installer au volant, sortir de l'allée en marche arrière. Mais je ne vois rien de tout cela. Tout est sombre dans ma tête.

Donc, la police a peut-être raison – j'étais ivre avant même de partir.

Et cette bouteille de scotch, alors? Du Glenlivet de dix-huit ans d'âge. Le must. Un verre en cristal taillé rempli d'un liquide doré se présente devant mes yeux. Je sens l'arôme se diffuser sur ma langue. Aussitôt, mes glandes salivaires entrent en action. Une chose est sûre : j'ai envie de boire un coup.

Puis une idée me vient. De très loin.

Quand une femme veut cacher un objet à son mari, où doit-elle le mettre? Pas dans son coffret à bijoux; trop évident. Encore moins sous le matelas du lit conjugal. Ni dans l'armoire à pharmacie ni dans une boîte à biscuits ni dans le congélateur derrière la dinde.

Non, le seul endroit qu'un mari digne de ce nom n'ira jamais fouiller c'est la boîte de tampons rangée sous le lavabo de la salle de bains.

Les bruits de pas reprennent. À l'oreille, je devine que Thomas se dirige vers la porte de derrière. Elle grince légèrement. Elle s'ouvre. Je l'entends se refermer discrètement. Il est sorti. Il va dans son atelier. Je le sais d'instinct.

La tentation est trop forte.

Je repousse l'édredon jaune pâle, je me lève, je longe le couloir en rasant les murs – au sens propre – jusqu'à la salle de bains des invités.

Un lavabo encastré dans un bloc de granit brun, lui-même posé sur un meuble bas en noyer. À côté, les toilettes; dans le fond à droite, la baignoire. Ma salle de bains. C'est là que je me suis douchée, ce matin, de manière spontanée. Suivre son instinct; attraper l'assiette sans chercher à savoir où elle est rangée. Dans le tiroir du haut, j'ai trouvé ma brosse à dents, ma brosse à cheveux, une pochette en tissu matelassé imprimé cachemire remplie de produits de maquillage.

Maintenant, j'ouvre les portes du meuble, sous les tiroirs. Et je trouve des flacons de détergent, un sèche-cheveux et, gagné, une grosse boîte de tampons.

Je m'en empare. Dès que je la bouge, j'entends un bruit à l'intérieur, comme du verre. Je sais ce qu'elle contient. Je retire les six tampons que j'ai posés sur le dessus pour camoufler mon trésor. Des mignonnettes de scotch. Je possède donc ma propre réserve de Glenlivet.

La police a tout faux; mercredi soir, mon mari ne m'a pas saoulée avant de me faire monter en voiture.

Je n'ai pas besoin de lui pour picoler.

Je suis une épouse alcoolique.

J'examine les mignonnettes. Il y en a six. De quoi supporter un après-midi de cafard ou une soirée pénible. Je m'interroge. Est-ce Thomas qui me pousse à boire? Est-ce Vero? Ou alors, ni l'un ni l'autre? Je suis peut-être ma pire ennemie.

Face à ces questions-là, la mémoire musculaire est inopérante. J'ai quand même l'impression que si j'ai été assez futée pour savoir pourquoi j'ai fait ce que j'ai fait, j'aurais dû être assez futée pour ne pas le faire.

Je remets les tampons dans la boîte. Je range la boîte dans le placard. Je ne détruis pas les bouteilles, je ne les vide pas dans le lavabo. Je n'en ai pas la force. Une nouvelle idée me traverse l'esprit, une idée assez séduisante pour m'attirer hors de la salle de bains.

Je sais où une femme planque ses secrets. Mais j'ignore où un mari planque les siens.

Il n'y a pas une minute à perdre. Thomas est dans son atelier. Il faut que je fouille. C'est terriblement important.

Je remonte le couloir sur la pointe des pieds, l'oreille dressée. Mais il n'y a pas de bruit au rez-de-chaussée. La maison est calme, silencieuse. Je suis seule. Pour l'instant.

Je commence par la grande chambre, son gigantesque lit à baldaquin, ses meubles sombres et massifs. Je suis sur son territoire. Et quand on a une chose à cacher, on fait en sorte de la garder à proximité. Je glisse la main sous les oreillers, entre le sommier et le matelas king size. Je regarde sous le lit : il n'y a que des moutons, un tapis crasseux.

Je me tourne vers la table de nuit, celle de Thomas. Je sais qu'il dort de ce côté à cause du bazar entassé dessus : lunettes de lecture, pastilles pour l'estomac, magazines : la *Gazette des armes*, le programme télé, un numéro de *National Geographic*. Une belle diversité qui prouve que mon mari est un humaniste version Renaissance.

Je ne vois rien de louche ; en tout cas, pas de bouteille d'alcool.

Sur le bureau, je recense une lampe de lecture, une photo de nous deux, un écrin de cuir contenant une montre ancienne, une grosse chaîne en or et un anneau d'or, tout simple. Son alliance. Il ne la porte plus, à cause de son travail ; il a peur de l'abîmer. Comme il en voulait absolument une, je suis allée chez un brocanteur qui m'a vendu l'anneau le moins cher et pourtant hors de prix pour les deux gamins sans le sou que nous étions à l'époque. Quand je l'ai glissé à son doigt, il a souri. Non, il s'est littéralement illuminé. Il resplendissait de bonheur.

Maintenant je suis à toi, m'a-t-il dit. Mon cœur s'est mis à battre la chamade devant une si lourde responsabilité.

L'anneau porte une inscription gravée : «3 octobre 1993». Cela faisait à peine un mois que nous étions ensemble. Qu'avions-nous en tête ? Comment peut-on se jurer fidélité pour la vie entière quatre semaines seulement après le premier rendez-vous ?

Vingt-deux ans plus tard, nous sommes toujours mariés. Doit-on considérer cela comme une réussite ? Ou, cela veut-il dire qu'après toutes ces années, nous n'avions rien de mieux à nous mettre sous la dent ? Que nous n'avions rien à espérer de mieux ?

Après un rapide calcul, je m'aperçois que j'ai passé la moitié de ma vie avec cet homme.

Et maintenant, je fouille sa chambre pour y trouver la preuve de sa duplicité.

Il n'y a rien dans la commode. J'inspecte le contenu du dressing en m'interrompant régulièrement au cas où j'entendrais des bruits de pas. Mais la maison est toujours aussi calme. Thomas a besoin de concentration. De la conception à la réalisation, chaque objet créé nécessite une longue plage de temps. Il restera peut-être enfermé jusqu'au soir, voire plus. Il travaille énormément. Je suis souvent seule mais je ne m'en suis jamais plainte. Je préfère qu'il en soit ainsi.

Ce dressing est très profond et magnifiquement agencé. Tout en merisier, avec des étagères, des tringles, des tiroirs intégrés. Comme sur les photos des magazines de déco. C'est Thomas qui l'a installé. Sur son temps libre, un week-end, pour me faire plaisir.

Parce que cette chambre était aussi la mienne. Dans les premiers temps, du moins.

Je tombe sur des vêtements à moi. Des robes, des pantalons chic, d'élégants chemisiers. Rien à voir avec le placard de la chambre d'amis où sont rangés mes habits de tous les jours. Ici, j'ai entreposé les tenues que je porte dans les grandes occasions. Leur présence dans ce dressing signifie-t-elle que les choses s'arrangeaient entre nous, ou bien que j'ai eu la flemme de les rapatrier dans ma propre chambre ?

Thomas possède des cargaisons de pantalons à poches, de jeans râpés, ainsi qu'une impressionnante collection de chemises en flanelle à manches longues. Des tenues basiques, correspondant aux besoins d'un homme qui passe ses journées à travailler de ses mains. Je trouve quand même trois costumes : un gris, un noir, un bleu marine. Pour les enterrements et les mariages, me dis-je. Sauf qu'en l'absence d'amis et de famille, je ne vois pas qui pourrait nous convier à ce genre d'événements.

Je passe aux tiroirs. Des chaussettes, des sous-vêtements, des tenues de sport, des T-shirts, des pyjamas et rien d'autre. Ensuite je m'attaque aux chaussures. Peu nombreuses, essentiellement des baskets, des bottes de randonnée et bien sûr, les paires habillées pour aller avec les costumes : des noires et des vernies marron.

J'essaie d'imaginer l'équivalent masculin des tampons périodiques. En vain. Ce qui ne m'empêche pas de chercher encore. Il a des secrets. Je le sais. Parce que vingt-deux ans plus tard, ces secrets ont commencé à refaire surface. Avant même que nous n'emménagions ici. Avant mes «accidents», les choses étaient déjà tendues entre nous.

Le costume gris. Je passe la main sur le devant de la veste, je tâte. Je sens quelque chose de fin et de plat. J'insiste, plus lentement. Et je retire de la poche intérieure une enveloppe jaunie, presque en lambeaux.

Au même instant, j'entends craquer une latte dans l'escalier.

Je me fige. J'ai l'impression d'être une gamine surprise la main dans le pot de confiture. Je n'ai nulle part où m'enfuir. S'il monte l'escalier, il doit déjà apercevoir la porte de la chambre. Du coup, si je sors, je suis fichue. Je n'ai donc qu'une seule solution.

Ne pas sortir. Je glisse l'enveloppe sous l'élastique de mon legging, au creux des reins, je traverse la pièce, le souffle court, et je me jette sur le lit.

Une seconde après, la voix de Thomas me parvient depuis le couloir : «Nicky? Nicky? Tu vas bien?»

Je ne réponds pas. Je ne me sens pas capable de parler normalement. Je risque de me trahir. De toute façon, c'est inutile car Thomas est déjà là, sur le seuil. Son regard se pose sur moi, allongée sur le dos, raide comme une morte, de mon côté du lit.

D'abord, il ne dit rien. Il s'approche, les yeux rivés sur mon visage.

«J'ai eu envie de l'essayer, pour voir.

— Et alors?

— Il m'est familier.

— Pas étonnant. C'est là que tu dormais.» Au lieu de me rejoindre directement, il fait le tour du lit. Le matelas penche un peu au moment où il s'étend, cale ses deux mains sous sa nuque, pose une cheville sur l'autre. Une position aussi décontractée que la mienne est rigide. Je tourne la tête vers lui. C'est son lit, sa chambre; il est chez lui, visiblement.

«Pourquoi me suis-je installée dans la chambre d'amis?»

Il roule sur le côté.

«Viens par ici», dit-il.

Je ne réagis pas immédiatement.

«On poursuit les essais?» dit-il en désignant l'espace qui nous sépare. Je sais ce qu'il veut; mais je ne peux pas. Rien ne m'y astreint. Son corps glisse vers le mien. Il se presse contre moi. Je sens sa tiédeur, je renifle l'odeur de la sciure, de la sueur, du savon avec lequel il s'est lavé ce matin. Je retiens mon souffle. Que va-t-il se passer? De quoi ai-je envie exactement?

Il tend la main pour rabattre mes cheveux étalés sur l'oreiller. La pulpe de son pouce est rêche. Il suit tout doucement une première ligne de points de suture, puis une deuxième, une troisième. Je tressaille mais il ne me fait pas mal.

«Tu te demandes si nous faisons encore l'amour? murmure-t-il. Au bout de vingt ans de mariage, avons-nous encore des moments d'intimité?»

165

Je reste muette, fascinée par sa présence, son toucher, son odeur, le son de sa voix. D'instinct, je comprends que ces sensations ne sont pas nouvelles. J'aime qu'il me touche. J'adore ça. J'aime sentir son corps sur le mien, voir son regard brûlant quand il me pénètre, entendre son cœur battre comme un fou près de mon oreille.

«Tu as encore du désir pour moi, poursuit-il. J'ai encore du désir pour toi. Parfois, je me dis que le sexe est notre seule manière de communiquer. Quand la lumière s'éteint, nous nous retrouvons comme avant. Même si tu ne décroches pas un mot de la journée, je sais que tu m'aimes et que tu me désires.

— Pourquoi me suis-je installée dans la chambre d'amis?» je murmure. Ses doigts dansent sur mon visage, suivent la ligne de mes cheveux. Est-ce pour détourner mon attention?

«Tu as des terreurs nocturnes. Cela ne date pas d'hier mais depuis que tu as fait cette chute dans l'escalier, elles ont empiré. Tu te réveilles en hurlant, le visage en sueur, tu délires à moitié. Si je fais mine de te toucher, pour te prendre la main, te rassurer, tu perds tout contrôle.

— Je te frappe.

— Parfois.

— Je t'ai cogné la tête avec une lampe.

— Oui, et cette fois-là, tu m'as fait mal.

— Après, j'ai pleuré. Parce que je n'avais pas eu l'intention de te frapper, mais pas du tout, et que ton visage était couvert de sang.

— Tu as préféré dormir seule.

— Pour éviter de te blesser.

166

— Tu crois peut-être que faire chambre à part n'est pas blessant pour moi?»

Je baisse les yeux. Je ne supporte pas cette vulnérabilité sur son visage. D'elle-même, ma main se pose sur sa poitrine, paume à plat, doigts écartés. Les battements de son cœur sont étonnamment réguliers, surtout quand je les compare au rythme débridé du mien.

«Tu m'aimes? m'entends-je demander.

— Oui.

— Pourquoi?»

Il sourit; je le sais au mouvement de ses lèvres sur mes cheveux. J'inspire encore une fois, je m'emplis de son odeur.

«Au début, tu étais si triste. La tristesse faisait comme un halo autour de toi. Je me disais... Je voulais te voir sourire pour de vrai. Je voulais être l'homme qui te rendrait heureuse.

— C'est de l'amour? Ou le complexe du héros?

— Je ne sais plus, dit-il, et je sens qu'il est sincère. Peut-être un peu des deux. Mais le jour où je t'ai enfin vue sourire, j'étais si fier que j'ai tout fait pour que ça continue. Il y a pire que de consacrer sa vie à rendre heureuse la femme qu'on aime.

— Mais je ne suis pas heureuse.

— Tu l'étais. Du moins au début. Quand nous avons quitté La Nouvelle-Orléans pour nous installer à Austin. Tu aimais la douceur du climat, la grande musique, les chiens qui jouaient dans le parc Zilker. Puis ton humeur a commencé à se dégrader. La plupart du temps, tu avais les nerfs à fleur de peau. Alors, on est partis pour San Francisco.

Après quoi, on a essayé Phoenix, Boulder, Seattle, Portland, Chicago, Knoxville, Raleigh, Fort Lauderdale, la liste est longue. C'était à chaque fois pareil. Dans un premier temps, tu allais mieux et puis tu replongeais. Alors on déménageait. Parce que je n'ai jamais souhaité qu'une seule chose dans ma vie : te faire sourire. »

Je me tais.

« Mais tu as raison : j'en suis incapable, reprend Thomas toujours aussi posément. La preuve, tu te refermes à nouveau. Quand je t'interroge, tu ne réponds pas. Que désires-tu ? Qu'est-ce qui te ferait plaisir ? Tu n'as qu'à parler. Mais tu ne me parles plus, Nicky. Imagine, je n'ai même pas pu savoir la vérité sur ce fichu édredon.

— Il m'appartient, je rétorque sur la défensive.

— Tu l'as commandé sur eBay voilà trois ans. Le jour où le paquet est arrivé, tu es restée toute la journée dans la chambre à pleurer. Avec ce machin. J'ai tout essayé, j'ai attendu que tu te décides, je t'ai suppliée. J'ignore encore pourquoi il t'est nécessaire à ce point. Qu'a-t-il de si spécial ? Je t'aime depuis toujours mais, franchement, parfois j'en perds mon latin.

— Toi aussi tu as des secrets, dis-je en sentant l'enveloppe jaunie frotter contre mes reins.

— Le silence engendre le silence.

— Pourquoi tu restes avec moi puisque je te cause autant de soucis ?

— Parce que j'espère encore.

— Tu espères quoi ?

— J'espère pouvoir te refaire sourire un jour. »

Il s'écarte, reprend sa place au bord du matelas. Ce soudain éloignement me touche plus que je n'aurais souhaité. Il fait froid tout à coup, je me sens seule sur ce grand lit. Un bref instant, je tends la main, comme pour le rappeler vers moi. Je me souviens de ma réaction la première fois que mes yeux se sont posés sur lui. Il me regardait effrontément, en souriant de toutes ses dents. Et moi, je voulais juste qu'il s'en aille.

Et quand il est parti, j'ai prié pour qu'il revienne, parce que personne ne m'avait jamais souri comme ça, auparavant.

Je l'aime. Je le crains. Je le veux. Je lui en veux. Je l'attire. Je le repousse.

Et de tout cela, je suis l'unique responsable.

«Tu peux rester, dit Thomas en se levant. Aussi longtemps que tu le souhaites. Je vais descendre préparer le dîner. Croque fromage, soupe de tomate, ça te va?»

Je hoche la tête. Je n'ose pas parler.

«On s'en sortira», dit-il. Cherche-t-il à me rassurer? À se rassurer? Cela revient peut-être au même. Mon mari quitte la pièce.

J'écoute. Il arrive au rez-de-chaussée, il remue des trucs dans la cuisine. C'est bon, je peux y aller. Prudemment, je me tourne de côté et je récupère l'enveloppe dans la ceinture de mon pantalon. Mes mains tremblent. Je la pose sur le lit. Le papier est plus jaune encore au niveau des pliures, des taches sombres apparaissent par endroits. Peut-être des traces laissées par les doigts d'un ouvrier.

Il l'a manipulée très souvent au cours des années. Il a eu le temps de la lire et de la relire.

J'hésite. Je suis devant un choix. Je veux savoir, oui ou non ? Tous les gens mariés ont besoin d'un jardin secret. Moi par exemple, j'ai un édredon jaune clair et une réserve d'alcool.

Mais c'est plus fort que moi. J'ai trouvé l'enveloppe, maintenant je dois savoir ce qu'elle contient. Je l'ouvre délicatement et j'en retire une seule chose : une vieille photo presque aussi abîmée qu'elle.

L'image est décolorée, mouchetée de rouille mais je sais ce qu'elle représente. Un jour d'été. Une fillette de dix ans vêtue d'une robe à fleurs. Cette robe, je la connais. L'enfant sourit légèrement.

J'étouffe un cri. Mes doigts se crispent sur le papier glacé.

Vero.

Je regarde une photo de Vero.

Une photo que mon mari m'a cachée.

15

Wyatt avait une sainte horreur des vidéos de sécurité. Dans les séries policières, on vous présentait des enregistrements effectués par des caméras haute définition. On pouvait agrandir les images, les faire défiler une à une, zoom avant, zoom arrière. Il n'y avait qu'à se pencher pour lire la date limite de vente du pain de mie posé sur l'étagère derrière l'épaule du méchant.

Dans la vie réelle, les stations-service, les enseignes de proximité et autres supérettes n'avaient pas les moyens d'investir dans du matériel dernier cri. Ayant déjà du mal à joindre les deux bouts, les commerçants se tournaient plus volontiers vers le bas de gamme, les appareils d'occasion et/ou obsolètes et réutilisaient les mêmes disques encore et encore, si bien qu'à la fin, les images étaient brouillées par les fantômes des précédents enregistrements.

Wyatt et Kevin avaient demandé à visionner les archives de la semaine. D'un air harassé, l'employé avait répondu qu'il ne pouvait leur fournir que les trois derniers jours. C'était son rythme de rotation. Quant aux films, ils étaient flous, sombres, et montraient exclusivement des véhicules faisant la queue devant les pompes à essence. Les caméras étaient placées trop loin de la route, elle-même très mal éclairée, pour qu'on identifie ceux qui passaient sans s'arrêter. C'était à peine si on les devinait à la lueur des phares.

Comme Kevin le fit remarquer, le véhicule de Nicky étant équipé de phares au xénon reconnaissables à leurs faisceaux bleu cristal, le véhicule qui avait traversé le champ de la caméra le jeudi à quatre heures trente-neuf était probablement le fameux 4 × 4 Audi. Mais pouvait-on lire la plaque d'immatriculation? Non. Reconnaître la personne au volant? Encore moins. La teinte de la carrosserie, une bosse, le logo de la marque, le numéro du modèle? Bref, de quoi porter le dossier devant la justice. Rien, que dalle.

En plus, le pompiste ne leur était d'aucune utilité. Il les avait laissés se débrouiller seuls dans le bureau à l'arrière. À l'en croire, les caméras de sécurité servaient uniquement à filmer les types qui entraient dans la boutique pour lui coller un flingue sur la tempe. Les bagnoles qui s'arrêtaient devant les pompes, celles qui passaient sur la route, pour lui c'était du pareil au même. Rien à cirer.

«Au moins, on sait ce qui ne s'est pas passé, conclut Wyatt.

— Ce qui ne s'est pas passé?

— Nicole Frank n'a pas fait le plein ici. Thomas Frank ne s'est pas arrêté ici pour acheter une boisson énergétique, histoire de se donner un coup de fouet avant de tuer sa femme. C'est déjà pas mal.

— Et aucune femme, belle ou pas, ne traînait dans le coin après une heure du matin.

— Donc, à supposer que Thomas Frank ait une maîtresse et que cette maîtresse l'ait ramené en voiture, ce n'est pas ici qu'elle l'attendait», compléta Wyatt.

Kevin acquiesça. «En effet, ça réduit les possibilités. Je comprends que tu sois content.

— Ton idée d'examiner les vêtements du mari me plaît bien, dit Wyatt après une courte pause. Quand une porte se ferme, une autre s'ouvre. C'est connu.

— Nous n'avons aucune présomption sérieuse, lui rappela Kevin. Pour cela, il faudrait un témoin qui déclare avoir aperçu Thomas Frank sur les lieux ou, mieux encore, une vidéo où il apparaît clairement. Sans cela… On peut difficilement dire au juge que nous le soupçonnons au seul motif qu'il est son mari et que, dans ce genre d'affaires, chacun sait que le coupable est toujours le mari.

— Règle 101 : que fait-on en l'absence de présomption sérieuse? dit Wyatt.

— On cherche jusqu'à ce qu'on trouve.

— Parfaitement. Je propose de retourner chez les Frank. On va demander à voir les vestes et les chaussures de Thomas, et si possible devant sa femme.

— Du coup, il ne pourra pas nous envoyer sur les roses, reconnut Kevin. Sinon, il paraîtrait suspect.

— Peut-être aurons-nous de la chance, cette fois-ci.

— Mais bien sûr, répliqua Kevin, toujours pince-sans-rire, on pourrait trouver sur les semelles de ses chaussures des résidus comportant la même proportion de terre, de sable et de minéraux qu'à l'endroit où la voiture de Nicole a basculé dans le vide.»

Les deux hommes levèrent les yeux au ciel. De telles coïncidences relevaient de la pure fiction. Le mieux qu'on puisse faire, dans le New Hampshire, c'était de comparer les différents types de bitume. Par exemple, à Albany, un tronçon de trois kilomètres avait été recouvert d'un mélange à base de gravier, tandis qu'à North Conway, on avait choisi un revêtement de meilleure qualité. La chose avait l'intérêt de réduire le périmètre des investigations et parfois de situer un suspect dans une ville en particulier. Mais cela ne constituait pas une preuve irréfutable.

Cela dit, les séries policières avaient quand même du bon : les gens étaient tellement habitués à avaler leurs bobards qu'on pouvait leur faire croire n'importe quoi. Et il n'y avait rien d'illégal à cela. *Dites-donc, monsieur Untel, je vois du sable sur vos chaussures. Comme c'est étrange! Nous allons en prélever un échantillon. Mais oui, ce sable nous intéresse énormément.*

L'échantillon en lui-même était peut-être bidon mais si le suspect jetait ses godasses dans la chaudière à peine les deux enquêteurs avaient le dos tourné... Même des juges trouveraient cela bizarre.

«Et si Thomas a déjà tout nettoyé?» reprit Kevin.

Wyatt sourit. «Parfait. Ce sera un bon prétexte pour descendre dans la buanderie, là où sa femme a fait sa première chute.

— J'aime ta façon de raisonner.

— Personnellement, je l'aimerais encore plus si elle nous permettait de comprendre ce qui se passe avec Nicole Frank.

— Un peu de patience, mon vieux. Un peu de patience. »

Thomas Frank leur ouvrit dès la première sonnerie. Cette absence d'hésitation laissait supposer qu'il commençait à accepter son sort.

Il avait l'air fatigué, pensa Wyatt. Tendu. Parce qu'il s'inquiétait pour sa femme ou parce qu'il s'épuisait à effacer ses traces ? En tout cas, ça sentait fort bon chez eux. Croque fromage et soupe à la tomate. Wyatt adorait les croque fromage et la soupe à la tomate.

« On vous dérange en plein dîner ? demanda-t-il.

— Eh bien…

— Dans ce cas, on va faire vite. Nicole est ici ? »

Nicky apparut au bout du couloir, côté salle de séjour. Elle n'avait pas changé de tenue depuis le matin : legging, pull large. Ses longs cheveux bruns étaient décoiffés – elle avait dû faire une sieste – et son visage toujours aussi tuméfié et couturé.

« Madame Frank, la salua Wyatt.

— Bonsoir, brigadier. »

Au lieu d'aller à sa rencontre, elle garda ses distances. Quand Wyatt la vit échanger un coup d'œil avec son mari, il se demanda si leur coup de sonnette avait interrompu un dîner ou autre chose. Intéressant.

« Ça vous ennuie si on jette un œil sur vos manteaux ? » demanda-t-il. Kevin et lui avaient profité du trajet pour mettre au point cette entrée en matière. Plutôt que s'adresser directement au mari et risquer de le voir se cabrer, mieux valait contourner l'obstacle.

« Mes manteaux ? s'étonna Nicky.

— Manteaux, vestes, imperméables. Le genre de vêtement que vous enfilez pour sortir quand il fait froid. »

Elle leur adressa un regard surpris puis se tourna vers son mari. Mais comme ce dernier ne réagissait pas, elle s'avança jusqu'au placard de l'entrée. « Tout est accroché ici, dit-elle en l'ouvrant.

— Vous vous souvenez de l'endroit où ils sont rangés ? s'étonna Kevin.

— Façon de parler. Mais je ne comprends pas. Pourquoi mes manteaux ?

— Nous avons vérifié auprès de l'hôpital, dit Wyatt. Quand vous êtes arrivée en ambulance, vous n'en portiez pas.

— Je l'avais peut-être laissé dans la voiture. »

Wyatt se remémora l'habitacle de l'Audi et la réflexion du maître-chien. Rien ne traînait à l'intérieur du véhicule. « Non. »

Nicole parut déconcertée, mais elle s'effaça pour les laisser procéder.

Les deux policiers prirent leur temps. Pendant que Kevin sortait les vêtements dont la taille correspondait à celle de Nicole, Wyatt examinait les autres à la dérobée. Aucun ne semblait humide ni crotté. Cela dit, trente-six heures environ s'étaient écoulées depuis la fin de la tempête, jeudi matin.

« Tout est là ? » insista Kevin.

Nicky pencha la tête sur le côté. Elle avait besoin de réfléchir. « Je crois que oui. »

Kevin regarda Thomas. « Tous les manteaux de votre femme sont ici ?

— Oui.

— Donc… vous n'en portiez pas lorsque vous avez pris votre voiture, mercredi soir. »

Nicky elle-même trouvait cela bizarre. « Pourtant il pleuvait des cordes. Depuis plusieurs jours.

— Et il faisait froid. »

Elle marqua une pause. Ne sachant que dire, elle chercha du secours auprès de son mari. Vers qui d'autre aurait-elle pu se tourner ?

« La dernière fois que je t'ai vue, articula-t-il, tu étais couchée sur le canapé, tu portais un jean, un col roulé noir et une polaire grise. »

Description qui correspondait en tout point à celle fournie par l'infirmière des urgences, qui avait également précisé que Thomas avait beaucoup insisté pour récupérer les vêtements ensanglantés de sa femme, alors qu'ils étaient considérés comme des déchets biologiques dangereux.

« Les chaussures ? » renchérit Wyatt.

Thomas secoua la tête. « Elle portait des chaussons. Comme maintenant. »

Kevin et Wyatt regardèrent les pieds de Nicky. En effet, ils disparaissaient dans de grosses pantoufles en laine polaire aux semelles en caoutchouc noir. Des L.L. Bean probablement, comme on en trouvait dans tous les foyers du North Country.

Kevin et Wyatt reprirent leur exploration du placard. Parmi les paires alignées, Kevin sortit les petites pointures. Wyatt jeta un simple coup d'œil sur les grandes.

« Je ne vois pas tes baskets, dit enfin Thomas. Tes chaussures de jogging. »

Nicky confirma d'un hochement de tête. « Mes vieilles. Les New Balance gris argent avec le logo bleu.

— Vous avez mis des baskets pour sortir alors qu'il pleuvait à verse ? » s'exclama Wyatt. Il n'avait pas songé à interroger l'infirmière sur ce point. Maintenant il le regrettait.

Nicky fronça les sourcils. « Je ne pense pas… Normalement, quand il pleut, j'enfile mes Dansko. Les gros sabots noirs, juste là. Les baskets prennent l'eau et je les aurais abîmées en marchant dans la boue. Alors que les Dansko… »

Encore une marque très populaire, surtout dans le nord de l'Amérique, pensa Wyatt. Le genre de chaussures que tout un chacun porterait pour sortir sous une pluie battante.

« Décrivez-nous les fameuses baskets, intervint Kevin. Gris argent, modèle ancien, usées peut-être… »

Nicky ferma les yeux ; elle semblait comprendre ce qu'il voulait d'elle. « Je devrais les jeter. Elles sont vraiment râpées, elles ne sentent pas très bon. Mais pour le jardinage, les tâches ménagères, elles sont encore bien pratiques.

— Nous sommes mercredi soir, rembraya Kevin. Il fait sombre, il pleut. Vous entendez ?

— Le vent contre les vitres », murmura-t-elle.

Wyatt observait Thomas, lequel écoutait sa femme égrener ses souvenirs sans tenter de l'interrompre.

Parce qu'il n'avait rien à craindre de ses éventuelles révélations ou parce qu'il était curieux de connaître les réponses?

«Je suis fatiguée. J'ai mal à la tête.

— Vous vous reposez.

— Sur le canapé. Thomas est reparti travailler. Je pense que je ferais mieux de monter me coucher. Mais j'ai la flemme de me lever.

— Qu'entendez-vous? Le vent, la pluie?

— Le téléphone, murmura Nicky. Il sonne.»

Kevin et Wyatt échangèrent un regard. Enfin du nouveau. Thomas lui non plus n'en savait rien : il se redressa un peu, contracta ses muscles.

«Vous avez décroché? Vous sentez le poids du combiné dans votre main?

— Il faut que j'y aille, murmura Nicky.

— Vous décrochez le téléphone, vous posez le combiné contre votre oreille, répéta Kevin pour tenter de récupérer son attention. Et vous entendez…»

Mais Nicky ne se laissait plus guider. «Il faut que j'y aille, redit-elle. Je dois faire vite. Avant que Thomas revienne. Mes baskets. Je les vois. Je les ai laissées par terre, dans le vestibule, quelques heures avant. Je les ramasse. Je m'en contenterai.

— Vous les enfilez, vous prenez un manteau…

— Non. Pas le temps. Il faut vraiment que j'y aille. Immédiatement. J'ai besoin d'un verre.»

À côté de Wyatt, Thomas tressaillit mais ne fit aucun commentaire.

«Vous prenez vos clés de contact, poursuivit Kevin. Elles sont dans le vide-poches, vous les sentez sous vos doigts…

— Mais c'est totalement absurde!» s'écria Nicky en regardant les trois hommes avec des yeux écarquillés. «Pourquoi sortir sous la pluie pour acheter du scotch alors qu'il me suffisait de monter au premier étage?»

Thomas n'avait pas l'air content du tout. Non seulement sa femme ne lui avait pas parlé de ce mystérieux coup de fil mais elle cachait de l'alcool quelque part dans la maison. Pourtant il essaya de faire bonne figure en introduisant Wyatt et Kevin dans la salle de séjour où trônait le téléphone. Ils vérifièrent la liste des appels mais n'en trouvèrent aucun dans la soirée du mercredi.

«Il est arrivé sur le fixe ou sur votre portable?» demanda Wyatt.

Nicky hésita. Par réflexe, elle tapota ses poches. Depuis sa surprenante confession, elle évitait soigneusement le regard de son mari.

«Votre téléphone portable a été retrouvé à l'intérieur de l'Audi, l'informa Kevin. Il est entre les mains de nos techniciens.

— Euh. Oui, j'imagine qu'il a pu arriver sur mon portable.»

Wyatt nota l'info. Obtenir la liste des appels sur un téléphone portable était un jeu d'enfant. Il suffisait de se renseigner auprès du fournisseur d'accès. Ce qui leur éviterait de s'adresser à la police d'État dans les locaux de laquelle se trouvait l'appareil endommagé.

«Tu n'aurais pas dû boire», explosa Thomas.

Nicky s'abstint de répondre. Elle tenait ses bras croisés sur sa poitrine.

«Tu avais promis. Bon sang! J'ai fait des pieds et des mains, j'ai pris soin de toi, j'ai jeté tout ce qui aurait pu te tenter. Putain, où as-tu planqué ce…

— Je ne sais pas, moi. Tu devrais peut-être chercher dans le placard où tu caches tes petits secrets.» Le ton glacial sur lequel Nicky venait de répondre lui ayant coupé la chique, Thomas se contenta de la foudroyer du regard.

De plus en plus intéressant, se réjouit secrètement Wyatt. Pendant que les deux membres du couple Frank se bouffaient le nez…

«Monsieur Frank, dit-il, ça vous ennuie si on jette un œil sur vos affaires?

— Quoi?

— Juste les chaussures et le manteau que vous portiez mercredi.

— Je vous l'ai déjà dit, j'étais ici…

— Tant mieux, ce sera d'autant plus vite fait. Nous sommes obligés de vérifier votre déclaration. C'est la procédure. Tant que vous dites la vérité, vous n'avez rien à craindre.»

Thomas n'était pas stupide. On le sentait plus que réticent. Mais avec sa femme toujours plantée devant lui à le dévisager… Il amorça un demi-tour, repassa dans le vestibule et rouvrit la porte du placard. «Je vous en prie, faites comme chez vous.»

Kevin et Wyatt se mirent au travail. Ils répertorièrent un coupe-vent léger, une grosse veste en laine, un anorak de ski défraîchi, une veste en cuir griffée. La garde-robe classique d'un homme de son âge. Les chaussures étaient pareillement alignées. Tennis, une paire de vieilles, une paire de neuves, bottes de randonnée, usées. Et puis : des sabots marron Merrell, le modèle qu'on enfile par-dessus ses chaussures ; leurs épaisses semelles étaient incrustées de sable.

Kevin les sortit en s'aidant de son crayon et regarda Wyatt d'un air pénétré. « Nous devrions porter celles-ci au labo. »

Thomas leva la main pour demander une pause. « Au labo ? Attendez un peu. C'est quoi cette histoire ?

— Vous voyez ce sable ? Bien sûr, je ne suis qu'enquêteur, pas expert judiciaire, mais je dirais qu'à première vue, il a la couleur et la consistance de celui qui se trouve sur le bas-côté de la route, là où votre femme a eu son accident.

— Quoi ? Ce n'est que du sable. Comme on en voit partout en Nouvelle-Angleterre, surtout en cette saison, à cause du verglas. Quoi d'étonnant à ce que j'en aie sur mes chaussures ? Avec toute la pluie qu'il est tombé pendant des jours, ce fichu sable s'est répandu partout. Mais bon Dieu, allez donc voir dans l'allée ! »

Wyatt le regardait fixement. « Vraiment ? Vous êtes sûr que nos techniciens ne feront pas la relation avec le sable dispersé sur cette route ?

— Lâchez-moi un peu, OK ? »

Kevin se tourna vers Wyatt en haussant très légèrement les épaules. Leur combine n'était pas mauvaise, mais elle ne marchait pas sur Thomas.

« Est-ce que les chaussures de votre mari sont toutes ici ? demanda Wyatt à Nicole qui les avait suivis dans le vestibule.

— Je crois que oui.

— Et les manteaux?»

Elle hésita. «Un imperméable, marmonna-t-elle. Un imperméable noir et gris. Je ne le vois pas.»

Était-ce un effet de son imagination ou Thomas avait-il tressailli une nouvelle fois? s'interrogea Wyatt.

«Monsieur Frank?

— Il était mouillé. Je l'ai mis pour aller et venir entre l'atelier et la maison mercredi dernier. Avec ce qui dégringolait, il a vite été trempé.

— Où est-il maintenant?»

Aucun doute, pour le coup : Thomas était fâché. «Je l'ai suspendu au sous-sol, dans la buanderie, pour qu'il sèche», ronchonna-t-il.

Wyatt se tourna vers Nicole. «Ça vous ennuie de nous montrer la buanderie? Après ça, on vous laisse tranquilles.»

Nicole pâlit. L'espace d'un instant, Wyatt crut qu'elle allait refuser. Mais tout de suite après, elle bomba le torse, jeta sur son mari un regard difficile à interpréter et repartit vers le couloir.

En fait, la porte qui menait au sous-sol se trouvait derrière l'escalier, en sortant de la salle de séjour. Nicole l'ouvrit d'un geste plus énergique que nécessaire et alluma la lumière. Depuis le seuil, Wyatt vit une volée de marches en bois brut et, au fond, un sol en ciment.

Nicole respira un bon coup, posa la main sur la rampe et descendit la première.

Cet escalier lui faisait peur, se dit Wyatt en notant l'attitude de Nicole. Elle serrait si fort la rampe que ses articulations étaient exsangues, elle hésitait à chaque marche. Stress post-traumatique, supposa-t-il. Sa première chute s'était produite dans cet escalier. Était-ce la raison de son angoisse ? Au lieu de lui poser la question, il se contenta d'observer sa progression, lente mais déterminée.

Les contremarches semblaient assez robustes, pensa-t-il en lui emboîtant le pas. Mais l'escalier était raide et plutôt étroit. Le descendre en transportant un panier rempli de linge sale relevait de la gageure. Et si l'exercice se répétait chaque jour, les risques de chute augmentaient d'autant.

« Depuis l'accident, je fais glisser le panier sur les marches, murmura Nicky comme si elle lisait dans ses pensées. J'aurais dû le faire dès le début. Maintenant, je balance le linge et après, je descends.

— Et quand vous remontez avec le linge propre et bien plié ?

— C'est Thomas qui s'en charge, désormais. Je fais la lessive ; il la monte.

— Pourquoi ne pas lui avoir délégué cette tâche de A à Z ?

— Il abîme mes affaires délicates », répondit-elle. Il fallut une seconde à Wyatt pour réaliser qu'elle ne plaisantait pas.

Quand il eut fait quelques pas au sous-sol, Wyatt découvrit autour de lui un local étonnamment vaste. Sans doute prévu pour un futur aménagement en salle de jeux, studio indépendant ou autre. Un coin avait été transformé en buanderie et salle de bains.

« C'est vous qui avez fait tout cela ? » demanda Wyatt à Nicky tandis que Kevin et Thomas s'engageaient à leur tour dans l'escalier.

«Thomas a démarré le chantier dès qu'on a emménagé, expliqua-t-elle. Je ne voulais pas d'une buanderie pleine de toiles d'araignée. Alors, il m'a construit cette pièce. Il a dit que c'était sa contribution à la corvée de lessive.

— Joliment agencée», observa Wyatt en promenant son regard entre la splendide machine à laver séchante avec hublot frontal et le plan de travail en stratifié servant à plier le linge. Sans parler des placards fixés au mur, où étaient rangés les produits détergents, adoucissants, toute la panoplie du parfait petit blanchisseur.

Menuisier lui-même, Wyatt était en mesure d'apprécier l'attention portée aux détails. Thomas était un vrai pro, cela ne faisait aucun doute. Raison de plus pour s'étonner qu'il n'ait pas pris la peine d'agrandir et de sécuriser l'escalier qui menait à cette superbe buanderie.

Kevin et Thomas les avaient rejoints.

«Félicitations», dit Wyatt en embrassant le sous-sol d'un geste circulaire.

Modeste, Thomas haussa les épaules mais Nicky insista : «Thomas est très doué de ses mains.

— C'est évident. J'imagine que vous possédez toutes sortes d'outils. Scie à onglet, cloueuse pneumatique, perceuse sans fil…»

Thomas croisa son regard. «Dans mon atelier. Je fabrique des accessoires de cinéma, vous vous rappelez? La plupart du temps, je travaille à partir de modèles en bois.

— Sauf que maintenant tu te reconvertis dans le plastique», renchérit Nicky sur un ton clairement désapprobateur.

Wyatt et Kevin se tournèrent ensemble vers Thomas. «J'ai acheté une imprimante 3D. Désormais, les clients m'envoient leurs projets par Internet, je charge les fichiers et je n'ai plus qu'à appuyer sur un bouton pour obtenir un moule en 3D. Pour moi, c'est un énorme progrès. Mais ma femme trouve cela risqué.»

Il accompagna sa remarque d'un coup d'œil courroucé qu'elle lui renvoya aussi sec.

«Mon imper», dit Thomas en se tournant pour désigner l'étendoir à côté du lave-linge. Une gabardine toute simple, gris et noir, était suspendue aux crochets en bois. Kevin tendit la main, souleva les pans du vêtement et les rabattit.

«Il est sec, dit-il discrètement à Wyatt.

— Et sale.» Wyatt pointa une tache claire sur le devant et les traces de sable qui s'étiraient le long des manches.

«Il est sale et alors? s'impatienta Thomas. Je l'ai mis pour me rendre dans mon atelier. Et comme j'avais déjà coupé le chauffage, je l'ai gardé sur moi pendant que je travaillais.

— Vous ne craignez pas qu'une manche se prenne dans un outil?» s'enquit Wyatt.

Kevin se tenait penché sur le poignet gauche de l'imper, lequel présentait des marques d'usure. Combien de chances pour qu'on découvre l'une de ces fibres accrochée au pare-chocs de la voiture de Nicole? Quasiment aucune, étant donné la déveine qu'ils avaient eue jusqu'à présent.

«Il faut qu'on l'emporte pour vérifier, dit Kevin d'une voix assez forte pour se faire entendre de tous.

186

— Absolument. Ça ne vous dérange pas? demanda Wyatt à Thomas toujours plus renfrogné.

— Bien sûr que si, ça me dérange. Je n'ai pas d'autre vêtement de pluie. Et je vous le répète, toutes ces taches, je les ai faites dans mon atelier. Point barre.

— C'est du sable, non? s'immisça Kevin. Comme celui qu'on a vu sur vos chaussures. Comme celui qu'on a trouvé sur la route…

— Il y a du sable partout! On est en Nouvelle-Angleterre, pour l'amour du Ciel! Et il y a parfois du verglas le matin, en ce moment.

— Où sont les affaires de Nicky? balança Wyatt à brûle-pourpoint.

— Quoi? fit Thomas en clignant des yeux.

— D'après le personnel de l'hôpital, vous avez demandé à récupérer les vêtements qu'elle portait la nuit de l'accident.

— Et alors? C'est interdit?

— Où sont-ils? Ils étaient pleins de boue, de sang, d'alcool mais je parie que vous ne les avez pas jetés. Donc, ils devraient être ici. Dans la buanderie. En attendant de passer à la machine.»

Thomas ne répondit pas aussitôt. «Ma femme n'a rien fait de mal», lâcha-t-il enfin.

À son tour, Nicky le dévisagea.

«Le docteur Celik m'a montré les résultats de l'examen toxicologique : 0,6 gramme. En dessous du seuil légal. Donc, nous n'avons ni à nous justifier ni à répondre à vos questions. C'était un accident. Il faisait sombre, il pleuvait. Nicky a dérapé. Point.

— Comme lorsqu'elle est tombée dans l'escalier de la cave ?

— Vous avez vu les marches.

— Et du haut du perron ? Allons, Thomas. Ça fait beaucoup de *maladresses* pour une seule personne. Un escalier, un perron, une voiture. À vous croire, votre femme fait tout de travers.

— Allez-vous-en. Nous n'avons plus rien à vous dire.

— Très bien. Alors, donnez-nous votre imperméable. Et pendant qu'on y est, les vêtements que Nicky portait mercredi, les baskets qu'elle n'aurait jamais mises pour marcher dans la boue et, ah oui, le manteau qu'elle n'a même pas pensé à emporter. Allez, donnez-nous ça. Donnez-nous tout ce qu'il faut pour prouver que c'était un *accident*. Et après, peut-être, je dis bien peut-être, nous vous ficherons la paix.

— Je veux le voir », dit brusquement Nicky.

Ils interrompirent leur joute verbale et la considérèrent, interloqués. Elle se tenait au milieu de la pièce, les bras croisés sur la poitrine, dans une attitude défensive. Elle ne regardait ni l'imper, ni aucun des trois hommes mais un point quelque part, au bas de l'escalier.

Là où elle avait atterri après sa chute, devina Wyatt. La première, celle qui avait déclenché ses migraines et ses pertes de mémoire.

Thomas fronça les sourcils. « Que veux-tu voir ?

— L'endroit où j'ai eu mon accident. Je veux y aller. Peut-être que ça m'aidera.

— Nicky, tu es souffrante. Tu dois te ménager. Le docteur…

— J'y vais.

— Tu auras encore mal à la tête…

— Je m'en fiche.

— Mais pas moi! Ne tombe pas dans leur piège, Nicky. Tu ne vois donc pas? Cette visite n'est qu'une mascarade… Ils essaient de nous monter l'un contre l'autre. Ils croient que c'est le seul moyen d'obtenir des réponses.

— Et si je voulais des réponses, moi aussi?

— Nicky…» Thomas lui tendit la main.

«Qu'est-ce qui te fait si peur? Dis-moi, Thomas. Si notre vie est aussi géniale que tu le dis, pourquoi tu refuses que la police prenne ton imperméable?»

Thomas ne répondit pas. Nicky lui décocha un dernier regard, pivota sur ses talons et s'engagea dans l'escalier.

«Je n'ai jamais cherché qu'à la protéger, marmonna Thomas. Servez-vous, prenez tout ce qui vous fait plaisir. Et laissez-nous tranquilles. Nous étions mieux sans vous. Croyez-moi.»

Il s'élança dans l'escalier à la poursuite de sa femme.

16

Thomas me suit jusqu'à ma chambre. Je m'attends à une dispute. Peut-être va-t-il m'attraper par les épaules pour m'obliger à me retourner et à le regarder. Il a une telle force de persuasion qu'il obtiendra ce qu'il veut. Et moi, qu'est-ce que je veux ? Qu'il m'engueule ? Me brutalise ? Me serre contre lui ? Est-ce ainsi que nos querelles s'achèvent habituellement ?

Mais il ne fait rien de tout cela. Il reste figé sur le seuil à me regarder sortir un jean et un pull épais du placard de la chambre d'amis.

Peut-être qu'il n'est pas venu discuter. Peut-être qu'il attend simplement que je lui remette ma provision de scotch.

Je lui ferme la porte au nez pour me changer tranquillement, finir de me préparer. Mais quand je rouvre deux minutes plus tard, il est toujours là.

« Tu ne viens pas ? » Je suis étonnée, je croyais qu'il aurait mis un truc chaud pour sortir, lui aussi.

« Non. »

Bizarre. J'étais sûre qu'il voudrait m'accompagner, ne serait-ce que pour continuer à jouer les maris protecteurs.

«J'ai du travail, explique-t-il.

— Sérieusement? Ton travail est si important que cela?

— Ce projet, oui.»

Les enquêteurs, Wyatt et Kevin, nous attendent en bas. Je dois y aller. Mais quand je passe devant lui pour sortir, mon mari me touche le bras, si délicatement, si gentiment que je m'arrête net.

«Pourquoi? chuchote-t-il. J'ai fait l'impossible pour t'aider. Et tu persistes à cacher de l'alcool.»

Je ne dis rien. Mon cœur bat de plus en plus fort. La honte, je pense. Le remords. La culpabilité. Autre chose peut-être, mais quoi? Je n'arrive pas à le regarder dans les yeux. Je n'ose pas m'en aller. Et pourtant je n'ai pas l'intention de lui donner mon whisky.

«Si tu n'as pas le cran de le jeter, poursuit Thomas, dis-moi au moins où il est. Je le ferai en ton absence.

— Non.

— Nicky, pour l'amour du Ciel, tu viens de sortir de l'hôpital…

— C'est tout ce que je possède», m'entends-je répondre. Et soudain la chose m'apparaît comme une évidence. Je n'ai pas de famille. Je n'ai pas d'amis. J'ai oublié mon passé et j'ignore si j'ai un avenir. Mon seul bien est cette petite réserve de scotch.

«Tu as ton édredon», dit mon mari.

Je le regarde en fronçant les sourcils. Il désigne la banquette et la couverture jaune soigneusement pliée au bout. C'est lui qui l'a mise là? Si c'est moi, je ne m'en souviens pas.

« Tu devrais le prendre avec toi, me dit Thomas. Peut-être qu'il te portera chance.

— Je ne peux pas monter dans une voiture de police avec un édredon. C'est… ridicule.

— Nicky. »

Il prononce mon prénom sur un ton tellement grave que je m'arrête encore une fois pour le regarder avec la plus grande attention. Un million d'images me traversent l'esprit. Des images de nous deux. En train de rire, de nous embrasser, de courir sur le sable, d'escalader des falaises. Nous vivions. Nous nous aimions. Et cela nous suffisait. Je le vois dans ses yeux.

Je sens la tristesse tapie au fond de moi, dans un endroit dont j'ignorais l'existence jusqu'alors. Je suis en train de le perdre. Je l'ai compris voilà quelque temps déjà. C'est pour cela que je fais des réserves d'alcool. Parce que pendant vingt-deux ans, cet homme a été tout pour moi. Mon unique compagnon, mon meilleur ami, mon plus gros tracas, mon plus grand réconfort. Il était *toute ma vie*.

Sauf qu'il y a quelque chose de malsain dans ce type de relation. Pour l'un comme pour l'autre.

« Prends-le, murmure mon mari. Les prochaines heures seront difficiles. Tu risques d'avoir un coup de pompe, une migraine. Les policiers ne verront pas d'inconvénient à ce que tu emportes une couverture au cas où tu aurais besoin de repos. »

Tout en parlant, il tend la main vers l'édredon, l'attrape et me le colle dans les bras. D'instinct, je le presse contre ma poitrine. Je sens la douceur familière du tissu sous mes doigts, je renifle l'odeur qui s'en dégage et me rassure tout en me renvoyant à ma solitude.

J'ai pleuré quand il est arrivé par la poste. Et maintenant, j'ai de nouveau envie de pleurer.

«Tu as une photo de Vero, m'entends-je dire.

— Non, je n'en ai pas.

— Si. Je l'ai trouvée dans ton placard.»

Mon mari sourit, mais d'un sourire infiniment triste. «Non, répète-t-il. Je n'en ai pas. Bon, si tu as vraiment l'intention d'y aller, vas-y. Il est temps de les rejoindre. Mais n'oublie pas, ajoute-t-il en me poussant doucement. Quand on pose des questions, on ne contrôle pas les réponses. Ainsi va la vie. Surtout la nôtre.»

Les policiers ont l'air étonnés de me voir descendre seule. Ils se regardent mais ne disent rien sur l'instant. De même, ils ne font aucune remarque sur la couverture que je porte sous le bras. Thomas a raison : une femme dans mon état peut tout se permettre, ou presque.

Le plus jeune policier – le brigadier l'a appelé Kevin – tient l'imperméable de Thomas. On dirait que mon mari a bien voulu s'en séparer, finalement. Ils pourront donc analyser le sable. C'est drôle, je n'avais jamais remarqué mais c'est vrai qu'en Nouvelle-Angleterre, il y a beaucoup de sable sur le bas-côté des routes.

Mais il n'y en a pas dans notre allée ni dans le jardin. Là, Thomas a menti.

Je dépose l'édredon sur les marches du bas et j'ouvre le placard de l'entrée pour attraper ma veste kaki doublée de flanelle. Ensuite, je prends mes sabots noirs, sage précaution avec la gadoue qu'il doit y avoir sur ces routes de campagne. Qu'est-ce qui m'a pris, mercredi soir, de sortir en baskets ?

Parce qu'elles étaient posées devant mon nez et que j'étais pressée.

La sonnerie du téléphone.

Allô, j'ai dit.

Et ensuite…

J'ai mal à la tête. Je me masse les tempes d'un geste mécanique. Je devrais reprendre de l'Advil. Ou peut-être des antalgiques plus puissants. Mais je ne veux plus m'abrutir. Certes, c'est moi qui ai décidé de cette petite balade, mais je ne dois pas oublier que je me fatigue vite. Thomas n'a pas tort. J'ai vraiment besoin de repos.

J'ai une dernière chose à prendre dans le placard. Elle n'est pas suspendue au crochet derrière la porte. Je tâtonne. Le policier le plus âgé, Wyatt, me voit faire.

« Que cherchez-vous ? »

Il faut que je réfléchisse avant de répondre : « Un truc pour ma tête.

— Quel genre de truc ?

— Une casquette. Noire. » Avec une visière qui se rabat. Le genre qu'on met pour dissimuler son visage quand on va s'acheter de l'alcool, par exemple.

J'évacue ce souvenir désagréable. Je me sens un peu sale, comme si j'avais arpenté un grenier plein de toiles d'araignée.

« Vous êtes sûre que votre mari ne veut pas venir ? insiste Kevin.

— Il a du travail.

— Il travaille beaucoup », conclut Wyatt.

Je hoche la tête, faute de savoir quoi répondre. Thomas m'a dit qu'il avait un projet important à terminer. Mais j'ignore lequel.

Nous sortons ensemble de la maison. Les policiers sont venus à bord d'un véhicule de patrouille, un 4 × 4 blanc avec NORTH COUNTRY SHERIFF'S DEPARTMENT marqué sur le blason qui orne les portières. J'en ai déjà vu de semblables, arrêtés au bord des routes secondaires. Parfois, il s'agit de policiers en tenue qui contrôlent les automobilistes. Mais Thomas m'a dit un jour que les adjoints du shérif passaient le plus clair de leur temps à transférer des détenus d'un point à l'autre de l'État. Et c'est vrai, les véhicules que je vois garés ici ou là attendent qu'on leur remette des prisonniers ou qu'on vienne les chercher.

C'est peut-être à cause de cela que je me sens mal lorsque les policiers ouvrent la portière arrière et me font signe de grimper. Je devrais porter des menottes, me dis-je. C'est fini. Il fallait bien que ça m'arrive un jour.

Je suis étonnée de voir Kevin contourner la voiture et s'asseoir à côté de moi. Pour observer mes réactions ? Reprendre son petit jeu de mémoire ? Ou parce qu'ils redoutent de me laisser seule derrière ?

Je pose l'édredon sur mes genoux. Sentir sa texture sous mes doigts me donne de l'assurance. Je suis contente de l'avoir emporté.

Wyatt passe la marche arrière. Le gros 4 × 4 recule dans notre allée.

Je lance un dernier regard sur ma maison. La silhouette de Thomas se découpe derrière une fenêtre du premier étage.

Puis mon mari disparaît de mon champ de vision.

Nous roulons un moment sans parler. Une vitre sépare en deux l'habitacle, du Plexiglas sans doute, un peu rayé mais propre. Les sièges arrière ne sont pas revêtus de ce plastique dur qui d'habitude protège l'intérieur des véhicules de police fréquemment aspergés de vomi par les ivrognes qu'ils transbahutent. Non, la banquette que nous partageons, Kevin et moi, est en tissu gris basique, comme dans les autres 4 × 4 de ce modèle. C'est assez confortable ; on dirait presque que nous sommes trois amis en balade.

L'illusion s'arrête là. À l'avant, j'aperçois une radio et un ordinateur portable scellés dans le tableau de bord massif, ainsi que des engins divers et variés dont mon Audi pourtant bourrée de technologie n'était pas équipée. Wyatt marmonne un truc au micro. Difficile d'entendre avec cette cloison qui nous sépare. Qu'est-il en train de manigancer ? Vais-je finir ma nuit au poste ?

J'essaie de regarder dehors mais, entre la vitesse et l'obscurité, j'ai tout de suite mal au cœur. J'aimerais tellement être dans ma chambre au premier étage. Sous mon édredon, une poche de glace sur le front. Rien de tel que la glace et le noir pour combattre une migraine.

Le 4 × 4 ralentit, s'arrête au stop. Clignotant. On tourne à droite. On passe de la petite route qui mène chez moi à une voie plus large. Cinq minutes s'écoulent, dix peut-être ; puis la civilisation commence à apparaître. Un modeste centre commercial, une station-service, une épicerie. Et un magasin d'alcool géré par l'État du New Hampshire.

Mon corps se raidit comme si nous étions arrivés. C'est là que je m'approvisionne, me dis-je automatiquement. Mais le véhicule du shérif poursuit sa route.

« Ça vous évoque quelque chose ? demande Kevin auquel ma crispation n'a pas échappé.

— C'est là que je fais mes courses.

— Normal. C'est le centre commercial le plus proche de chez vous.

— La bouteille de scotch que j'avais dans ma voiture, l'autre nuit. Vous savez où je l'ai achetée ?

— Oui.

— Était-ce dans ce magasin d'État ? » Il faut préciser que, dans le New Hampshire, les épiceries ont le droit de vendre de la bière et du vin mais que le commerce des alcools forts est la chasse gardée de l'État.

« Non, pas dans celui-là », répond-il, ce qui m'étonne.

Nous roulons toujours, sans à-coups. La chaussée est bien entretenue, comme souvent dans le North Country. Malgré moi, je ferme les yeux et je me laisse bercer. Je suis fatiguée. Très fatiguée. J'ai de nouveau l'impression d'être sous l'eau. Comme si rien de tout cela n'était réel, comme s'il ne se passait rien du tout.

Je flotte, légère, insensible. Si ça pouvait continuer ainsi, je n'aurais plus jamais mal.

« *Maman, maman, regarde. Je vole.* »

Mais le plus dur ce n'est pas de voler. C'est d'atterrir. Quoi qu'on fasse, ça se termine toujours par un atterrissage.

Je m'entends pousser un long soupir d'angoisse.

Puis on s'arrête.

Kevin dit : « Nous y sommes. »

En descendant du 4 × 4, je ne comprends plus rien. Je croyais trouver une route de campagne plongée dans la nuit et me revoilà devant un centre commercial réduit à la portion congrue, à savoir une station-service faisant également office d'épicerie et de bazar, une agence immobilière et, oui, un magasin d'alcool géré par l'État. Je ne connais pas cet endroit, me dis-je aussitôt. Et pourtant si.

Je dépose l'édredon plié sur la banquette et, dans le même geste, je tends la main pour attraper autre chose. Quoi déjà ? Ma casquette. Pour dissimuler mon visage quand je passerai devant les caméras de sécurité. Une vieille habitude.

Puis soudain, un trouble m'envahit. Honnêtement, je ne sais que penser : je me cache pour éviter d'être vue dans un magasin d'alcool ? Ou pour échapper aux caméras ?

Les deux enquêteurs m'attendent.

« Que faisons-nous ici ? je leur demande.

— Entrons, répond Wyatt, jetons un œil à l'intérieur. »

Je suis mal barrée. J'ignore à quoi je m'attendais exactement mais pas à ça, en tout cas. Ils sont censés me conduire sur le lieu de l'accident. Quand je serai là-bas, je comprendrai ce que j'ai eu l'intention de faire, l'autre nuit. Je m'envolerai, je retrouverai Vero et elle me pardonnera.

Mais ils ont préféré m'emmener… ici.

«Pas question.

— Juste un instant, dit Wyatt.

— J'ai la migraine.

— Je parie qu'ils vendent de l'aspirine.»

Je suis incapable de bouger. Je le fixe d'un regard suppliant, en espérant qu'il verra ma détresse. «C'est ici que j'ai acheté la bouteille de scotch, n'est-ce pas? Et vous voulez que je reconnaisse officiellement le magasin où j'ai déconné, l'autre nuit.

— Entrons, répète Wyatt. Jetons un œil à l'intérieur.»

Son collègue et lui s'éloignent déjà. On dirait que je n'ai plus le choix. L'heure est venue d'affronter mon destin.

Un bloc de béton gris imitant vainement l'architecture traditionnelle locale. Malgré sa marquise à l'entrée, sa petite tourelle et ses lucarnes factices percées dans le toit, ce lieu n'en demeure pas moins un supermarché de la bibine. Les portes coulissantes s'ouvrent à notre approche. Heureusement, Wyatt et Kevin sont en tenue de ville; je n'aurais pas supporté d'entrer ici escortée de deux flics en uniforme. Pourtant, on les repère facilement rien qu'à leur façon de marcher en balayant l'espace du regard. Ces deux types ne sont pas des clients ordinaires. Dès qu'elle les voit, une femme qui pousse un caddie rempli de bouteilles de vodka détourne les yeux. Je partage sa honte.

Pour la plupart des gens, un flic dans un magasin d'alcool c'est un peu comme un curé dans un bordel.

Je fixe obstinément le sol, j'arpente les allées un peu au hasard mais, très vite, je me retrouve au rayon des whiskys. Bien sûr. Les Glenlivet sont posés en évidence, à portée de main. Ils ont un choix impressionnant. Tous les millésimes, y compris le meilleur, le plus cher, mon péché mignon de dix-huit ans d'âge. J'en ai envie; c'est plus fort que moi. Je me mets à trembler, d'abord les mains puis mon corps tout entier.

Ça cogne dans ma tête, mon estomac se soulève. Ils n'auraient pas dû me faire entrer ici, me dis-je, mécontente. Qu'est-ce qui les autorise à trimballer comme ça une femme gravement commotionnée ? À conduire une alcoolique en rémission dans un magasin d'alcool ?

Les regards incendiaires que je leur décoche ont le mérite de susciter en eux les mêmes interrogations.

« Ça va ? demande Wyatt.

— Je ne veux pas rester ici.

— Mais vous reconnaissez ce magasin, dit Kevin. Vous avez trouvé le rayon tout de suite.

— Vous m'avez piégée ! » Toujours aussi furieuse, je concentre mon attention sur le lino gris crasseux. Mieux vaut ça que les bouteilles de scotch.

« Êtes-vous passée par ici dans la nuit de mercredi ? demande Wyatt.

— Je ne sais pas. Peut-être. Probablement. Je suppose.

— Pourquoi ? renchérit Kevin.

— Quelle blague ! Pour acheter du whisky, pardi !

— Tout à l'heure, vous avez dit que vous étiez pressée ce soir-là, insiste Wyatt. Vous deviez partir immédiatement.

— Oui.

— Alors, pourquoi un tel détour ? On est à quarante minutes de chez vous, alors qu'il existe un magasin beaucoup plus proche. »

Je cligne les yeux, je pose la main sur mon estomac. Ça gargouille. Je n'en sais rien. Je n'ai pas de réponse. En plus, il a raison. Sur la route, Kevin m'a montré le commerce dont il parle et je l'ai reconnu instantanément. Alors, pourquoi ai-je décidé d'aller jusqu'ici ?

Je leur réponds non d'un petit signe de tête. J'ai tellement mal au cœur. Et ma tête ne va pas mieux. Tous ces lumières aveuglantes sont autant de poignards aiguisés qui s'enfoncent dans mes tempes.

« Je crois que je vais vomir. »

Les policiers échangent encore un regard entendu. Décidément, je les déteste. Si seulement Thomas était là. Je me blottirais contre sa poitrine. Ses doigts magiques me masseraient la racine des cheveux. Il me rassurerait. Il prendrait soin de moi.

Parce qu'il est tout pour moi. Sauf que je ne le mérite pas, je ne l'ai jamais mérité, et maintenant je vais le perdre. Vero a bien essayé de me le dire, mais j'ai refusé de l'écouter.

Sauve-toi, vite, m'a-t-elle répété inlassablement pendant toutes ces années. Sauve-toi, va-t'en. Mais je ne bouge pas. J'en suis incapable.

Mon visage est en feu. Les points de suture. L'espace d'un instant, j'ai envie de tirer sur ces horribles fils noirs. Si je pouvais les découdre peut-être que ma peau se détacherait. Je la soulèverais comme un édredon et qui trouverais-je caché en dessous ?

Wyatt m'attrape par le bras. Il m'entraîne loin de ce rayon. Avec une seconde de décalage, je comprends qu'ils me prennent enfin au sérieux. Je ne peux pas en encaisser plus. Il est temps de quitter ce lieu. Tant pis, je renonce à me rendre sur le site de l'accident. Je rentre à la maison. J'ai besoin de m'allonger. De fermer les yeux. Là-haut, dans ma petite chambre sombre et froide comme un cercueil. Une tombe avant l'heure.

Wyatt me guide vers la caisse, comme si nous avions quelque chose à payer. Je marche lentement, mes jambes pèsent des tonnes. Pourquoi il ne me fait pas sortir ? J'ai besoin d'air.

La caissière nous dévisage. C'est une femme d'âge mûr, avec des cheveux bruns grisonnants et la tête de quelqu'un qui a eu une journée difficile, ou une vie difficile.

Elle fait quand même un effort de gentillesse : «Ça va, ma belle?»

Et là, c'est plus fort que moi.

Je lève les yeux vers elle et, tout de suite après, je vomis par terre.

17

Wyatt avait cru décrocher le pompon mais finalement, sa petite expérience avait mal tourné. Heureusement, Marlene, la caissière, en avait vu d'autres dans sa vie. Ni une ni deux, elle avait fait le tour du comptoir en leur ordonnant d'emmener la pauvre femme respirer dehors pendant qu'elle passait la serpillière.

Wyatt et Kevin ne manquaient pas d'expérience en la matière – nettoyer le vomi fait partie des premiers talents qu'on acquiert dans ce métier – mais un petit coup de main n'était pas pour leur déplaire.

À peine Kevin avait-il ouvert la portière que Nicky s'était vautrée sur la banquette en étreignant sa couverture jaune comme si c'était un ours en peluche. Croyant bien faire, Kevin lui avait proposé de la déplier pour la mettre sur ses épaules. Elle l'avait presque agressé.

Brusques changements d'humeur. Encore un symptôme de la commotion cérébrale.

Wyatt repassa la porte du magasin en réfléchissant au coup de fil qu'il avait passé en venant, tout à l'heure. Il avait voulu savoir si Marlene Bilek travaillait ce soir, comme c'était le cas dans la nuit de mercredi. Or, non seulement elle était de service mais ils l'avaient vue derrière la caisse dès qu'ils étaient entrés. Sacré coup de bol.

Wyatt la trouva dans l'arrière-boutique en train de vider le seau. L'odeur était atroce, l'aspect également puisque les Frank avaient mangé de la soupe de tomate au dîner.

«Je suis désolé», dit-il.

La femme haussa les épaules. «Quand on bosse dans ce genre de boutique, faut s'habituer au dégueulis.

— Dans la police, c'est pareil.»

Elle lui adressa un sourire empreint de lassitude. Son job devait être épuisant, surtout les soirs comme celui-ci.

«Vous l'avez reconnue? demanda Wyatt.

— Je crois, oui. Mercredi, c'est ça? Elle était habillée différemment. Des vêtements de couleur sombre. Et une casquette noire. Une casquette de base-ball enfoncée jusqu'aux yeux. C'est ce qui m'a fait tiquer. J'ai cru qu'elle cherchait les ennuis. Dans un magasin d'alcool, on repère vite les individus louches. Mais en fait, elle ne faisait rien de mal. Elle marchait dans les allées. Elle les a toutes faites, l'une après l'autre. J'allais lui demander si elle avait besoin d'aide quand elle a attrapé une bouteille de whisky, ou un truc comme ça. Elle a payé et elle est partie.

— Combien de temps a-t-elle passé ici? demanda Wyatt.

— Quinze ou vingt minutes.»

Wyatt fronça les sourcils. C'était beaucoup pour une femme soi-disant pressée. Vingt minutes, auxquelles s'ajoutait le temps de trajet... Une femme qui avait l'air de chercher les ennuis et qui faisait tout pour en avoir.

«A-t-elle parlé à quelqu'un? Un autre client, un employé?»

La caissière haussa les épaules. «Je ne peux pas vous dire. Il y avait un monde fou. Du travail par-dessus la tête. J'allais pas rester à la regarder.»

Wyatt opina. Décidément c'était bien dommage que les enregistrements des caméras de sécurité soient illisibles. Ces choses-là pouvaient arriver, certes, mais elles arrivaient trop souvent à son goût. Il pêcha une carte de visite au fond de sa poche et la tendit à Marlene qui s'était tournée pour remettre le seau à sa place. «Merci beaucoup. Désolé pour le dérangement. Si quelque chose vous revient, passez-moi un coup de fil.

— Promis. Elle va s'en remettre? demanda Marlene. Pauvre fille, elle avait l'air très malade.

— Elle se repose; ça lui fera du bien.

— Qu'est-ce qu'elle a fait au juste?

— Comment ça?

— Vous êtes flics, non? Je vous ai vus entrer avec elle. Maintenant, vous posez des tas de questions. Alors, je voudrais savoir ce qu'elle a fait.

— C'est précisément ce que nous tentons de découvrir.

— Elle a perdu quelqu'un?»

Wyatt marqua un temps d'arrêt. «Pourquoi cette question?

— Parce qu'elle a l'air triste. Et moi, la tristesse, ça me connaît. Cette petite, elle fait une déprime carabinée. »

Wyatt ruminait encore lorsqu'il retrouva Kevin qui l'attendait devant le magasin.

« Le fournisseur d'accès m'a appelé au sujet du coup de fil que Nicole a reçu mercredi soir.

— Et alors ? »

Ils marchèrent ensemble jusqu'au 4 × 4 blanc. Nicky était toujours recroquevillée sur la banquette. Elle ne leva pas la tête à leur approche. En voyant ses paupières serrées, Wyatt se dit qu'elle faisait semblant de dormir.

« Le numéro de l'appelant correspond à une société, expliqua Kevin.

— Laquelle ?

— Un cabinet d'enquêtes basé à Boston. » Kevin marqua une pause, le regarda en face et lâcha : « Northledge Investigations. »

Wyatt ferma les yeux. « Et merde. »

Wyatt laissa Kevin avec Nicole et fit quelques pas sur le parking en remontant la fermeture Éclair de son manteau pour se protéger du froid. D'après la météo, la température nocturne était déjà descendue par deux fois en dessous de zéro. Et on n'était qu'en novembre. Si ça continuait à ce rythme, l'hiver serait particulièrement rude. Les gens resteraient cloîtrés chez eux à cause de la neige. Pour un flic, c'était une saison idéale.

Le dos tourné à Kevin, il composa le numéro de Tessa. Allez, décroche, pensa-t-il, impatient d'entendre la voix de sa bien-aimée, même s'il redoutait ce qu'elle allait peut-être lui annoncer.

À la troisième sonnerie, son souhait se réalisa :

«Oui, allô.» Elle était essoufflée comme s'il l'avait interrompue en plein boum. Il se prit à sourire un bref instant. Mon Dieu, il l'aimait si fort. Ce qui était une bonne chose, parce qu'elle allait sûrement lui en balancer une bonne.

«Salut, dit-il. Je te dérange?

— Je sors d'un restaurant. Comme aucune de nous n'avait envie de faire la tambouille, nous sommes allées dîner chez Shalimar.»

Un restaurant indien. L'un des préférés de Sophie. Wyatt s'étonnait toujours que la fille de Tessa apprécie cette cuisine, alors que lui à son âge se nourrissait exclusivement de burgers et de hot dogs. Les enfants, de nos jours…

«Comment s'est passé ton déjeuner avec le commandant Warren?» Ils n'avaient pas réussi à se parler la veille au soir, ni ce matin d'ailleurs. Ce qui était de sa faute à lui, maintenant qu'il y repensait. D'habitude, ils s'appelaient une fois par jour, voire deux. Mais avec cette enquête…

Tessa était une grande fille, se dit-il. Elle avait exercé ce métier, elle aussi. Elle connaissait le problème.

Pourtant, quand elle lui répondit, ce fut d'une voix lointaine, presque méconnaissable. «Très bien. Je lui ai expliqué en quoi consistait le boulot au cabinet. Elle m'a expliqué pourquoi elle préférait rester flic. Maintenant, il suffit d'attendre que les médecins se prononcent sur son incapacité.

— Sophie va bien ? rebondit Wyatt, histoire de tester l'humeur de Tessa. Ça s'est bien passé à l'école, cette semaine ?

— Ouais.

— Et ta journée ?

— Pas mal. »

Il entendit des portières claquer puis la voix de Tessa, assourdie. Elle s'adressait à Sophie et peut-être aussi à madame Ennis. « C'est Wyatt. Donnez-moi une minute et après on y va. »

Elles sont toujours sur le parking du restaurant, déduisit Wyatt. Ex-patrouilleuse pour la police d'État, Tessa détestait quand les gens téléphonaient au volant. Donc, elle ne prendrait la route qu'après avoir raccroché. Ce qui expliquait sa distraction. Elle lui parlait et, en même temps, elle s'occupait de ses deux passagères. Bien sûr.

Il décida de prendre le taureau par les cornes.

« J'ai une question à te poser, se lança-t-il.

— Je t'en prie.

— Tu te souviens de l'accident dont je t'ai parlé ? Une seule voiture, conduite en état d'ivresse ?

— Oui.

— Il se trouve que la conductrice a reçu un coup de fil sur son portable peu avant de prendre le volant, cette nuit-là. Elle s'appelle Nicole Frank. »

Il laissa passer deux secondes en se disant que Tessa allait peut-être réagir à ce nom. Mais bien sûr, une vraie pro comme elle n'allait pas tomber dans un piège aussi grossier. Alors, il poursuivit sur un ton égal :

« Le numéro correspond à une société privée : Northledge Investigations. »

Nouveau silence. La connaissant, Wyatt savait qu'elle venait de changer de position sur son siège. De manière imperceptible mais significative. Elle s'était redressée, la main crispée sur l'appareil, le visage inexpressif.

Il savait aussi qu'au même instant, Sophie, bien qu'assise à l'arrière, notait ces infimes changements et se mettait en état d'alerte.

Là, pour le coup, il allait se faire souffler dans les bronches.

« Pourquoi tu m'appelles, Wyatt ? murmura-t-elle.

— Il faut bien commencer par quelque chose.

— Alors tu t'es dit : Tiens, si je demandais à ma copine de trahir l'obligation de confidentialité qui la lie à ses clients ?

— Mais non. Il n'est pas question de cela. »

Il eut droit à un nouveau silence pesant. Puis la voix de Sophie dériva vers le téléphone : « Maman, qu'est-ce qui se passe ?

— Rien. » Une réponse automatique censée faire patienter l'enfant, suivie d'une autre, plus sèche, destinée à Wyatt. « Écoute, il est tard. La semaine a été chargée. Je sais que tu ne fais que ton travail mais je ne peux pas t'aider. Je ne t'apprends rien.

— Elle ne se rappelle pas.

— De qui tu parles ?

— De Nicole Frank. La conductrice. Notre suspecte. Ou notre victime. Bon Dieu, je ne sais même pas comment la qualifier. Elle a subi trois commotions cérébrales, je te l'ai dit. Assez graves pour détruire pas mal de fichiers dans son disque dur. Elle pète les plombs, elle a peur de tout. De son mari, pour commencer. Toi-même tu as dit qu'il était peut-être derrière ces trois accidents. L'atmosphère est un peu tendue à la maison, et Nicky souhaite y voir plus clair. Elle a voulu qu'on l'emmène sur le lieu de son dernier accident. Elle est avec nous, en ce moment. Mais la mémoire lui fait toujours défaut. Les détails de la soirée en question lui échappent. Elle sait qu'elle a reçu un appel. Elle sait qu'elle est sortie en trombe de chez elle. Mais le reste demeure un mystère.

— Qu'attends-tu de moi?

— Je ne te demande pas de trahir ton obligation de confidentialité. Mais si je te la passais? Ou si je lui suggérais de téléphoner à Northledge? Tu pourrais t'arranger pour que la personne chargée de son dossier» – c'était un énorme cabinet employant de nombreux enquêteurs – «prenne son appel, lui fournisse des réponses.

— C'est envisageable, finit par concéder Tessa sur le même ton glacial. À supposer que cette femme soit bien cliente chez nous. Nous avons très bien pu la contacter dans le cadre d'une autre affaire.

— Bien sûr.» Wyatt n'y avait pas vraiment songé. «Tu as raison. Mais elle a reçu ce coup de fil tard dans la soirée et, après cela, elle a éprouvé le besoin de sortir précipitamment. C'est plutôt la réaction de quelqu'un qui vient d'apprendre une nouvelle de la plus haute importance.

— Où s'est-elle rendue?

— Dans un magasin d'alcool.

— Une nouvelle qui l'a poussée à boire?

— Ou à retrouver quelqu'un. Je suis en train de creuser cette hypothèse.

210

— Elle est avec vous ? dit brusquement Tessa.

— À l'arrière du 4 × 4, oui. Mais elle n'est pas en état de parler. Migraine, nausée, ce genre de choses.

— Donc, tu veux que je lui parle alors qu'elle ne peut pas parler ?

— Il faut bien commencer par quelque chose, Tessa.

— Wyatt, je ne peux pas te fournir d'informations potentiellement confidentielles. Je ne suis pas comme ça et tu n'aimerais pas que je sois comme ça.

— OK. » Wyatt n'insista pas. Ce refus ne le surprenait guère, Tessa était très à cheval sur les principes. Pourtant, il fallait bien commencer par quelque chose, et ce n'était pas la première fois qu'un enquêteur demandait de l'aide à un autre, a fortiori si ces deux enquêteurs entretenaient des relations intimes…

Non seulement il était déçu mais il ne comprenait toujours pas la froideur de Tessa. Ce ton qu'elle avait adopté dès le début de leur conversation. Avant même qu'il se soit aventuré en terrain miné.

« Tu vas bien ?

— Les limites, Wyatt. Étant donné nos jobs respectifs, nous avons des limites à ne pas franchir, toi et moi. Je respecte les tiennes, et si tu veux que ça marche entre nous, tu dois respecter les miennes.

— Je comprends.

— Vraiment ?

— Bien sûr. Tessa…

— Il est tard. Il faut que j'y aille. On s'appelle demain dans la matinée. Je verrai ce que je peux faire pour toi. Bonne nuit, Wyatt.

— OK. Euh, merci. Je te téléphone demain.»

Wyatt coupa la communication et resta avec son sentiment de malaise. *Les limites*, avait dit la femme qu'il fréquentait depuis six mois. Mais de quelles limites parlait-elle? songea-t-il en redoutant qu'elles ne s'étendent au-delà du domaine professionnel.

Quand Wyatt le rejoignit, Kevin prenait des notes sur son petit carnet à spirale, près de la portière côté chauffeur.

«Tu es encore en vie, observa-t-il, sachant que contrarier Tessa Leoni comportait de réels dangers.

— Tu doutes de mon charme? Tessa est ravie de pouvoir nous aider.»

Kevin lui décocha un regard en coin.

«C'est bon, j'ai compris. Elle s'est retranchée derrière le devoir de confidentialité en mettant l'accent sur le respect de son intégrité professionnelle. Et elle a conclu en disant qu'elle consentirait peut-être à échanger quelques mots avec Nicky dans la matinée, à condition bien sûr que Nicky soit en mesure de parler à ce moment-là.»

Kevin haussa les épaules. La piste Northledge était une impasse pour le moment. Il fallait en prendre son parti.

«Comment va-t-elle? demanda Wyatt en pointant l'arrière du véhicule.

— Elle n'a pas bougé un muscle.

— Tu as vérifié qu'elle respire? Ça ferait mauvais effet si un contribuable cassait sa pipe dans la voiture des flics censés garantir sa sécurité.

— J'ai vérifié. Cela dit, elle est plutôt mal en point. On devrait la ramener. »

Wyatt n'était pas contre. Mais par ailleurs, quelque chose lui disait que dès qu'ils la rendraient à son mari, elle ne ressortirait plus de chez elle.

« À ton avis, qu'est-ce qui l'a attirée ici ? demanda Wyatt. Elle reçoit un appel. Et soudain, c'est l'affolement. Elle enfile les premières godasses qu'elle trouve, et tant pis si c'est une paire de baskets qui prennent l'eau. Elle est tellement pressée qu'elle oublie son manteau. Après quoi, elle roule une petite heure pour s'acheter de l'alcool alors qu'il y a un magasin près de chez elle. Ensuite, elle passe encore quinze à vingt minutes à errer dans les rayons avant de choisir une bouteille de scotch.

— Elle ne savait pas ce qu'elle avait envie de boire ? »

Ce fut au tour de Wyatt de lui décocher un regard ironique. Puis il reprit son raisonnement : « Pourquoi précisément du Glenlivet dix-huit ans d'âge ? Et pourquoi mettre une somme pareille si on veut juste se bourrer la gueule.

— Le Glenlivet lui évoque de bons souvenirs ?

— Elle n'a pas de souvenirs. À moins que… » Wyatt s'interrompit, le temps de rassembler ses idées. « Et si elle était partie retrouver quelqu'un ? L'individu qu'on lui a signalé… le coup de fil. Ils ont rendez-vous dans le magasin, elle arrive, elle cherche entre les rayons et comme elle ne le trouve pas…

— Elle achète le scotch préféré de la personne en question ?

— Ou une marque ayant une valeur sentimentale pour cette personne et pour elle-même.

— Après, elle ressort sur le parking.

— Et elle tombe sur elle, ou sur lui. Je ne vois pas d'autre solution parce qu'elle paie la bouteille à vingt-deux heures, que l'accident se produit à cinq heures du matin et qu'il s'écoule donc sept heures entre ces deux événements.»

Kevin regarda autour de lui. Le centre commercial était relativement calme, le parking presque désert. «D'après Marlene, la caissière, le magasin lui-même était bondé cette nuit-là. Mais dans le centre commercial et sur le parking, j'imagine qu'il n'y avait pas foule. Deux personnes pouvaient rester assises dans une voiture à discuter pendant des heures sans qu'on les remarque.

— Mais alors, qui a-t-elle retrouvé? renchérit Wyatt.

— Un amant? Un ami ou une amie perdue de vue depuis des siècles? Elle a peut-être repris contact avec un ancien flirt sur un réseau social et ils se sont donné rendez-vous ici pour passer du virtuel au concret.»

Wyatt soupira. «Tu connais une femme capable de courir à un rendez-vous galant avec des vieilles baskets aux pieds et une casquette de base-ball enfoncée sur la tête?

— Non, mais j'adorerais en rencontrer une, lui assura Kevin.

— Si c'était une histoire de sexe, ils se seraient rejoints dans un hôtel, un endroit plus... adapté. Non, ça ressemble davantage à... *Magnum*.

— *Magnum*?

— Je vois très bien la scène. Un détective privé donne rendez-vous à sa cliente sur un parking paumé pour lui remettre des clichés prouvant que son mari la trompe. Tu me suis?»

Kevin leva les yeux au ciel puis il pencha la tête en direction de leur passagère endormie.

«On devrait la ramener chez elle», redit-il.

Mais Wyatt n'arrivait pas à se décider. Certes, ils prenaient beaucoup de risques. Avec cette enquête, avec la santé mentale de Nicky.

Pourtant il s'entendit répondre : «Pas encore.»

18

Vero est tapie au fond du placard, les jambes repliées contre la poitrine. La femme entasse des couvertures sur elle.

« Ne fais pas de bruit, chuchote la femme, craintive. Il a passé une sale journée ; c'est tout. Faut pas l'énerver. Alors sois gentille. Tiens-toi à carreau, ma petite. Tu comprends ? »

Vero hoche la tête. Elle a peur du noir. Elle n'a pas envie de rester enfermée toute seule dans un placard étroit qui sent mauvais. Mais elle se rend bien compte qu'il y a des choses pires que les terreurs abstraites. Par exemple, pourquoi craindre le monstre qui se cache sous le lit quand un croquemitaine en chair et en os dort sur ce même lit ?

Je veux la réconforter. Son épouvante me tord les tripes. Mais quand je tends la main vers elle, il n'y a rien. Je suis là et, en même temps, je n'y suis pas. Je suis l'observatrice extérieure. Et je concentre mon attention sur Vero parce que cette femme… cette femme me fait trop mal.

La femme recule. Elle a fait de son mieux mais ce ne sera pas suffisant ; je le sais. Au moins, elle aura essayé, et pour une femme dans sa situation, c'est déjà énorme.

Des bruits de pas dans le couloir. C'est le fond sonore de toute ma vie, me dis-je. Des pas qui résonnent dans des couloirs et qui me donnent la chair de poule.

La femme referme le placard. Mais pas tout à fait ; elle laisse la porte légèrement entrouverte parce qu'une fois, Vero a paniqué dans le noir et s'est mise à hurler. L'homme n'a pas apprécié. Il les a rouées de coups, toutes les deux. Elles avaient du sang sur le visage. Vero s'est même évanouie. La femme a dû attendre qu'il s'écroule de fatigue et se mette à ronfler comme un porc avant d'oser quitter leur lit et se lover autour du petit corps inanimé de sa fille.

Elle est restée dans cette position toute la nuit en la berçant silencieusement, en la suppliant de ne pas mourir, parce qu'elle n'avait qu'elle, qu'elle était son seul espoir, sa seule lumière. Si Vero l'abandonnait, elle se perdrait dans le noir. Or elle avait toujours eu peur du noir, elle aussi. Mais elle ne pouvait pas le lui dire, elle aurait fait du bruit.

Vero a survécu. Encore une nuit, un jour, une semaine, un mois. La femme a survécu elle aussi. Et elles ont continué à végéter dans leur taudis, vivant au rythme de ces pas terrifiants qui résonnaient dans le couloir.

Ce soir-là, l'homme entre dans la chambre en titubant. Il a retiré sa chemise, son ventre poilu déborde de son jean déformé.

« Femme, rugit-il en déboutonnant sa braguette. Pourquoi t'es pas à poil, bordel ? »

Du fond de son placard, Vero gémit.

Je suis désolée. Tu ne devrais pas voir ça. Tu ne devrais pas vivre ça.

Mais nous savons toutes les deux qu'il n'y a rien de nouveau, que le pire est encore à venir. Le pire est ailleurs, dans un endroit totalement différent où les bruits de pas sur le plancher sont autrement plus nombreux. La femme n'est pas parfaite mais, au moins, elle fait de son mieux. Dans peu de temps, mais Vero ne le sait pas, la femme aura disparu et il ne lui restera qu'un rosier grimpant aux épines sanglantes. Dans peu de temps, ce placard dégoûtant aura pour Vero des airs de paradis. Si elle avait su…

La femme enlève sa blouse bleue tachée. Surtout, ne pas le contrarier. Si elle se refuse, ce sera pire.

L'homme est content, il grogne, se débarrasse vite de son pantalon, demande à la femme nue d'approcher, de se mettre au boulot.

Vero ferme les yeux. Elle n'aime pas voir ça mais comment éviter d'entendre? Une fois, elle a essayé de fredonner mais il l'a trouvée et elle a encore eu droit à une correction.

« Les gosses, on doit les voir, pas les entendre!» avait-il gueulé, ce que Vero avait trouvé incompréhensible puisque l'homme ne supportait pas non plus de l'avoir devant les yeux. Elle devait attendre qu'il parte au travail pour sortir de sa cachette. Elle passait ensuite quelques heures tranquilles avec sa mère et, de nouveau, les pas résonnaient dans le couloir de l'immeuble. Une clé tournait dans la serrure.

Telle est sa vie. À six ans, Vero n'a pas voix au chapitre.

Les bruits finissent par cesser. La femme pleure doucement, mais ça n'a rien de nouveau. Vero se balance d'avant en arrière. Elle a faim. Elle a envie de faire pipi. Mais elle attend qu'il ronfle. C'est le signe que tout danger est écarté, le signe qu'elle peut sortir.

Au bout d'un temps qui lui semble infini, l'homme s'endort, la porte du placard s'ouvre. La femme est là devant elle.

Elle a un œil au beurre noir. Elle bouge avec précaution comme si elle avait mal partout. Mais ni elle ni l'enfant ne font de commentaires. La femme ne connaît pas d'autre vie; elle a cessé de se plaindre voilà longtemps.

La femme aide Vero à s'extraire du placard. Elles quittent la chambre sur la pointe des pieds, passent dans la salle de séjour, la minuscule kitchenette. Vero fait pipi mais ne tire pas la chasse. Durant les heures qui viennent, elles ont le même objectif toutes les deux : ne pas réveiller la brute qui ronfle.

La femme lui prépare un bol de céréales. Elle-même ne mange pas, elle tire sur sa cigarette, contemple le mur du fond d'un air harassé. Parfois, elle reste silencieuse tellement longtemps que Vero a peur qu'elle soit morte, les yeux ouverts mais vides.

Alors Vero grimpe sur les genoux de la femme et se serre fort contre elle. En général, au bout de quelques secondes, la femme pousse un soupir interminable. Comme si elle avait besoin d'expulser des années, des siècles, des océans de tristesse. Vero n'arrive pas à chasser cette tristesse. Du coup, elle se laisse envelopper par elle jusqu'au moment où la femme se lève pour allumer une autre cigarette.

Vero finit ses Cheerios, porte son bol dans l'évier, le rince soigneusement, le pose sur l'égouttoir.

« On peut aller au parc ? demande Vero.

— Demain peut-être.

— D'accord, maman. Je t'aime.

— Je t'aime aussi, ma petite. Je t'aime aussi. »

Elle est partie. La Vero de six ans disparaît. La Vero de six ans n'avait aucune chance. Et maintenant, j'entre en scène. Je suis dans la chambre de la princesse, avec une Vero plus âgée, plus avertie. Nous buvons du scotch dans des tasses à thé en regardant saigner les roses.

«Tu aurais dû me tuer avant», dit Vero.

Je soulève ma tasse en porcelaine, je prends une gorgée. Et je me rappelle. La femme. Le parc. Et ce qui arrive ensuite.

«Je suis désolée», dis-je.

Nous restons assises en silence, l'enfant et la femme revenue par deux fois d'entre les morts.

On cogne à la vitre. Le bruit m'oblige à ouvrir les yeux, à retrouver mes marques. Je suis allongée sur la banquette arrière du 4 × 4 du shérif. J'ai un goût horrible dans la bouche, comme de la craie, je tiens l'édredon jaune serré contre ma poitrine. Il bruisse quand je me redresse et le dépose sur le siège d'à côté.

J'aperçois l'autre enquêteur, Kevin. Il se tient penché derrière la vitre. «Ça va ?» me demande-t-il.

Je fais oui de la tête. Il ouvre la portière. Le brigadier Wyatt est là aussi. Ils me regardent comme une bête curieuse.

« Vous avez besoin de quelque chose ? dit Wyatt.

— De l'eau. » J'hésite. « Je crois que je vais retourner dans le magasin. Pour me rafraîchir un peu aux toilettes. »

Il leur faut bien une minute pour étudier ma demande.

« Je vous accompagne, finit par dire Wyatt. Kevin vous achètera une bouteille d'eau.

— Vous avez peur de me laisser seule dans un endroit où on vend de l'alcool ? »

Il répond non.

Quand je sors de la voiture, mes jambes vacillent. Pour tout dire, j'ai encore mal à la tête et la lumière qui tombe des réverbères alignés sur le parking me donne envie de hurler. Je me sens faible, légèrement nauséeuse et complètement paumée. Je dois me focaliser sur la température hivernale pour réaliser que je suis dans le New Hampshire et pas ailleurs, dans une chambre au sommet d'une tour. Je dois regarder mes chaussures pour me rappeler que je suis une adulte responsable et non une enfant blottie au fond d'un placard.

« La migraine passe ? demande Wyatt comme s'il lisait dans mes pensées.

— Non.

— De quoi avez-vous besoin ?

— D'une poche de glace. D'une chambre obscure et silencieuse.

— Nous allons bientôt vous ramener chez vous. »

Nous revoilà devant le magasin d'alcool. Les portes automatiques s'ouvrent dans un souffle. Les lumières trop vives, trop nombreuses m'arrachent une grimace.

Wyatt me prend par le bras pour me guider le long d'un mur au bout duquel un panneau indique TOILETTES. Malgré moi, je cherche la caissière du regard, la femme qui a été sympa avec moi tout à l'heure, avant que je dégobille. Je voudrais la revoir. Ce soir, je suis en manque de gentillesse.

Mais je ne la trouve nulle part. C'est un jeune homme qui tient la caisse. Il a un air méprisant. Aussitôt, je pense : lui, je ne lui achèterai jamais de scotch. Je ne sais pas comment je réagirais s'il me riait au nez.

Wyatt fait le pied de grue devant la porte ; il attend que j'aie fini de me débarbouiller. Dans le miroir, j'ai une tête à faire peur, le teint blafard. Enfin, blafard n'est pas le bon terme puisque mon visage serait plutôt un assortiment de points de suture et d'hématomes. J'ai l'air d'une droguée au crack. Mais non, je pense, c'est que ton cerveau baigne dans le scotch. Pourtant, je n'ai pas bu une seule goutte depuis au moins… quarante-huit heures ? Si j'ai vraiment un problème d'alcool, peut-être suis-je en état de manque. C'est peut-être pour cela que j'ai vomi. Pour cela que ma tête me fait si mal.

Mais pour moi, état de manque rime avec transpiration. Or, je ne vois pas de sueur sur ma peau. Je suis surtout crevée. Une femme avec un cerveau en miettes devrait prendre du repos au lieu de courir les magasins.

Je me rince la bouche. Je m'asperge le visage. Je me lave plusieurs fois les mains. Et voilà. J'ouvre la porte et je retrouve mon garde du corps.

« Vous me ramenez chez moi, maintenant ? je lui demande.

— Encore un peu de patience », répond-il.

Ce qui signifie que non.

Kevin est de nouveau assis à l'arrière du 4 × 4 avec moi. Il a acheté trois petites bouteilles d'eau, une par personne. Wyatt a posé la sienne dans le porte-tasse à l'avant, sans la déboucher. Kevin et moi nous buvons des rasades au goulot. Personne ne parle. De temps en temps, je glisse ma main entre les plis de l'édredon, je caresse les contours d'un objet qui ne devrait pas être là.

Mais ce n'est ni le lieu ni l'heure. Plus tard, me dis-je, quand ils me rendront ma liberté…

Nous suivons des routes secondaires sinueuses. Pas de réverbères. Pas de garde-fous. Pas de lignes continues. Bienvenue dans le nord du New Hampshire. On ne voit rien au-delà du halo des phares. On pourrait traverser des forêts, des hameaux, longer des maisons perdues dans la campagne. On ne le saurait même pas.

Wyatt parle dans son portable mais à cause de la cloison vitrée, les mots qu'il prononce sont incompréhensibles. Pourtant, quelque chose me gêne. Plus nous nous enfonçons dans la nuit, plus je me dis que ça finira mal.

Finalement, nous apercevons une station-service. Wyatt freine et me jette un coup d'œil dans le rétro.

« Faut que je prenne de l'essence », annonce-t-il.

Il bifurque, s'arrête devant une pompe.

« Vous avez faim ? me demande Kevin. Vous voulez grignoter un truc ? »

Et, comme j'hésite :

«Venez avec moi. Voyons ce qu'ils ont à nous offrir.»

Ils me testent. C'est évident. Par combien d'endroits différents allons-nous passer cette nuit? Vais-je vomir dans chacun d'eux?

Je descends du 4 × 4 en abandonnant à regret mon édredon sur la banquette. Wyatt s'occupe du plein. Je suis Kevin dans la boutique et, rebelote, je grimace à cause des lumières. Si au moins j'avais emporté ma casquette.

À l'intérieur, il ne se passe rien de spécial. Je ne vomis pas, je ne me tiens pas la tête en hurlant de douleur. Je marche derrière Kevin. Il choisit des Pringles; je prends un paquet de chewing-gums.

Le barbu qui tient la caisse me jette un coup d'œil, se tourne vers Kevin, reconnaît un flic du comté et prend l'argent sans faire de commentaire. Un magazine de chasse est ouvert sur le comptoir. Dès que nous tournons les talons, il reprend sa lecture.

«J'ai réussi l'épreuve?» je demande à Kevin pendant que nous repartons vers le véhicule. Wyatt a fini. Apparemment, le réservoir était loin d'être vide.

«Rien de familier? insiste Kevin. Les lumières, l'odeur, les taches de bière sur le sol?

— Je ne me suis jamais arrêtée ici, dis-je avec aplomb.

— Alors, dans ce cas, où étiez-vous mercredi soir? Aux environs de vingt-deux heures, vous achetez du scotch dans ce magasin à vingt-cinq kilomètres d'ici. Sept heures plus tard, vous foncez dans le décor. Qu'avez-vous fait entre-temps, Nicky?»

Wyatt nous rejoint. Il m'interroge du regard.
Mais je n'ai rien à leur dire. J'ouvre la bouche et je la
referme aussitôt.

« Aucune idée.

— Qui avez-vous retrouvé ? demande Wyatt.

— Aucune idée.

— Un amant ? Un détective privé ? Pourquoi tous
ces secrets, Nicky ? Si vous nagez dans le bonheur,
Thomas et vous, pourquoi ces manigances ?

— Vous lui poserez la question. »

Wyatt secoue la tête. « Vous êtes sûre de n'être
jamais venue ici ?

— Sûre et certaine.

— Mais le magasin d'alcool…

— Je m'y suis arrêtée.

— Et après cela, Nicky ? Où êtes-vous allée ? »

Je ne peux toujours pas répondre. Wyatt finit par
jeter l'éponge. « On continue », dit-il.

Et nous remontons en voiture.

Vero apprend à voler. Je pense à elle. Je sens
presque sa présence à côté de moi dans le 4 × 4. Vero
apprend à voler. Parce qu'à l'âge de six ans, elle sait
déjà qu'elle ne veut pas de cette vie, de cet appartement.

Donc, elle court à toute vitesse entre les murs
de la salle de séjour. Ses espoirs d'enfant naïve lui
donnent des ailes.

La femme l'emmènera au parc. Elle s'installera
sur un banc puis, comme elle est vannée, ou parce
qu'elle s'est enfilé deux verres de mauvais whisky
en guise de petit déjeuner, elle s'endormira. Si bien

qu'elle ne verra pas la fille qui entrera dans le parc et rejoindra Vero sur les balançoires.

La fille en question n'est plus tout à fait une enfant. Elle a quatorze, quinze, seize ans. Ce jour-là, elle porte une tenue particulière, pour mieux se fondre parmi les petits du terrain de jeu. C'est peut-être une grande sœur, ou une baby-sitter qui joue avec les gosses qui lui ont été confiés.

Elle s'adresse à Vero. Tu aimes venir jouer ici? Moi aussi. C'est quoi ton passe-temps préféré? Et ton jeu préféré? Tu aimes les poupées? Moi j'en ai deux. Elles sont dans la voiture. Je vais les chercher. Tu peux m'accompagner si tu veux.

Vero apprend à voler.

Mais voler ne lui sera d'aucun secours. Elle n'est pas de taille face à une ado complètement stone qui a reçu pour mission de ramener de la chair fraîche. Elle ne s'attend pas à voir surgir la dame blonde qui lui plonge une aiguille dans le bras.

Vero ne crie pas. Elle ne s'enfuit pas.

Elle reste plantée là. Petite fille solitaire qui voulait seulement jouer à la poupée.

Et voilà, elle a disparu.

Plus tard, la femme se réveillera sur son banc. Elle poussera les hauts cris. Elle courra dans tous les sens. Elle fouillera le parc jusque dans ses moindres recoins pour retrouver l'enfant qui était sa seule raison de vivre. La police débarquera. Les gens du quartier se joindront aux recherches. On fera venir les chiens.

Mais ce sera trop tard. Vero aura déjà pénétré dans la chambre au sommet de la tour. Pour elle commencera une vie remplie de robes en mousseline et de rosiers sanglants.

Dans les premiers temps, elle versera toutes les larmes de son corps, matin, midi et soir. Elle suppliera qu'on lui rende sa mère et le petit appartement où elle a tant souffert. Elle sautera à pieds joints sur son lit, se jettera contre les murs. Mais rien n'y fera.

Puis un jour, Vero cessera de pleurer. Elle restera sagement assise à la table, en sirotant du punch dans une tasse à thé, et elle fera tout ce qu'on lui dira de faire.

Mais à l'intérieur, tout au fond d'elle-même…

Vero a toujours envie de voler. Aujourd'hui encore, elle n'a pas renoncé à son rêve.

Le 4 × 4 ralentit. Le 4 × 4 s'arrête sur le bas-côté.

Wyatt dit : « Nous y sommes. »

Kevin fait le tour pour m'ouvrir.

La nuit est sombre et froide et épaisse.

Je prends le temps d'inspirer profondément. Puis je me sens mourir, encore une fois.

Vero veut voler.

Et tout à coup, j'ai très peur de ce qui va se passer.

19

«À mon avis, elle a reçu trop de coups sur la tête», murmura Kevin à Wyatt. Nicky tournait en rond au bord de la route en marmonnant un truc du genre *Vero veut voler*…

Kevin avait raison. La femme qu'ils soupçonnaient de conduite en état d'ivresse avait encore franchi un palier vers la démence. Wyatt aurait mieux fait de la ramener directement chez elle en sortant du magasin d'alcool. Pourtant, ils avaient appris quelque chose :

«J'ai eu Jean au téléphone sur la route, dit-il à son jeune collègue. Elle a consulté le relevé des cartes de crédit des Frank pour savoir quand Nicole avait fait le plein pour la dernière fois. Et bingo : notre cliente est passée par une station-service mercredi matin.

— Un peu moins de vingt-quatre heures avant l'accident.

— Exactement. Sur l'épave de l'Audi, le compteur indiquait 305 kilomètres. Je l'ai noté moi-même. Supposons que Nicole le remette à zéro à chaque plein, comme font la plupart des gens pour surveiller leur consommation…

— Elle a donc parcouru plus de 300 kilomètres entre mercredi matin et jeudi matin cinq heures.

— Ouais. D'après toi, ça fait combien de chez elle à ici, en comptant le détour par le magasin d'alcool?»

Kevin lui jeta un coup d'œil. «Je dirais dans les 120.

— On ne t'appelle pas le Cerveau pour rien! La bonne réponse est 125.»

Kevin fronça les sourcils. Nicky continuait à tourner en rond mais les cercles s'élargissaient. Que fallait-il en déduire? Que la crise se calmait ou qu'elle s'apprêtait à leur sauter à la gorge?

«Restent donc 180 kilomètres dont nous ne savons rien, reprit-il.

— À peu de chose près. Bon, supposons qu'elle ait roulé au hasard dans la matinée du mercredi, après avoir fait le plein…

— J'en doute. Le mari n'aime pas qu'elle conduise, dans son état. Enfin, c'est ce que j'ai cru comprendre. D'après lui, elle aurait passé la journée à la maison.

— Dans ce cas…, conclut Wyatt.

— Ces 180 kilomètres, elle les a faits dans la nuit du mercredi. Ce qui signifie qu'elle a suivi le chemin des écoliers entre chez elle, le magasin d'alcool et ici.

— Nous sommes d'accord sur le fait qu'elle est passée par ce magasin mais qu'en revanche, elle ne s'est pas arrêtée à la station-service, plus loin sur la route.

— Et si nous retournions au centre commercial, suggéra Kevin. On a perdu le fil au moment où elle s'est mise à vomir. Nous sommes peut-être partis trop vite. Cette fois-ci, nous la mettrons sur le siège avant, à côté de toi. Peut-être qu'en chemin, elle reconnaîtra des choses qui l'aideront à reconstituer son itinéraire. »

Les deux hommes se tournèrent vers Nicole. Elle venait de s'arrêter au bord de la route en humant l'air. Wyatt l'imita, juste pour voir. Ça sentait les feuilles mouillées, la terre retournée, l'herbe pourrissante. L'odeur de l'automne, pensa-t-il, quand on se promène dans les bois, qu'on ratisse les feuilles, qu'on rentre les plantes fragiles en prévision des premières gelées.

Mais apparemment, Nicky naviguait dans un autre registre. « L'odeur de la tombe, leur expliqua-t-elle, tandis que son visage couturé luisait faiblement dans l'obscurité. On ne peut pas s'en aller. C'est ça le problème. Même si on n'a plus l'âge, même si on est devenu moche, qu'on ne sert plus à rien. On ne peut pas s'en aller ; on descend juste d'un degré dans la chaîne alimentaire.

— S'en aller, mais pour aller où, Nicky ?

— Ça dure toute la vie, poursuivit-elle comme si Wyatt n'avait rien dit. La mort est la seule issue. Mais Vero veut voler. Vous comprenez, hein ? Vous me croyez ?

— Qu'y a-t-il à comprendre, Nicole ?

— C'est pour ça que j'ai dû la tuer. Elle n'aurait jamais dû aller au parc, ce jour-là. Tu veux jouer à la poupée, ma petite fille ? Je *hais* les poupées !

— Nicole. » Wyatt fit un pas vers elle. Il percevait quelque chose d'inquiétant dans sa voix, son regard vitreux. « Respirez un bon coup et reprenez depuis le début. Vous parliez d'un parc. De quel parc s'agit-il ? Que s'est-il passé dans ce parc ?

— Vero apprend à voler, souffla Nicky.

— Je croyais que Vero n'existait pas, intervint Kevin.

— Alors pourquoi mon mari a caché sa photo ? »

Wyatt était encore en train de digérer cette dernière information quand Nicole leur tourna le dos.

Et se précipita dans le vide.

Wyatt en avait marre de ce ravin. Il n'arrêtait pas de glisser, la boue s'accrochait à ses semelles, esquintait le bas de son pantalon, sans parler des cailloux qui affleuraient, des brindilles qui surgissaient au hasard, et des ronces. Tous ces trucs ligués contre lui n'attendaient qu'une chose : qu'il s'étale de tout son long dans la gadoue.

Il n'avait même pas emporté de torche. Non, ç'aurait été trop beau, trop malin de sa part. Tandis qu'il poursuivait une femme presque invisible sous un quartier de lune pâle, Wyatt songea que cette mésaventure lui aurait au moins appris une chose : une femme ayant subi trois commotions cérébrales se comportait exactement comme une authentique folle. Peut-être l'était-elle, après tout. Quoi qu'il en soit, il avait fait preuve de négligence. Normalement, il aurait dû parer à toute éventualité. Y compris qu'elle vomisse en public et qu'elle avoue un meurtre, au milieu de la nuit.

Kevin venait de le rejoindre. Il respirait fort. Son talon dérapa sur une touffe d'herbe mouillée.

« Prends à droite, lui ordonna Wyatt. Je crois qu'elle se dirige vers le lieu de l'accident. On peut lui couper la route. »

Kevin acquiesça d'un grognement ; puis les deux hommes se concentrèrent de nouveau sur leurs pieds. Il n'était pas tombé une goutte depuis la veille mais il avait plu si fort pendant des semaines que le sol était gorgé d'eau. Cet automne était l'un des plus pourris jamais enregistrés dans les annales, avait annoncé Kevin, l'autre matin.

Wyatt en avait marre de ce ravin.

La silhouette de Nicky réapparut devant ses yeux, près d'un buisson de ronces. Elle s'arrêta le temps de libérer une mèche de cheveux prise dans les épines puis elle repartit bille en tête. Quel que soit son but, elle était déterminée à l'atteindre.

Elle avait tué Vero. Elle avait dû la tuer, avait-elle précisé. Vero n'aurait jamais dû aller au parc, ce jour-là.

À cela près qu'aux dernières nouvelles, la fameuse Vero n'était qu'une créature fantasmatique, surgie d'un esprit malade.

Les choses allaient de mal en pis, ce soir. D'abord il y avait eu cette réaction excessive dans le magasin d'alcool, et maintenant cette course folle dans l'obscurité. Wyatt se demandait si le cerveau de Nicky n'était pas plus gravement endommagé que son mari et elle ne le croyaient. Et en même temps, il se prenait à espérer que de cette matière grise en capilotade jaillirait un nouvel élément d'information susceptible de les aider.

Je croyais que Vero n'existait pas.

Alors pourquoi mon mari a caché sa photo ?

Oui. Pourquoi ?

Wyatt contourna le buisson épineux avec lequel Nicky s'était battue dix secondes auparavant. Ce qui lui économisa plusieurs enjambées. Il était si proche qu'il entendait son souffle haché, ses sanglots étouffés. Elle était à bout de nerfs.

Avait-elle vraiment tué une petite fille dans un parc ? Pourquoi Nicole Frank, une femme sans casier judiciaire, aurait-elle assassiné un enfant dans la nuit de mercredi à jeudi, entre vingt-deux heures et cinq heures du matin, puis ramené le corps jusqu'ici ?

Mais aussitôt, Wyatt réalisa que c'était impossible. Les sauveteurs l'auraient trouvé, le chien l'aurait reniflé. Nicky n'avait pas pu transporter un enfant mort à l'arrière de son Audi. Alors quoi ?

Un autre buisson se dressa devant Nicky. Elle ralentit, fit un pas à droite, un pas à gauche. Wyatt s'élança et réussit son plaquage.

« Marre de ce ravin », grogna-t-il quand ils s'étalèrent ensemble dans la boue.

« Vous ne comprenez rien à rien. Je dois la sauver. »

Kevin surgit comme un boulet de canon. Il faillit leur tomber dessus mais s'arrêta juste à temps. Ayant assuré son équilibre, les deux pieds campés dans le sol, il aida Wyatt à se relever. Puis les deux hommes remirent Nicky sur ses jambes et, pour plus de sûreté, lui prirent chacun un bras. Ils étaient hors d'haleine, tous les trois. Et, comme Wyatt venait de le constater à sa grande surprise, ils se trouvaient à l'endroit précis où l'Audi avait atterri.

«Ça suffit», gronda Wyatt sans lâcher Nicky des yeux.

Kevin lui adressa un regard étonné, Nicky un regard baigné de larmes.

«Je ne veux plus rien entendre. Vous ne bougez pas et vous arrêtez de chialer. »

Nicky renifla.

«Vous vous rendez compte? Vous avez eu trois accidents en six mois et, malgré ça, vous dévalez des ravins, vous faussez compagnie à des officiers de police. Heureusement qu'on vous a rattrapée avant que vous ne tombiez sur la tête, encore une fois. Bon, on se calme. On respire. On reprend ses esprits. »

Nicky parvint à inspirer à fond malgré les spasmes qui secouaient sa poitrine. L'exercice lui provoqua un hoquet.

«Maintenant : vous venez avec nous. »

Wyatt ouvrit la marche. Puisqu'elle y tenait tant, pourquoi ne pas aller jusqu'au bout? Quelques mètres à peine les séparaient du point d'impact. L'épave avait disparu, bien sûr, mais il restait çà et là des lambeaux de pneu et des bouts de métal ou de plastique tordus. Des éclats de verre largement éparpillés scintillaient sous le clair de lune. Wyatt crut sentir une odeur de whisky, mais il se faisait sans doute des idées.

Nicky regardait comme hypnotisée le tapis de verre qui miroitait autour d'eux. Elle respirait mieux. Elle n'avait plus cette expression de psychopathe.

«Si vous nous parliez de ce parc?» commença Wyatt.

Elle le considéra d'un air sincèrement interloqué. «Quel parc?»

Bien sûr, pensa Wyatt. Nicky la sage, Nicky la folle. L'une n'ouvrait guère la bouche, l'autre parlait à tort et à travers. Il fallait juste savoir laquelle des deux disait la vérité. Ou, plus exactement, laquelle des deux vivait dans le présent. Wyatt venait de réaliser que la perception de la temporalité était l'une des facultés les plus compromises chez Nicole Frank. En elle, le présent, le passé proche, le passé lointain se manifestaient avec la même acuité. Par conséquent, l'important n'était pas de savoir de *quoi* mais de *quand* elle parlait.

«Bon, vous êtes sur les lieux. Que voyez-vous?» demanda-t-il.

Nicky fit signe qu'elle ne voyait rien. «Il devrait pleuvoir.

— Comme mercredi soir.

— Il tombait des cordes. L'eau coulait dans ma voiture. Sur mes joues, mes vêtements. Ça sentait la pluie, la boue, la terre retournée.

— Qu'avez-vous fait?

— Il fallait que je sorte de là. Que je trouve Vero.

— Quand a-t-elle disparu?»

Un blanc. Ah, ah, pensa Wyatt, nous y sommes.

«Vero a six ans, chuchota Nicky. Elle était là et, l'instant d'après, elle n'y était plus. C'est terrible, brigadier, quand un enfant disparaît.

— Ça remonte à quand, Nicky? L'année dernière? Il y a cinq ans? Quand vous étiez adolescente?

— Longtemps.»

Gagné, songea Wyatt. Et soudain, un frisson le traversa de part en part. Comme s'il vacillait au bord d'un précipice. Tout avait commencé par un accident de voiture. Mais il restait des tas de choses à découvrir, supposait-il. Et des choses terribles, sans doute.

« Nicole, reprit-il d'une voix calme mais insistante. S'il vous plaît, concentrez-vous un instant. Réfléchissez. Qu'est-il arrivé à la petite Vero ?

— Vero veut voler, murmura-t-elle. Et puis, un jour, elle a su. »

Il lui laissa quelques minutes pour récupérer. Maintenant, Nicky respirait normalement, son visage avait repris des couleurs et son regard une relative netteté. C'est bien, songea Wyatt. Détendez-vous. Lâchez prise. Il voulait qu'elle se calme, pénètre en elle-même, retrouve ses capacités intellectuelles. Ensuite, ils parleraient.

Les mains dans les poches, Kevin, alias le Cerveau, prenait son mal en patience. Pour ce qui était des statistiques et des questions techniques, personne ne lui arrivait à la cheville. Wyatt, lui, savait s'y prendre avec les gens. Et cette qualité faisait de lui un bon flic.

« Nicky, dit-il enfin. Revenons un peu en arrière. On est mercredi soir. Vous êtes chez vous. Vous avez mal à la tête. Vous êtes allongée sur le canapé. Le téléphone sonne.

— Il faut que j'y aille », répondit-elle précipitamment.

Wyatt et Kevin hochèrent la tête. Elle avait déjà dit cela, et pas qu'une fois. Kevin désigna le tronc d'un arbre mort. Ils s'en approchèrent et firent asseoir Nicky. Un siège luxueux étant donné l'environnement, songea Wyatt. Que ne devait-on pas faire pour inciter un suspect à passer aux aveux?

«Vous sortez de la maison. Ça sent la pluie», reprit posément Wyatt tout en se remémorant la suite de la phrase. «La terre retournée.»

Rien de tel qu'une sensation olfactive pour activer la mémoire. Or, Nicky avait déclaré texto que mercredi soir avait l'odeur de la tombe.

«Oui, murmura-t-elle.

— Vous sentez la pluie sur votre visage.

— Vite. Je monte en voiture. Sinon, je vais me faire tremper.

— Où est Thomas?

— Dans l'atelier. Il travaille.

— Vous lui dites où vous allez?

— Non. Et il n'aime pas quand je pose des questions. Il répète toujours la même chose: C'est une vieille histoire. Notre vie ne te suffit pas? On pourrait se contenter d'être heureux, non? Mais bon, on est au mois de novembre.

— Qu'y a-t-il de spécial en novembre? demanda Wyatt.

— C'est le mois le plus triste de l'année.»

Wyatt et Kevin échangèrent un regard. Wyatt menait la conversation, Kevin prenait des notes et en même temps, sans doute, il esquissait des critères de recherche. Par exemple, les petites filles de six ans portées disparues ou assassinées au mois de novembre. De quelle année? Là était le hic.

Wyatt se jeta à l'eau: «Du coup, vous avez soumis vos questions à Northledge Investigations en espérant qu'ils vous expliqueraient ce qui s'est passé… en novembre, il y a x années. »

Nicky ne confirma ni ne démentit.

« Un enquêteur de Northledge vous a rappelée, n'est-ce pas ? Mercredi soir, vous êtes chez vous, allongée sur le canapé. Soudain, le téléphone sonne. On vous annonce une grande nouvelle. De quoi s'agit-il, Nicky ? Il fallait que ce soit important pour que vous vous précipitiez dehors.

— Elle m'a donné une adresse. Un magasin d'alcool où je n'avais jamais mis les pieds.

— C'était une femme, donc. Comment s'appelle cette enquêtrice ?

— Il faut que j'y aille. Vite. Tant que j'en ai le courage. »

Intéressant, songea Wyatt. Jusqu'alors, on avait pu croire que Nicky s'était enfuie pour échapper à son mari. Mais à présent, la soirée de mercredi leur apparaissait sous un jour nouveau. La mystérieuse correspondante lui avait fourni des infos sur une personne employée dans le fameux magasin d'alcool. Et Nicky voulait rencontrer cette personne tant qu'elle en avait le courage.

« De qui parlez-vous ? retenta Wyatt.

— Il faut que j'y aille.

— Vous avez eu recours à eux pour retrouver la piste de qui ? De Vero ?

— Je dois la sauver. Je n'y arrive jamais. Chaque fois, j'échoue au dernier moment. » La voix de Nicky grimpait dans les aigus. Sentant poindre une nouvelle crise de nerfs, Wyatt changea de sujet.

« Bon, vous montez dans l'Audi, vous démarrez.

— Il fait nuit noire. Pas de lune, pas d'étoiles. Juste de gros nuages chargés de pluie. Je devrais faire demi-tour, rentrer à la maison, mais je ne peux pas. Mon Dieu, j'ai si mal à la tête.

— Que faites-vous, Nicky ?

— Je roule. Droit devant moi. De toute façon, je n'ai pas le choix. Je la vois partout ; je l'entends partout. Vero boit du thé. Vero me fait des tresses. Vero est face à moi, des milliers d'asticots sortent de son crâne. »

Wyatt s'interrompit pour jeter un regard discret à son équipier. La bouche ouverte, les yeux écarquillés, Kevin griffonna un mot sur son calepin. Nicky se remit à respirer péniblement.

« Mais Vero n'est pas à côté de vous, reprit-il sur un ton apaisant. Vous êtes seule dans votre voiture. Vous roulez sous la pluie, direction le magasin d'alcool.

— Mes mains tremblent. J'ai besoin d'un verre. J'avais réussi à rester sobre. Rapport aux migraines. Thomas dit que c'est mauvais pour moi. Je dois guérir. Et après, nous serons de nouveau heureux. Peut-être. Autrefois, nous étions heureux. Oh, mon Dieu, comme je l'aimais.

— Bien, vous roulez vers cette boutique. Vous y allez directement ou vous faites des détours, des arrêts ?

— Non, il faut que j'arrive vite. Avant de changer d'avis.

— OK. Vous y êtes. Le parking est immense. Inondé de lumière. »

Aussitôt, Nicky secoue la tête en fermant les yeux. « C'est très désagréable. J'ai mal au crâne. J'avais prévu de me garer quelque part et, je ne sais pas, attendre, voir ce qui se passait. Mais je ne trouve aucun endroit discret. Et l'éclairage est insupportable.

— Que faites-vous?

— Je finis par dénicher une place tout au fond. Le plus loin possible du magasin. Et après, je sors sous la pluie. »

Nicky fit une pause. Elle avait ouvert les yeux mais son regard était redevenu vitreux. Wyatt s'apprêtait à solliciter de nouveau son attention quand elle reprit d'elle-même :

« Je ne devrais pas. Mais si, il le faut. Non, Thomas a raison. Il n'en sortira rien de bon. Oh, mon Dieu, je crois que je vais vomir. Non, j'irai jusqu'au bout. Parce que nous sommes en novembre et que même le ciel pleure. Si je veux trouver le bonheur un jour… Thomas dit que je suis forte, qu'il croit en moi, qu'il y a toujours cru. Même au tout début, j'étais triste, vous savez. Il disait qu'il ne désirait qu'une chose : me faire sourire…

« Je descends de voiture. Je tremble. Je ne me sens pas bien. Je vais peut-être vomir. Mais j'aime la pluie. Elle tambourine sur ma casquette ; elle ruisselle au bord de la visière, danse sur mes joues.

« Je pousse la porte du magasin, murmura Nicky en fixant un point devant elle. Juste un coup d'œil. Peut-être qu'elle ne travaille pas ce soir. J'ai oublié de poser la question. En plus, qui me dit que je la reconnaîtrai? Ça fait si longtemps, des dizaines d'années. Les gens changent, vous savez. Oui mais… si c'est elle qui me reconnaît? Je n'y avais pas songé. Ou peut-être que si. Autrement, pourquoi aurais-je

240

enfoncé ma casquette sur mes yeux. Pourquoi s'encombrer d'une casquette à moins de vouloir se cacher le visage ?

« Je peux le faire. Je passe près des caisses. Il y a un monde fou et juste trois files. Derrière le comptoir, j'aperçois un homme de haute taille. Lui, je le vois, mais les autres…

« Il y a trop de gens. J'ai eu tort de venir. C'était une idée stupide. Je ferais mieux de laisser tomber. Mais je ne vais pas partir maintenant. Alors que je touche au but. Jamais je n'ai été aussi proche. Je ne la vois pas, mais je *sens* sa présence. Je sais qu'elle est ici.

— De qui parlez-vous, Nicky ? demanda Wyatt. Qui recherchez-vous ? »

Au lieu de répondre, Nicky se remit à trembler. « Je vais vomir. J'ai l'impression que ma tête va exploser. Oh, mon Dieu, il faut que je sorte d'ici. Je vais jusqu'aux toilettes. J'entre. J'éteins la lumière, je ferme la porte. Et je reste dans le noir le temps de reprendre mon souffle. J'aime le noir. Autrefois j'en avais peur mais depuis que j'ai ces migraines… Je repère le lavabo, j'ouvre le robinet. L'eau froide coule sur mes mains, mes poignets. C'est agréable. J'aurais dû emporter mon édredon. Si je l'avais, je pourrais rester ici, recroquevillée dans un coin.

« J'entends frapper. Quelqu'un veut entrer. Je me compose une attitude. Ça prend du temps mais j'y arrive. J'ouvre la porte. C'est un homme. Il ne dit rien. Il entre, je sors.

« Que faire maintenant ? Je ne veux pas rentrer chez moi mais je ne peux pas rester plantée là, comme une imbécile. Alors, j'arpente les allées. Je fais semblant de chercher du vin, de la vodka aromatisée, mais en réalité, j'épie les employés. Et enfin, je la vois, au fond du magasin.

— Vous voyez qui?

— C'est elle. Je le sais. Je la vois de dos et c'est déjà trop. Je ne respire plus. Je ne bouge plus. Si jamais elle se retourne, je vais hurler. Je passe dans le rayon des whiskys, j'attrape une bouteille. J'en ai besoin. Migraines? Commotion cérébrale? Rien à foutre. J'en ai *besoin*.

« Je prends ma place dans la queue la plus proche. C'est la sienne, mais j'évite d'y penser. Tout est normal, il n'y a rien de spécial. Je suis cliente, elle est caissière; circulez, y a rien à voir. Puis mon tour arrive. Elle est tellement occupée qu'elle me remarque à peine. Est-ce mieux ainsi? Qu'est-ce que je veux? Qu'elle me regarde en face? Qu'est-ce que je crois? Qu'elle s'attend à me voir?

« Elle enregistre la bouteille de Glenlivet. Je glisse ma carte dans la machine.

« Voilà, c'est fait. Ça a pris moins de trente secondes. Personne suivante. Je tremble si fort que j'ai peur de lâcher la bouteille. Je la serre contre moi comme un bébé. Et je sors du magasin. Je traverse le parking. Je monte dans ma voiture. Et je…

« Je devrais appeler Thomas, murmura Nicky. Lui raconter ce que j'ai fait. Il sera fâché mais il viendra m'aider. Pauvre Thomas, lui qui essaie toujours de me sauver, après toutes ces années. Je devrais balancer la bouteille de scotch à la poubelle et rentrer à la maison. Il y a tant de choses que je devrais faire.

Mais non, je la débouche. Quel arôme ! Mon Dieu, j'ai l'impression de retrouver un vieil ami. Bien sûr, il suffit d'une bouffée pour avoir envie de goûter. C'est drôle, comment un truc aussi infect peut-il dégager une odeur aussi agréable ? Je n'ai jamais compris ça.

« Je suis mauvaise. Je suis lâche. Rien de nouveau sous le soleil.

— Que faites-vous ensuite, Nicky ?

— Je m'assois. J'attends. Je bois. Quand les derniers clients s'en vont et que les lumières du magasin finissent par s'éteindre, je me sens mieux. J'ai les jambes en coton, le visage engourdi. Je ne suis pas nerveuse. Je ne tremble pas. Je n'ai pas peur. Je suis heureuse. Ça m'arrive si rarement.

« Elle sort. Comme je l'avais prévu. Il pleut toujours autant. Elle se protège la tête avec son imperméable. Du coup, je ne la vois pas très bien. Pourtant, je la reconnais. Alors qu'elle ne m'a pas reconnue, tout à l'heure. Elle se tenait à un mètre de moi et son visage est resté de marbre. Aucune réaction, pas même un frémissement genre "On ne se serait pas déjà vues quelque part ?". Rien. Nada. Que dalle.

« Ça m'agace ! Putain, elle devrait se souvenir ! Moi, je ne l'ai jamais oubliée.

« Sa voiture. Elle quitte sa place de parking, se dirige vers la sortie. Je ne réfléchis pas ; j'agis. Je démarre, je la suis. J'ai du mal à conduire. La nuit est très sombre. Les gouttes de pluie rebondissent dans la lumière des phares. Ça me donne le tournis. Je vois à peine la route.

« Heureusement, nous ne croisons aucun véhicule. Je suis ses feux arrière. Je ne sais ni où je vais ni ce que je ferai une fois arrivée à destination. Mais je ne peux pas m'arrêter. Je ne peux pas… changer de direction. Je m'agrippe au volant, j'essaie de fixer mon attention sur sa voiture.

« C'est interminable. La route tourne sans arrêt. Dans un sens, dans l'autre. Tout cela dans le noir et sous la pluie. Et quand on croit que c'est fini, ça continue. On traverse une ville, puis une autre. Après quoi, elle quitte la grand-route. Nous débouchons sur une petite rue creusée d'ornières. Je me les prends toutes. J'ai mal au cœur.

« Ses feux stop s'allument. Elle ralentit devant une maison comme si elle allait s'engager dans l'allée. Je ne sais pas quoi faire. Je n'ai aucun endroit où me cacher. Je ne peux pas m'arrêter au milieu de la rue. Je ne peux pas la suivre dans cette allée ; ce serait trop. Donc… j'accélère et je la dépasse comme le ferait n'importe quel automobiliste ayant rendez-vous dans le quartier. Et quand j'estime avoir parcouru une distance suffisante, je freine et je fais demi-tour.

« À la seconde où je repère la maison, j'éteins mes phares. Maintenant, il fait noir comme dans un four. Pas de réverbère, pas d'ampoules allumées sous les porches. Les ténèbres. Cache-toi au fond du placard, pas un bruit, pas un geste, sinon les monstres viendront te prendre.

« Mais je m'en fiche.

— Nicky, où êtes-vous ? » demanda prudemment Wyatt. Mais Nicole avait de nouveau ce regard fixe, rivé sur des choses qu'elle seule pouvait voir.

« Chut, murmura-t-elle. Je ne veux pas qu'elle m'entende ; je ne veux pas qu'elle sache. Je m'arrête.

Je descends de voiture. Immédiatement, je suis trempée comme une soupe. Mais ça va. Je m'approche à pas de loup. C'est une petite maison qui n'a l'air de rien. Pourtant j'aime bien sa couleur, jaune rehaussé de blanc. J'ai toujours aimé cette nuance de jaune. Je me demande si elle est heureuse ici. Ma gorge se serre. Je veux qu'elle soit heureuse. Bien! Mais il y a peut-être autre chose. De la jalousie? Je suis presque devant la fenêtre qui donne sur le côté. Encore un pas, un autre puis un autre.

— Où êtes-vous, Nicky?

— Vero apprend à voler.

— Qui cherchez-vous?

— Elle a six ans. Elle a disparu. Novembre est le mois le plus triste de l'année.

— Nicky, restez avec moi, s'il vous plaît. Nous sommes dans la nuit de mercredi. Vous avez bu. Vous avez suivi une femme depuis le magasin d'alcool jusqu'à chez elle. Maintenant vous êtes devant sa maison, sous la pluie. Que voyez-vous?

— Je vois une chose impossible. Vero. Adulte. Assise sur le canapé du salon. Vero est revenue d'entre les morts. »

20

Qu'est-ce que le bonheur? J'ai l'impression d'avoir couru après toute ma vie. Je sais qu'il existe. Je le vois dans les pubs, sur le visage des gens dans la rue ou ailleurs. Après notre mariage, Thomas m'a emmenée en vacances au Mexique. On s'amusait comme des fous. On jouait des rôles, on inventait des histoires. Il était un clown en cavale, moi une danseuse de revue au bout du rouleau. On riait fort, on buvait trop. Puis on se réveillait et tout recommençait. Je me souviens d'un matin, après une nuit particulièrement déjantée. J'étais allongée sur le sable tiède, je sentais le soleil sur mes paupières fermées et je pensais, c'est sûrement ça, le bonheur. Il est à ma portée.

Sauf que chaque nuit sans exception, je me réveillais en hurlant. Malgré le rhum, malgré ma nouvelle identité, malgré les bras musclés de Thomas autour de ma taille.

Le bonheur est un talent qui s'acquiert et moi, j'avais du mal à apprendre.

Prends la vie du bon côté, dit la chanson. Ça aussi, j'ai essayé. Surtout quand j'ouvrais les yeux, le matin, et que je trouvais Thomas penché sur moi. Mais à son air inquiet, je devinais tout de suite que j'avais rêvé, hurlé, que je l'avais peut-être frappé. Il a vite appris à ne pas intervenir pendant mes crises. Je suis plus forte que je n'en ai l'air.

La méditation, le yoga, les régimes à base de jus. C'est incroyable le nombre de trucs que j'ai pu essayer. Je me suis mise à la peinture. À l'art-thérapie, plus exactement. Vu qu'il n'était pas question d'aller voir un psy. Dans les premières années, Thomas passait son temps à brûler mes toiles. Il était très doué pour ça. Il faut dire que mes œuvres n'étaient pas de celles qu'on accroche dans son salon, tant par leurs sujets que par le choix des couleurs.

Commence par imiter et ça te viendra tout naturellement. Je suivais ce précepte. Je travaillais à partir de photos. Je peignais des fleurs, de beaux paysages. Je reproduisais minutieusement les pétales, les feuilles, les aigrettes de pissenlit. Je transposais les sujets sur ma toile dans leurs moindres détails en me disant que, faute de ressentir le bonheur, je pouvais au moins le copier. Ensuite, il m'appartiendrait et je pourrais le montrer du doigt en disant : C'est moi qui l'ai fait.

Et de cette manière, le mois de novembre ne me ferait plus pleurer ; je ne passerais plus mes journées sous ma couverture jaune à discuter avec un squelette bourré d'asticots.

Peut-être que le bonheur est héréditaire. Il nous vient peut-être de nos parents. Ça expliquerait bien des choses.

Ou alors, c'est comme une maladie contagieuse. Pour l'attraper, il faut y être exposé. Or, je vis dans un tel isolement…

Je veux être heureuse. Je veux que le sourire de mon mari me réchauffe en dedans. Je veux pouvoir contempler le ciel d'été sans voir aussitôt les nuages qui pointent à l'horizon. Je veux pouvoir dormir d'un sommeil de plomb et me réveiller fraîche et dispose.

Mais une femme revenue par deux fois d'entre les morts est incapable de faire tout cela.

Je suis épuisée d'avoir autant parlé. Les deux policiers me posent d'autres questions auxquelles je ne peux répondre. Mes paupières sont lourdes; je tiens à peine sur mes jambes. À voir mon état, on croirait que j'ai passé la soirée à boire, alors que j'ai simplement raconté ce qui m'est arrivé l'autre jour, quand j'avais bu.

Vero.

Ce nom me traverse comme une vague. Il va, il vient. Je l'ai perdue. Je l'ai retrouvée. Je l'ai tuée. Je sais où elle habite.

Toutes ces notions me dépassent. Elles engorgent mon cerveau meurtri. Chaque hypothèse semble plus farfelue que la précédente. Vero est mon amie imaginaire, selon Thomas. Nous sommes assises, Vero et moi, devant des tasses de thé au whisky, mais cette scène n'existe que dans ma tête.

Vero a six ans. Elle est partie. Disparue.

Elle n'a jamais existé.

Et pourtant, mon mari a caché une photo d'elle dans la poche de sa veste.

248

Les policiers m'aident à remonter vers la route. Je marche au ralenti. Mes jambes ne veulent pas me porter ; mes pieds s'emmêlent dans les brindilles, s'enfoncent dans la boue.

Je connais ce ravin. Je me souviens du sang sur mes mains, de la pluie sur mon visage. Je me revois gravir cette pente, malgré la douleur, malgré la boue, tendue vers un seul but : sauver Vero. Pour moi, c'est la clé du bonheur. Que cette enfant soit réelle ou pas, j'ai le devoir de la sauver. Alors je m'accroche, je la cherche encore et encore, parce que je veux pouvoir dormir la nuit. Même le pire des criminels a le droit de dormir la nuit.

« Je ne pige pas, murmure Kevin à son collègue. Nous étions pourtant partis du postulat que Vero n'existait pas.

— C'est ce que nous a dit le mari. Mais nous ne sommes pas obligés de le croire.

— Parce que si Vero existe, notre suspecte vient d'avouer qu'elle l'a tuée.

— Sauf qu'elle n'est peut-être pas morte. Notre suspecte a également déclaré qu'elle l'avait retrouvée en vie.

— Rappelle-moi de ne jamais avoir de traumatisme crânien, marmonne Kevin.

— Ce serait fort dommage pour un si grand Cerveau. »

Je trébuche. Les deux policiers font halte. Wyatt m'aide à me relever.

« Northledge Investigations, dit-il. C'est bien le cabinet que vous avez engagé, n'est-ce pas ? Je veux leur parler, Nicky. Avec votre accord, ce serait plus facile. Pourriez-vous m'aidez ? Il suffit d'un mot de votre part. »

Je le dévisage sans comprendre. Il attend que j'acquiesce et, comme je ne bronche pas, il me regarde d'un air contrarié.

« Je croyais que vous vouliez des réponses. » Je sens comme un reproche dans sa voix.

« Chut.

— Nicky…

— Voler c'est facile ; le plus dur c'est d'atterrir », dis-je pour sa gouverne.

Mais il ne saisit pas. Ce n'est guère étonnant. Il faudrait d'abord qu'il sache pour l'édredon jaune et qu'il comprenne aussi pourquoi Thomas n'est pas venu avec nous.

Il ne réalise pas que la nuit n'est pas encore finie.

Les policiers me posent sur la route, me ramènent vers le 4 × 4, me tendent ma précieuse couverture.

Je suis assise à l'arrière du véhicule. Ces deux policiers sont des hommes courageux et travailleurs. Ils ne méritaient pas d'être mêlés à cette histoire de fous qu'est ma vie.

Je suis désolée pour eux.

Puis je ferme les yeux et je lâche prise.

Je suis au sous-sol. Je sens la dalle de béton sous ma nuque, sous mes épaules. J'essaie de bouger, de m'asseoir, de rouler sur le côté. Impossible. La douleur est partout mais surtout derrière mon crâne.

J'entends quelqu'un courir. Le bruit se rapproche.

Des pas dans un couloir, je pense. Aussitôt, c'est la panique.

Non. Stop. Je dois me concentrer. Je suis dans une cave. Le sol est froid. Il y a des vêtements éparpillés autour de moi. Du linge sale. Voilà. Je suis adulte, je suis chez moi, je fais la lessive. Et puis…

Le plancher grince à l'étage du dessus. « Nicky? hurle une voix masculine. Nicky? Tu vas bien?»

Je me demande qui est Nicky. C'est ici qu'elle habite?

« Chérie, où es-tu? J'ai cru entendre une voiture dans l'allée. Nicky?»

Mon cerveau me lance. Les lumières au plafond me font si mal que je dois fermer les yeux. J'essaie de tourner la tête mais je renonce, c'est trop douloureux. Je devrais parler, crier, appeler au secours. Mais non, je passe ma langue sur mes lèvres, complètement hébétée.

Je veux bien crier mais qui dois-je appeler? Où suis-je? Qui est cet homme là-haut?

« Nicky, Nicky, Nicky», hurle-t-il.

Moi, je ne pense qu'à Vero.

Les pas se rapprochent. Une silhouette se profile en ombre chinoise au sommet de l'escalier.

« Nicky, c'est toi?» Puis : « Oh mon Dieu! Que s'est-il passé? Nicky!»

L'homme dévale les marches, tombe à genoux près de moi. Thomas, me dis-je. Mais après, j'hésite, j'ai la nette impression que ce n'est pas le bon prénom. Ne serait-ce pas plutôt Tim? Tyler, Travis, Todd? Un homme aux cent prénoms. Ce serait logique puisque je trimballe une centaine de fantômes avec moi.

Il touche mes épaules, mes genoux, mes hanches, d'une main légère, délicate. Il a peur d'appuyer, il veut juste savoir si j'ai quelque chose de cassé.

« *Nicky, parle-moi.*

— *La lumière,* dis-je, *entre murmure et gémissement, le regard tourné vers le plafond.*

— *Je crois que tu t'es cogné la tête. Il y a du sang. Tu es tombée dans l'escalier? Tu t'es peut-être brisé le crâne.*

— *La lumière* », redis-je sur le même ton plaintif.

Il remonte tant bien que mal l'escalier jusqu'à l'interrupteur. L'obscurité me fait du bien. Puis il allume une autre lampe, quelque part derrière moi, dans la buanderie sans doute. Une lumière douce qui lui permet quand même de voir où il met les pieds.

« *Tu peux bouger, ma chérie?* »

J'y arrive. Je remue les orteils, je lève un bras, une jambe; pour le reste, j'abandonne.

« *Qu'est-ce que je fais ici?* »

Il ne répond pas.

« *Tu sais comment tu t'appelles,* me demande-t-il.

— *Natalie Shudt.* »

Il cligne les yeux. Il semble inquiet mais c'est peut-être juste une impression.

« *Qu'est-ce que je fais ici? je répète.*

— *Tu peux compter jusqu'à 10?*

— *Bien sûr, Theo.* »

Encore ce regard étrange. Je compte. J'aime compter. J'ai moins mal quand je compte. Je compte jusqu'à dix, puis à rebours jusqu'à un, et après...

« *Toby, tu t'appelles Toby.*

— *Thomas...*

— *Tobias.*

— *Chut. Ne dis plus rien. J'ai besoin de réfléchir.* »

Je suis au sous-sol. Je sens la dalle de béton sous ma nuque, sous mes épaules. Je devrais crier, appeler au secours.

Tiens, il y a un homme à côté de moi. Tyler.

« Tu t'appelles Nicole Frank, me dit-il.

— Natacha Anderson.

— Je suis ton mari, Thomas. Nous sommes ensemble depuis vingt-deux ans.

— Trenton, dis-je en fredonnant.

— Nous venons d'emménager. Nous sommes très heureux ensemble. Et…» – il me regarde avec insistance – « … nous n'avons pas d'enfants.

— Ted, Teddy, Tim, Tommy. Tada!

— Je crois que je vais devoir t'emmener à l'hôpital. » On dirait que ça l'ennuie. « Nicole…

— Nancy!

— Nicole. Il faut que tu me promettes quelque chose. Tu ne diras rien… d'accord? Tu laisseras les docteurs faire leur boulot. Tu penseras juste à guérir. C'est moi qui répondrai à leurs questions. Je m'occuperai de tout.

— Vero!» je crie.

Il ferme les yeux. « Ne commence pas. Je t'en prie. » Puis : « Ma chérie, pourquoi es-tu descendue dans la cave? Ce n'est pas le jour de la lessive. »

Je le regarde fixement. Je ne dis rien. Je m'interroge : qui est cet homme? Et, avec une angoisse renouvelée : qui suis-je? Nicole Natalie Nancy Natacha Nan Nia Nanette. Je suis tout cela. Je ne suis personne.

Je suis novembre. Le mois le plus triste de l'année.

« Ça va aller, me dit Thomas Tyler Theo Tim Trenton. Je prendrai soin de toi. Je te le promets. Je

*voudrais savoir une chose. Quand j'étais dans mon
atelier, j'ai cru entendre une voiture. Quelqu'un est
venu, Nicole? As-tu laissé quelqu'un entrer chez
nous?»*

Et comme je ne réponds pas :

*« Oh, mon Dieu, c'était l'enquêtrice, n'est-ce pas?
Je t'avais demandé de ne pas l'appeler. »*

Je ne dis toujours rien. Je ne suis pas obligée.

*J'aime cet homme. Je le déteste. Comment s'ap-
pelle-t-il, déjà? Comment? Comment? Ted Tom Tim
Tod Tyler Taylor Tobias…*

*Il pousse un grand soupir et chuchote : « Oh, Nicky.
Qu'as-tu fait? »*

On ne la voit pas encore mais on la sent. Une
fumée âcre pénètre dans le système de ventilation du
4 × 4. C'est plus fort que moi. Je tends la main. Mais
Thomas n'est pas là. Alors, j'empoigne mon édredon. Et je m'efforce de revenir dans le présent.

Il le faut.

Parce que l'odeur de la fumée, l'odeur de la
fumée…

Ces pauvres policiers. Ils n'ont encore rien vu, ils
ne savent pas à quel point je suis barge.

Après avoir quitté le lieu de l'accident, nous avons
roulé pendant soixante ou soixante-dix minutes sur
des routes de campagne. Wyatt au volant, Kevin rivé
à son portable, et moi… L'odeur est de plus en plus
forte. Des lumières étourdissantes balaient le ciel de
nuit.

Wyatt appuie sur le champignon. Les deux
hommes sont en alerte maximum.

Reste dans le présent, je me répète. L'odeur de fumée, la chaleur des flammes n'ont rien de réel.

Il n'y a pas de cris.

Je suis ici et maintenant. Cette nuit, je fais partie du public. L'événement principal a eu lieu quelques heures auparavant.

Je revois les policiers qui m'attendent au bas des marches, Thomas qui me tend l'édredon en me disant de l'emporter.

Un dernier geste d'amour, me dis-je. Un petit ami vous offre des fleurs. Un homme qui vit avec vous depuis vingt-deux ans vous donne ce dont vous avez le plus besoin. Toutes ces années côte à côte, passées à mieux connaître l'autre. Au-delà des mensonges.

Thomas m'a donné mon édredon et, entre les plis, il a agrafé une chose à laquelle je tiens comme à la prunelle de mes yeux : la photo de Vero. Le secret que je lui ai dérobé avant de le cacher sous mon matelas. Toute la soirée, je n'ai cessé de la toucher, de vérifier sa présence près de l'ourlet.

Un cadeau d'adieu offert par un homme ayant trop de prénoms à une femme qui en a encore plus.

L'odeur de la fumée.

Je cherche en vain la main de mon mari.

Pardonne-moi, je t'en prie. Oh, Thomas, je t'en supplie, pardonne-moi.

Ma maison apparaît au bout de la route. Dévorée par les flammes. Les camions de pompiers sont déjà là.

« Putain, mais c'est quoi ça ? » s'exclame Wyatt en freinant brusquement derrière les véhicules d'urgence. Il se tourne vers moi, me fusille du regard. «Vous étiez au courant?»

Je fais non de la tête. Ce n'est qu'un demi-mensonge.

«Je ne vois pas la voiture de Thomas… Merde! C'est lui qui a foutu le feu, hein? Votre mari a déclenché un incendie pour couvrir ses traces avant de s'évanouir dans la nature.»

Je fais oui de la tête, ce n'est qu'un demi-mensonge.

L'odeur de la fumée. La chaleur des flammes.

Elle hurle.

Je ferme les yeux. Et, tant que je suis dans le présent, je pense que mon mari avait raison. J'aurais dû lâcher prise. J'aurais dû faire plus d'efforts pour être heureuse.

J'aurais dû dire à Vero : Écoute, fiche-moi la paix une bonne fois pour toutes.

Mais comme de bien entendu, je n'ai rien fait de tout cela. J'en étais incapable. Et maintenant…

«De quoi a-t-il tellement peur, nom de Dieu?» Wyatt donne un grand coup de poing sur le volant.

Alors, je dis enfin la vérité. «De moi.»

21

Tessa ne trouvait pas le sommeil. Elle ne cessait de songer à la conversation qu'elle avait eue avec Wyatt au téléphone et à la funeste révélation que D.D. lui avait faite la veille au déjeuner. Résultat, au lieu de goûter au repos dont elle avait terriblement besoin, elle restait étendue sur son lit, lestée par le poids de son propre silence.

Tessa segmentait les différents aspects de sa vie. C'était une seconde nature chez elle. Par exemple, elle n'avait jamais avoué à personne, pas même à Wyatt, ce qui lui était arrivé trois ans plus tôt. À l'époque, elle s'était promis de tout faire pour récupérer sa fille. Mille quatre-vingt-quinze jours s'étaient écoulés depuis, et elle ne regrettait rien.

Malheureusement, le pistolet de Purcell avait ressurgi. Avec une empreinte digitale potentiellement compromettante… Elle devrait peut-être prendre les devants, dire quelque chose. Mais quoi? Après tout ce temps? Non, ce qui est fait est fait. Si au bout de trois ans, un expert au fond d'un labo trouvait une preuve contre elle, personne ne pourrait la sauver, pas même Wyatt. Elle assumerait les conséquences de ses actes. Tout en comptant sur madame Ennis pour prendre soin de Sophie.

Quant à Wyatt... Ils étaient ensemble depuis six mois seulement. Peut-être l'aimait-elle, peut-être l'aimait-il. En tout cas, fréquenter une criminelle ne lui apporterait rien de bon, ni à lui, ni à sa carrière.

Segmenter, il n'y avait que cela à faire : faute de pouvoir revenir sur son passé, elle s'arrangerait pour limiter les futurs dommages collatéraux.

Assurément, ce talent particulier l'avait aidée à réussir dans son nouveau métier. Les clients appréciaient sa discrétion à sa juste valeur. Comme tous les bons détectives privés, Tessa était rapide, efficace, point trop curieuse, et surtout, elle ne transmettait jamais d'informations à la police locale. Même si elle couchait avec le brigadier.

Sachant cela, Wyatt aurait dû s'abstenir de l'interroger sur Nicky Frank. Il connaissait ses méthodes de travail. Il avait fait cela dans un moment de déprime, sans doute.

Cela dit, Nicole Frank avait subi trois commotions cérébrales. Par Wyatt, elle savait que cette femme ne se souvenait pas d'avoir engagé le cabinet Northledge. Peut-être même avait-elle oublié ce que Tessa lui avait dit au téléphone, cette nuit-là.

Les limites, pensa-t-elle à nouveau. Dans leurs métiers, il fallait poser des limites.

Tessa en avait besoin.

D.D. Warren avait eu raison, hier : Tessa était toujours une louve solitaire. Même si elle avait récupéré sa fille, même si elle était tombée amoureuse.

Tessa dormirait une autre fois. Elle se leva, traversa la maison pieds nus, entra dans la cuisine et ouvrit le frigo. Non parce qu'elle avait faim mais pour faire quelque chose. Elle sortit un pack de jus d'orange.

Quand elle se retourna, Sophie était là.

Tessa sursauta. Le pack lui échappa, le liquide se répandit sur le sol.

« Oh mer… !

— … credi, corrigea spontanément Sophie.

— Au lieu de rester plantée là, aide-moi à nettoyer. »

Sophie bâilla et attrapa le rouleau d'essuie-tout. Tessa se dépêcha d'allumer le plafonnier. Si elle avait été seule, elle serait restée dans le noir mais trois ans après, Sophie avait encore besoin de lumière.

« Qu'est-ce que tu fais dans la cuisine au beau milieu de la nuit ? » finit-elle par demander à sa fille. La pendule digitale du four indiquait 1 : 22.

« Je t'ai entendue.

— Tu as du mal à dormir ? »

Sophie haussa les épaules. En d'autres termes : pas plus que d'habitude. Elle essuya le plus gros avec une éponge. Tessa termina à coups de papier absorbant.

« Je te fais chauffer un peu de lait ? proposa Tessa. Avant que je le balance par terre lui aussi. »

Sophie sourit ; Tessa prit la bouteille de lait.

Elle posa la casserole sur la cuisinière et ajouta un peu de vanille pour parfumer. Ce rituel datait des premiers mois après l'incident, quand Tessa et Sophie n'arrivaient pas à dormir. En ce temps-là, elles avaient eu besoin de passer du temps ensemble pour panser mutuellement leurs plaies, comme deux rescapées d'un naufrage. Aujourd'hui, elles formaient une petite famille plutôt insolite, plus à l'aise sur un pas de tir que dans un salon à faire la conversation. L'une et l'autre avaient conservé l'habitude d'errer dans la maison, la nuit.

«Il te manque toujours?» demanda Sophie. Elle s'était assise à l'îlot de la cuisine pour regarder œuvrer sa mère. Tessa savait de qui elle parlait. De temps à autre, Sophie posait sur son beau-père des questions auxquelles Tessa s'efforçait de répondre.

«Brian? Parfois.

— Je me souviens à peine de lui.

— Il t'aimait.

— Tu dis toujours ça.

— Parce que c'est vrai.

— Mais il était malade. C'était un joueur compulsif. Il nous a fait du mal.»

Tessa remuait le lait dans la casserole. Elle leva les yeux vers sa fille. «Pourquoi tu m'interroges sur lui, Sophie? Qu'est-ce qui t'empêche de dormir?

— J'en sais rien.» Sophie détourna les yeux. «On est bien toutes les trois, reprit-elle brusquement. Toi, moi, madame Ennis. C'est parfait.

— Même si on n'a pas de chien?»

Sophie esquissa un sourire. «C'est peut-être ça, le truc. Les choses évoluent, les familles aussi. Autrefois, on était trois. Puis on a été deux. Puis encore trois. Et maintenant…» Elle leva les yeux vers Tessa. «Tu l'aimes bien, n'est-ce pas? Wyatt n'est pas juste un coup en passant…

— Sophie!

— Il va devenir le quatrième membre de la famille. Tu l'aimes?

— Eh bien, on dirait que c'est la question du jour, murmura Tessa.

— Alors ?» insista Sophie.

Tessa ne mentait jamais à sa fille : «Oui. Je l'aime.

— Et voilà. Il va s'installer chez nous. Je vais devoir l'appeler papa.

— Rien ne t'y oblige. Et ce n'est pas demain que Wyatt s'installera ici. Chaque chose en son temps.»

Mais la curiosité de Sophie n'était toujours pas satisfaite. «Pourquoi pas? Si tu l'aimes.»

Parce que j'ai peur, voulut dire Tessa. Parce que le bonheur ne ressemble jamais à ce qu'on nous promet à la fin des films. Parfois, ce n'est même pas une fin mais le début d'une nouvelle catastrophe. L'avenir demeure précaire et, trois ans plus tard, le passé peut encore revenir nous hanter.

Mais elle préféra lui répondre : «Une relation ne se construit pas du jour au lendemain.»

Sa fille hocha la tête sans grande conviction.

«Sophie, reprit Tessa en appuyant sa hanche contre le comptoir. Qu'est-ce qui t'effraie le plus?» Étant donné l'ambiance, ce soir-là, c'était une bonne question, pour l'une comme pour l'autre.

«Le noir, répondit Sophie sans hésiter.

— Je veux dire à propos de Wyatt. Tu crois qu'il nous ferait du mal? Tu penses qu'il est méchant?

— Non.

— Tu l'aimes bien?

— J'aime qu'il soit flic, dit Sophie après réflexion.

— Et moi, j'aime sa franchise, compléta Tessa. Quand il promet un truc, il le fait. Les gens disent de lui que c'est un homme de parole. Tu sais, il pense qu'on devrait adopter un chiot.

— Oh oui, adopter un chiot ! » Sophie se redressa sur son siège.

« C'est beaucoup de travail. Et ça risque de retomber sur madame Ennis. Toi et moi ne sommes presque jamais à la maison dans la journée.

— Je ferai ma part. Je le promènerai le matin, et le soir en rentrant. Il n'aura qu'à dormir dans ma chambre, comme ça je pourrai bien m'en occuper.

— J'en ai touché un mot à madame Ennis », dit Tessa. Un chien pouvait être une source de réconfort pour Sophie. Elle se sentirait plus en sécurité et ça lui ferait une compagnie si jamais Tessa devait, disons, s'absenter quelque temps. « Elle n'est pas foncièrement contre. Ce serait un premier pas. On pourrait aller le choisir tous ensemble.

— Avec Wyatt ? répliqua Sophie en fronçant légèrement les sourcils.

— C'est son idée, à la base.

— Je n'en doute pas.

— As-tu prévu de le détester jusqu'à la fin de tes jours ? demanda Tessa.

— Je ne sais pas. En fait, je le trouve plutôt sympa. Et le chiot est une bonne idée. Je vais prendre le temps de réfléchir.

— Ça me va. »

Tessa croyait la conversation terminée. Une fois que Sophie aurait fini son lait chaud, elles remonteraient se coucher. Mais au lieu de cela, sa fille reprit son air grave.

« Qu'est-ce qui te fait peur, maman ? »

Rien, à part le pistolet qu'on vient de retrouver et l'empreinte collée dessus…

Tessa posa sa tasse, lui renvoya son regard sérieux et dit : « Tu connais le dicton : la seule chose à craindre, c'est la peur elle-même.

— C'est débile ! Il y a des tas de choses à craindre.

— Je sais, Sophie. Nous sommes bien placées pour le savoir. Je suppose que c'est ça qui m'effraie. On passe tellement de temps à s'attendre au pire, toi et moi, qu'on risque de rater le meilleur. Regarde ce qui nous arrive. Je rencontre un type bien, tu vas avoir un chiot adorable, et pourtant… on se comporte comme si le ciel allait nous tomber sur la tête encore une fois. Ce n'est pas un mode de vie particulièrement génial, tu sais. Il faudrait voir le bon côté des choses et y mettre un peu plus de conviction. Apprendre la confiance. »

Et cesser de se comporter en louve solitaire, compléta-t-elle en son for intérieur. S'exprimer davantage. Revoir ces fameuses limites. Mais certaines habitudes étaient difficiles à perdre.

« Un chiot m'apprendrait la confiance, dit Sophie.

— Il t'apprendrait aussi à ramasser les crottes.

— Maman ! »

Tessa sourit en ébouriffant les cheveux de sa fille.

« Merci pour le lait chaud, maman, dit Sophie.

— Merci pour la compagnie. »

Tessa nettoya les tasses et ramena Sophie jusqu'à son lit.

Puis elle regagna le sien et se remit à fixer le plafond.

Car, malgré ses belles paroles, elle voyait déjà la prochaine catastrophe se profiler à l'horizon. Trois ans auparavant, elle avait abattu un homme. L'acte en lui-même ne lui causait aucun remords; ce qui l'inquiétait, c'était que la police ait retrouvé l'arme du crime.

Quant à la confiance, elle n'était pas un exemple en la matière. Pourquoi n'avait-elle pas tout raconté à Wyatt? Pourquoi refuser de s'appuyer sur un homme qui lui avait maintes fois donné la preuve de son honnêteté?

Tessa n'était pas une femme ordinaire. C'était assez drôle, d'ailleurs. Entrer dans une pièce remplie de voyous armés jusqu'aux dents ne lui faisait ni chaud ni froid. En revanche, parler à cœur ouvert avec l'homme qu'elle aimait… Plus tard peut-être.

Elle avait une chose importante à faire demain matin à la première heure : prendre des nouvelles de Nicole Frank, la femme que Wyatt soupçonnait de conduite en état d'ivresse. Car Tessa détenait une information capitale, même si Nicole ne s'en souvenait pas.

Le passé ne mourait jamais tout à fait.

Il s'arrangeait toujours pour vous rattraper. Surtout dans le cas d'une femme comme Tessa, qui avait tant de choses à se reprocher.

Surtout dans le cas d'une femme comme Nicole Frank, qui avait tant de choses à cacher.

22

Wyatt interdit à Nicky de descendre du 4 × 4. En avait-il l'autorité? Non. Avait-il un quelconque motif d'arrestation? Pas vraiment. Il ne pouvait décemment pas l'accuser d'avoir mis le feu chez elle alors qu'ils ne l'avaient pas quittée de toute la soirée. Quant à l'appréhender pour l'accident de mercredi, la chose demeurait problématique puisque son taux d'alcoolémie était inférieur au seuil légal.

Nicky Frank était parfaitement en droit de tourner le dos aux deux policiers et, par la même occasion, au brasier qui engloutissait sa maison.

Manquerait plus que ça, pensa Wyatt pour la troisième fois en trois minutes. Cette femme était son seul lien avec une affaire plus vaste, plus glauque et cent fois plus rédhibitoire qu'un banal accident de voiture.

Il confia donc à Kevin le soin de la surveiller pendant qu'il rejoignait le chef des pompiers.

«Qu'est-ce qui s'est passé, d'après vous?» demanda-t-il au capitaine Jerry Wright, son aîné de quelques années. Trois casernes de pompiers volontaires avaient été appelées à la rescousse. Pour venir à bout d'un tel sinistre, il fallait déployer les grands moyens.

«Le feu a démarré dans l'annexe», répondit Wright sur un ton sec. Ils se tenaient à bonne distance du foyer, non seulement parce que les lances étaient encore en action, mais surtout à cause de la chaleur infernale qui se dégageait de la fournaise. «On s'est servi d'un accélérant, et pas qu'un peu. Normalement, les structures métalliques brûlent mal. Mais ici, putain!»

Wyatt porta son regard vers le fond du jardin. L'atelier n'était plus qu'une coquille noire et racornie; la cabane où Thomas entreposait ses instruments de travail. Intéressant.

«Qui vous a prévenu? demanda Wyatt.

— Un voisin, mais tardivement. Ça n'a rien d'étonnant quand on voit les distances entre les propriétés, dans le coin. L'incendie faisait rage depuis quelque temps, j'imagine. Nous avons reçu l'appel peu après huit heures et la première unité s'est mise en route vers huit heures et quart. À leur arrivée, l'abri avait entièrement brûlé et la maison elle-même était déjà la proie des flammes. Celui qui a fait ça n'y est pas allé avec le dos de la cuillère.

— On a vu quelqu'un sur les lieux?

— Négatif. On n'est pas entrés, la chaleur est trop forte. Du coup, je ne dis pas qu'on ne trouvera personne dans les décombres. Tout ce que je peux certifier c'est qu'on n'a vu aucun signe de vie en arrivant.»

Wyatt hocha la tête; il doutait fort que Thomas soit resté sur place. La grosse Chevrolet Suburban

266

gris métallisé qu'ils avaient vue dans l'allée quatre heures plus tôt brillait à présent par son absence. Pour Wyatt, tout indiquait que Thomas avait laissé sa femme partir avec la police avant de mettre le feu et de décamper.

Mais pourquoi?

Nicky disait que Thomas avait peur d'elle mais Wyatt était assez intelligent pour comprendre qu'elle parlait au sens figuré. Thomas devait surtout redouter les souvenirs qui lui revenaient par intermittence. Ces trois commotions d'affilée avaient apparemment fait sauter quelques verrous dans sa tête et libéré certaines choses pas très jolies.

Donc la question était la suivante : qu'est-ce que Thomas – ou Nicky, ou les deux – avait pu faire de si grave dans le passé pour qu'il soit aujourd'hui prêt à tout pour en préserver le secret? Et, plus important, quel rapport avec la mystérieuse Vero, cette fille qui existait sans exister, probablement morte mais potentiellement vivante?

« La température est trop élevée pour l'instant, reprit le capitaine des pompiers. Si vous voulez d'autres infos, il faudra attendre demain matin.

— Très bien, tenez-moi au courant. »

Wyatt recula de quelques pas et prit encore une fois la mesure du sinistre. Le toit disparaissait entièrement sous les flammes. C'était un spectacle hallucinant. Entre les grincements des pièces métalliques et le bruit des vitres qui explosaient, on aurait dit que la maison était en train de brûler vive. La destruction par le feu avait quelque chose de terrifiant et de grandiose à la fois.

Il se demanda quel regard Nicky portait sur l'œuvre de son mari. Était-elle horrifiée, indignée ? Il devait bien avoir des objets auxquels elle tenait, dans cette maison. Des photos, des souvenirs de famille ou autres qui se transformaient en cendres sous ses yeux.

Mais en regagnant la voiture, il la trouva sagement assise sur la banquette à contempler le brasier d'un air impavide.

« Un appel a été lancé à toutes les patrouilles pour retrouver le véhicule de Thomas, annonça-t-il à Kevin. Je crois qu'on ne peut rien faire d'autre pour l'instant. »

Kevin acquiesça d'un signe de tête.

« Elle a dit quelque chose ? demanda Wyatt en montrant les sièges arrière.

— Pas un mot.

— Elle a regardé son téléphone ?

— Elle n'en a pas. Elle l'a perdu dans l'accident, rappelle-toi.

— Ce qui signifie que Thomas n'a aucun moyen de la contacter, murmura Wyatt.

— À moins qu'ils n'aient déjà convenu d'un rendez-vous.

— Exact. On va la conduire au poste. Puisque Thomas Frank s'est fait la malle, elle nous servira d'appât. »

Nicky se laissa emmener sans protester. Elle ne leur demanda pas où ils allaient, ne se plaignit pas d'avoir faim ou soif. Elle resta tranquillement assise, sa couverture sur les genoux, le regard perdu dans le vague.

De temps à autre, Wyatt jetait un œil dans son rétro pour tenter de déchiffrer son attitude. Elle avait l'air épuisée, on le serait à moins, souffrante, assurément. Si pâle, si frêle qu'une rafale de vent aurait pu la renverser. En revanche, il ne lisait pas la moindre émotion sur son visage fermé à double tour.

Il lui semblait que quelqu'un avait parlé de stress post-commotionnel, peu de temps auparavant. Oui, après l'accident, l'automobiliste qui s'était arrêté pour lui porter secours. L'homme était un ancien combattant. Il l'avait décrite comme mutique, amorphe, il avait parlé du «choc de l'obus». Maintenant, à force de la regarder, Wyatt comprenait qu'il avait dû voir des cas semblables, en Corée. En fait, Nicky Frank n'était plus avec eux. Mais quand reviendrait-elle?

Les bureaux du shérif du North Country occupaient un immeuble en brique d'un étage, non loin de la prison du comté et tout près du tribunal. On y trouvait de quoi garer sa voiture, relever des empreintes digitales et des tas de néons grésillant au plafond. Mais pas une miette de nourriture. Raison pour laquelle Wyatt et Kevin firent un détour par le McDo, l'un des seuls restaurants ouverts après minuit. Kevin et Wyatt mouraient de faim. Ils commandèrent des maxi-hamburgers, des maxi-frites, des maxi-cafés, bref tout ce qu'il fallait en termes de calories, sel et caféine pour tenir un flic éveillé toute la nuit.

Nicky demanda une autre bouteille d'eau d'une voix monocorde. N'eût été ce geste répétitif de caresser sa couverture, Wyatt aurait pu croire qu'elle s'était changée en statue. Ses doigts remuaient inlassablement. Comme s'ils égrenaient les perles d'un rosaire, se dit-il. Une dévote abîmée dans la prière. Ou bien une pécheresse faisant pénitence.

Ils rapportèrent la nourriture au poste de police. À cette heure tardive, il y avait pas mal d'ambiance. Comme le central téléphonique du comté était basé à l'intérieur du bâtiment, il y régnait un vacarme infernal, entre les communications elles-mêmes et les bavardages mêlés d'éclats de rire des opérateurs pendant les pauses. Il n'y avait pas d'heure pour les interpellations et comme il était deux heures du matin, les pochards commençaient à affluer dans les locaux.

Wyatt et Kevin escortèrent Nicky à travers le hall puis la firent passer par un couloir étroit en l'aidant à contourner les obstacles, à savoir les camés en manque qui tenaient les murs. L'éclairage était carrément éblouissant. Wyatt se demandait si ces lumières ne servaient pas à compenser quelque chose. En tout cas, elles le faisaient grimacer et il n'imaginait même pas ce que devait ressentir Nicky.

Ils entrèrent enfin dans la salle de réunion. Une salle d'interrogatoire aurait été malvenue. Encore une fois, ils n'avaient aucune charge contre elle et aucun droit de la retenir contre son gré. Mais par ailleurs, ils ne voulaient pas la recevoir dans leurs bureaux. Il fallait qu'elle ressente la pression. Sa vie partait en lambeaux, il était temps qu'elle passe aux aveux. Pour son bien.

Kevin lui présenta une chaise. Elle s'assit, le regard braqué devant elle. La couverture retrouva sa place sur ses genoux. La bouteille d'eau atterrit sur la table. Puis elle se mit à attendre.

Elle en était déjà passée par là, devina Wyatt. Les postes de police, les interrogatoires ; elle connaissait la musique. Il avait sa stratégie, elle avait la sienne.

Wyatt décida de prendre son temps. Il posa son sac de chez McDo ; l'odeur inimitable des frites se répandit dans la pièce. Kevin l'imita. Wyatt retira le couvercle de son café, ce qui rajouta une touche aromatique, déballa son hamburger et croqua dedans. Il savait bien qu'il le regretterait dans la matinée. Un homme de son âge ne devait pas abuser de ces choses-là. Mais pour l'instant, il savourait pleinement l'explosion sur sa langue de cette improbable combinaison de sel, de graisse et de carbone. Il n'y avait rien de plus délectable à deux heures du matin.

D'un geste appuyé, Kevin pressa du ketchup sur le papier d'emballage avant d'y plonger ses frites.

Bien qu'ils soient installés tous les trois dans un espace relativement réduit, Nicky ne parlait toujours pas. Wyatt se dit qu'ils n'allaient pas tarder à entendre son estomac gargouiller.

« Vraiment, vous ne voulez rien manger ? » demanda-t-il sur un ton badin.

Elle secoua la tête.

« Nous avons des distributeurs automatiques, vous savez. Des chips, ça vous dirait ? Une barre chocolatée ? Du chewing-gum ? »

Elle secoua la tête.

« Les lumières sont trop vives ? »

Enfin, il eut droit à un peu d'attention. Dans les yeux de Nicky, Wyatt vit une immense lassitude mais surtout une absolue résignation. Elle ne voulait rien, n'avait besoin de rien. Elle attendait juste de subir son destin.

Un frisson le traversa, assez désagréable pour l'obliger à se lever, froisser les papiers d'emballage et jeter à la poubelle les restes de son repas. Il garda toutefois son café. En revenant vers Kevin, il prit le temps de lui murmurer au creux de l'oreille : « Vérifie les résultats de l'avis de recherche. Il nous faudrait quelques munitions. »

Kevin hocha la tête, jeta ses détritus et sortit de la salle de réunion. Wyatt resta debout à côté de Nicky. Leur suspecte numéro un. Leur témoin. Leur victime ? C'était peut-être cette incertitude qui le chiffonnait. Au bout de quarante-huit heures, il ignorait toujours le rôle qu'elle tenait dans cette affaire et c'était carrément chiant.

Il se rassit, posa les coudes sur la table et se pencha en avant.

« Que s'est-il passé chez vous, cette nuit ? »

Le visage de la femme s'anima brusquement. « Comment pourrais-je le savoir ? J'étais avec vous.

— Votre maison a brûlé de fond en comble, vous le savez. Il ne reste plus rien, m'a dit le chef des pompiers. Tout ce qu'elle contenait, les photos, vos peintures, votre oreiller favori, est parti en fumée. »

Silence.

« Pareil pour l'atelier, poursuivit Wyatt. Sale coup pour l'entreprise familiale. Pensez à tous ces outils, ces matériaux, ces maquettes. Pouf, envolés !

Vous ne pourrez pas honorer les commandes, les clients vont râler. Et l'imprimante 3D ne servira plus jamais. »

Elle ne bronchait toujours pas. De toute façon, cette société n'était pas son joujou à elle, pensa Wyatt. Mais celui de Thomas.

« C'est votre premier incendie ? » demanda-t-il.

Elle fronça les sourcils. Son regard s'éclaira très légèrement. « Que voulez-vous dire ?

— Eh bien, je pense à toutes ces villes, tous ces États, toutes ces maisons où vous avez vécu au fil des ans. Vous êtes des nomades d'un nouveau genre, pas vrai ? »

Elle fronça encore les sourcils, se massa les tempes. Puis elle tendit la main comme pour saisir quelque chose. Ou quelqu'un.

Wyatt attendit. Mais elle resta muette, avec sa main suspendue en l'air. Au bout d'un moment, elle dut s'en apercevoir car elle la reposa sur ses cuisses. Une larme roula le long de sa joue.

« Dommage que ce soit tombé sur cette maison, insista Wyatt. Vous l'aviez si bien aménagée. La porte a été repeinte, le jardin redessiné. Vous pensiez peut-être vous y installer pour de bon ?

— La neige me manquait, murmura-t-elle, le regard toujours braqué sur la table.

— Où est Thomas ?

— Je ne sais pas.

— Vous devriez. Vous êtes sa femme, son associée. Personne ne le connaît aussi bien que vous.

— Ted Todd Tom Tim ta-da ! souffla-t-elle.

— Pardon ?

— Il n'a pas de famille. Pas d'amis. Pas d'endroit où aller.» Enfin, elle leva les yeux. «Je n'ai pas d'endroit où aller, ajouta-t-elle en le regardant.

— C'est d'autant plus égoïste de sa part, non?

— Vous devriez m'emmener dans un hôtel.

— D'abord, je voudrais que vous me parliez de La Nouvelle-Orléans. Comment vous êtes-vous rencontrés?

— Au travail. Sur un plateau de tournage. J'étais à la régie. Lui aux décors. Il a attendu trois semaines que je lui dise bonjour.» Elle parlait comme un automate. Wyatt avait l'impression d'avoir déjà entendu cette histoire et il avait raison : c'était ce que lui avait dit Thomas le premier jour à l'hôpital, presque mot pour mot.

«Thomas est-il originaire de La Nouvelle-Orléans? renchérit Wyatt.

— Non.

— Pourquoi avait-il choisi d'y vivre, alors?

— Je l'ignore.

— Vous l'ignorez? Vous avez partagé sa vie pendant vingt-deux ans et vous ne lui avez jamais demandé ce qu'il faisait à La Nouvelle-Orléans?»

Elle le regarda d'un air vague. «Quelle importance?

— Vous êtes de La Nouvelle-Orléans?

— Non.

— Vous… vous êtes juste rencontrés là-bas.

— Oui.

— Vous n'avez pas perdu de temps. Vous flirtez pendant quatre semaines et hop! Vous taillez la route en laissant tout derrière vous. Vous vivez ensemble, vous travaillez ensemble, vous voyagez ensemble, vous faites tout ensemble.

— Il n'y a pas de mal à cela.

— Il a brûlé votre maison tout seul comme un grand.

— J'ai cassé ma voiture toute seule comme une grande. Et je ne l'ai pas attendu pour picoler. Vous voyez, il vaut peut-être mieux qu'on soit ensemble.

— Vous n'avez jamais rencontré les membres de sa famille ? Durant toutes vos pérégrinations, à aucun moment il ne vous a présentée à ses parents ?

— Non.

— Pourquoi ? Il avait honte de vous ? Que craignait-il ? Ça se fait de présenter son conjoint à sa famille, non ? Maman. Papa. La frangine. » Wyatt n'était pas sûr pour la sœur. Il avait lancé cela au hasard pour voir si Nicky réagissait en lui renvoyant une question.

Mais elle se contenta de secouer la tête.

« Qui êtes-vous, Nicky ? Dites-moi la vérité. Pourquoi vous êtes-vous installés dans le New Hampshire, Thomas et vous ?

— Nous voulions du changement.

— Vous cherchez quelque chose. Une chose qui vous tient tellement à cœur que vous contactez un cabinet spécialisé alors même que votre mari vous en a dissuadée. »

Elle ne répondit rien.

« Après quoi, mercredi soir, toujours dans cette optique, vous n'hésitez pas à sortir sous la pluie battante en profitant que votre mari a le dos tourné. Vous suivez une femme depuis le magasin où elle travaille jusqu'à chez elle. Vous l'espionnez. Pourquoi ? Quelle est cette chose que vous tenez tellement à découvrir que vous n'en parlez surtout pas à votre mari ? Qu'avez-vous fait pour qu'il pète un câble et détruise tout ce que vous possédez ?

— Pas tout. » Elle tapota la couverture bien pliée sur ses genoux.

Wyatt s'arrêta, examina le visage de Nicky. « Vous avez raison, reprit-il. La couverture. Vous l'avez trimballée partout cette nuit. C'est lui qui vous l'a donnée, n'est-ce pas, Nicky ? Il vous a dit de l'emporter avec vous. »

À sa grande surprise, les yeux de Nicky s'emplirent de larmes. « Je ne savais pas ce qu'il allait faire. Je ne le savais pas. Mais avec le recul, je pense qu'il avait déjà pris sa décision. C'est pour ça qu'il m'a dit d'emporter l'édredon.

— Pourquoi ? Qu'a-t-il de si particulier ? »

Elle haussa les épaules. « J'en ai besoin. Quand je me sens triste, je m'imprègne de son odeur. Je le serre contre moi et j'ai l'impression qu'elle est là. Ça me réconforte.

— Qui est là ?

— Je ne sais pas.

— Vero ?

— Je ne crois pas.

— Qui alors ? Bon sang, Nicky ! » Wyatt cogna du poing sur la table. « J'en ai marre de ces réponses qui n'en sont pas. Qui cherchez-vous ? Et qu'avez-vous découvert d'assez terrible pour que votre mari prenne peur et mette le feu à la maison ? J'exige des réponses. Allez-y, j'écoute.

— Mais je ne sais pas!

— Si, vous savez! C'est quelque part au fond de votre cerveau malade. Faites un effort. Réfléchissez. Votre mari est parti, votre maison n'est plus qu'un tas de cendres. Vous êtes seule désormais, Nicky. Toute seule. Vous n'avez pas d'endroit où aller. Vous n'en avez pas marre d'être une victime? Alors, arrêtez de nier l'évidence et essayez de vous souvenir!»

La porte de la salle s'ouvrit. Le bruit fit sursauter Nicky. Agacé d'être ainsi interrompu, Wyatt se tourna vers Kevin qui le regardait d'un air insistant depuis le seuil. Il bondit sur ses pieds et rejoignit son équipier qui lui tendait une liasse de feuilles attachées par un trombone.

«C'est arrivé dans la soirée, chuchota Kevin. Comme on était déjà partis, Gina l'a laissé sur mon bureau.»

Wyatt jeta un œil sur le rapport établi par la police d'État au sujet des empreintes sanglantes retrouvées dans la voiture de Nicole Frank. Le premier feuillet semblait n'avoir aucun sens. Mais quand il eut pris connaissance du deuxième, puis du troisième, puis du quatrième…

Il posa sur Kevin un regard incrédule, comme s'il s'agissait d'une erreur.

Mais au lieu de le conforter dans ses doutes, Kevin lui dit d'un air navré : «Ouais. Moi non plus, je n'y croyais pas. Mais tous les éléments concordent.»

Dans un ensemble parfait, ils se tournèrent vers Nicky, laquelle les observait d'un œil interrogatif.

«C'est vrai, murmura Kevin. C'est vrai, nom de Dieu.»

Sans décrocher un mot, Wyatt se replaça face à la table, tira sa chaise et s'assit. Puis il posa le rapport devant lui et le fit glisser vers Nicky.

«Nicole Frank, dit-il d'une voix ferme. Je vous présente Vero.»

23

«Tu étais au courant?» me demande Vero. Nous sommes de nouveau dans sa chambre au sommet de la tour. Nous buvons du scotch dans des tasses à thé.

«Je crois qu'une partie de moi l'était.

— Tu ne viendras plus me voir? Tu me laisseras partir, enfin?

— Ce n'est pas si simple.

— C'est vrai. Surtout que tu as négligé un certain nombre de détails.»

À point nommé, d'autres squelettes se matérialisent dans la chambre. Un, deux, trois… trop pour que je puisse les compter. Ils se faufilent dans tous les coins, s'entassent sur le lit à baldaquin drapé de tulle, se pressent contre les murs, escaladent le rosier. Des robes à fleurs couvrent en partie leurs os blanchis. L'un d'eux me fait un sourire édenté, m'adresse un signe de la main, comme si nous étions de vieilles connaissances, comme si la mort elle-même me saluait.

«Je ne peux pas», je murmure, paniquée. Dans ma main, la tasse commence à trembler. «Je ne peux pas. C'est trop dur. Je ne *veux* pas me souvenir ! Je veux juste que tout cela disparaisse. »

Vero rajoute du whisky dans ma tasse en porcelaine.

Elle répète : « Ce n'est pas si simple. »

« Vous étiez au courant ? » me demande Wyatt.

L'affichette étalée sur la table devant moi est un avis de recherche. VERONICA SELLERS. SIX ANS. CHEVEUX LONGS, CHATAINS. YEUX BLEU CLAIR. A ÉTÉ VUE POUR LA DERNIÈRE FOIS DANS UN PARC À BOSTON.

Salut, tu aimes jouer à la poupée ? J'en ai deux dans ma voiture…

Il y a une photo fortement agrandie. Une petite fille qui sourit. Je touche ses cheveux – je ne peux m'en empêcher. Je plonge mon regard dans ses yeux gris.

C'est l'une des rares photos que sa mère possédait, je le sais intuitivement. Elle a été prise avec un Polaroid. Avant cela, elles avaient fait des gâteaux. Sa mère avait été de bonne humeur tout l'après-midi, chose exceptionnelle. Elle avait sorti l'appareil en disant : « Coucou, mon ange, fais risette ! » Vero avait gloussé nerveusement, tant elle était surprise, puis elle s'était émerveillée en voyant l'image se révéler peu à peu.

Tout de suite après, des pas avaient résonné dans le couloir.

VERONICA SELLERS. SIX ANS. CHEVEUX LONGS, CHATAINS. YEUX BLEU CLAIR. A ÉTÉ VUE POUR LA DERNIÈRE FOIS DANS UN PARC À BOSTON.

Je passe au feuillet suivant. Trois photos. La première est la même que sur l'avis de recherche. Sur la deuxième, la fillette a été vieillie. Elle semble avoir dans les dix ans. Ses traits sont plus fins, plus dessinés. Mais elle a toujours ce sourire radieux, ce regard lumineux.

J'ai envie de leur dire qu'ils se trompent. À dix ans, Vero ne souriait pas comme ça. Ce regard n'est pas le sien. À dix ans, Vero était une professionnelle endurcie.

Troisième et dernière photo. Le visage retouché par ordinateur est celui d'une jeune fille de seize ans. Ça ne va pas au-delà. Retrouver un enfant dix ans après sa disparition est déjà assez compliqué. Pourtant, quelqu'un a tenté de le faire. Une assistante sociale, peut-être, ou un informaticien.

Elle est superbe. Ses cheveux bruns, plus souples, soulignent ses pommettes sculptées. Son nez est parsemé de taches de rousseur. Une fille saine. Une fille comme on en voit dans la rue. Une adolescente que vous embaucheriez sans hésiter pour garder vos enfants.

Cette photo, j'y pose mes doigts. Et je retrouve la pluie diluvienne, l'odeur de la terre mouillée, son poids sur ma poitrine. L'approche de la mort.

VERONICA SELLERS. SIX ANS. CHEVEUX LONGS, CHATAINS. YEUX BLEU CLAIR. A ÉTÉ VUE POUR LA DERNIÈRE FOIS DANS UN PARC À BOSTON.

«Que vous évoquent ces images?» me demande Wyatt.

Je ne peux pas répondre. Je suis face à l'évidence mais je n'arrive pas à prononcer les mots.

Wyatt le fait à ma place.

«C'est vous la fille sur ces photos, Nicky. Les empreintes prélevées sur votre voiture sont formelles. Vous n'êtes pas Nicole Frank mais Veronica Sellers, une enfant portée disparue depuis plus de trente ans. »

Les policiers ont des questions à me poser. Wyatt dit que le FBI voudra m'interroger également. Je ne sais pas si je dois prendre cela comme une menace ou un avertissement. En gros, j'ai le choix entre parler maintenant, entre « amis », ou attendre que les costards-cravates débarquent en masse et m'obligent à répéter mon histoire jusqu'à plus soif, sous prétexte d'agir pour mon bien.

Kevin s'est assis. Il me demande encore si j'ai besoin de quelque chose. Un vrai plat chaud, un petit truc à grignoter, une autre bouteille d'eau ?

Je me dis que je prendrais bien un verre de Glenlivet. Mais surtout, je maintiens l'édredon sur mes cuisses, mes empreintes digitales posées à plat sur le tissu duveteux. Comment réagira-t-elle en apprenant la nouvelle ?

Sera-t-elle heureuse ? Joyeuse ? Ou trouvera-t-elle qu'au bout de trente ans, il est un peu tard pour accueillir son enfant morte ?

« Le prénom de Veronica vous dit quelque chose ? » me demande Wyatt après que j'ai décliné toutes leurs propositions. J'ai décidé de rester là sans rien faire. Que pourrais-je faire, d'ailleurs ?

Je secoue la tête.

« Quand l'avez-vous utilisé pour la dernière fois ?

— Vero a six ans, je murmure. Elle est partie. Disparue.

— Dans le parc, suggère Wyatt.

— Une grande fille l'invite à jouer à la poupée. Vero sait qu'il ne faut pas. Sa maman lui a dit de ne jamais parler aux inconnus. Mais la grande fille est tellement gentille et Vero est tellement seule. Elle aimerait bien jouer à la poupée. Elle aimerait bien avoir une amie. »

Les policiers se regardent.

«Qu'a fait Vero après cela? dit Wyatt.

— Une dame arrive. Elle est blonde, les cheveux tirés en arrière; elle porte de jolis habits. Des habits que la maman de Vero ne peut pas s'offrir. Elle tient une seringue. Elle plante l'aiguille dans le bras de Vero qui est venue voir les poupées. Et voilà c'est fait. La grande fille est une recruteuse. Vero est recrutée.

— Cette femme et la jeune fille enlèvent Vero? demande Wyatt.

— Elles l'emmènent en voiture.

— Et personne ne remarque rien», marmonne Wyatt en s'adressant plutôt à Kevin. Cette information est certainement tirée du rapport d'enquête. Vero ne peut pas le savoir. À l'instant où l'aiguille s'enfonce dans son bras, Vero n'est plus là. Elle disparaît.

«Où la conduisent-elles? reprend Wyatt.

— Vero emménage dans une maison de poupée. Des murs rouge foncé, des fenêtres à vitraux, des tapis à fleurs. Elle a droit à une chambre rien qu'à elle, dans une tour, avec une fresque qui représente un rosier grimpant. La femme la fait entrer, ressort et donne un tour de clé. Alors Vero fond en larmes. Mais elle n'a jamais vu de chambre aussi belle. Un lit pour elle toute seule, drapé de tulle. Des mètres et des mètres de tulle. Une table en bois avec un vrai service à thé en porcelaine et quatre chaises où sont assis un ours en peluche et plusieurs poupées. Même le tapis est doux et moelleux. Vero croit que des bonnes fées ont décidé de l'adopter. C'est elles qui l'ont amenée ici. Elle se serait bien passée de la piqûre mais cette chambre lui plaît. Cette maison lui plaît. Et peut-être, si elle le souhaite très fort, sa maman pourra venir vivre ici avec elle.

— Est-ce que la maman de Vero vient la rejoindre ?

— Non. La dame rentre dans la chambre. Elle est habillée tout en noir, ses cheveux nacrés sont ramenés au-dessus de sa tête, elle porte un gros collier de perles. Elle est belle mais elle fait peur. Comme une poupée en porcelaine qu'on peut regarder mais pas toucher. Elle dit que Vero est son invitée et qu'elle s'appellera Holly, désormais. Elle ne portera plus que des robes et elle devra faire ce qu'on lui dira de faire, parler quand on lui dira de parler. Puis la dame lui donne une robe neuve. Une robe en soie rose à froufrous. Vero... Holly ?... l'aime beaucoup. Elle la trouve très jolie mais elle est gênée. Elle ne sait pas quoi faire. Alors, elle ne bouge pas.

« La dame s'avance. Elle gifle Vero, lui arrache sa chemise, lui dit qu'elle pue, qu'elle est laide et stupide et sale. Elle la traite d'ingrate, elle empoigne la jolie robe et la déchire en deux. Puisque tu te comportes ainsi, dit-elle à Vero... Holly..., tu te passeras de vêtements.

« Elle déshabille Vero, lui enlève même sa culotte. Puis elle s'en va. Et Vero reste toute nue toute seule au milieu de sa jolie chambre. Pendant des jours et des jours et des jours.

« Vero pleure, elle appelle sa maman. Mais sa maman ne vient pas.

— Et ensuite ? murmure Wyatt.

— Vero apprend. Elle porte ce qu'on lui dit de porter. Elle répond à son nouveau prénom. Elle ne parle que si on l'y autorise. Tous les jours, elle suit des leçons. Parfois, c'est comme à l'école : elle étudie la lecture, le calcul, les bases. Parfois, on lui enseigne comment s'habiller, se coiffer, se maquiller. Et puis il y a des cours de musique, de culture générale, de dessin. Elle s'instruit jour après jour. Elle fait de son mieux parce que sa chambre est jolie, que ses robes sont belles et que, lorsqu'elle sait bien ses leçons, la dame lui fait des compliments. Sinon…

« Elle est seule. Sauf quand la dame lui donne des cours. Elle dort seule, se réveille seule, passe ses journées seule. Elle commence à s'inventer des histoires. Des histoires qui parlent de son ancienne maison, de la femme qui l'aimait, de sa vie d'avant. Et les jours se transforment en semaines, les semaines en mois, les mois en années. Pas facile de mesurer le temps dans la maison de poupée. Il n'y a que l'instant présent. Le reste n'existe pas.

— Et ensuite ? redit Wyatt.

— Les leçons s'arrêtent. Elle est assez grande maintenant, assez instruite. Et les hommes arrivent. Et elle regrette d'avoir tant étudié. Mais elle ne se rebelle pas, ne proteste pas, ne se plaint pas. Elle sait déjà que le véritable danger ne vient pas des hommes mais de madame Sade.

— La madame Sade en question tient un bordel, c'est ça? intervient Wyatt. Elle éduque les filles puis elle fait venir des hommes qui ont des relations sexuelles avec elles.

— Notre travail consiste à les rendre heureux.»

Les deux policiers se regardent. Ils ne sont pas plus dupes que moi de cet euphémisme inventé par madame Sade.

«Que savez-vous de madame Sade?» demande Kevin.

Mes lèvres tremblent. J'agrippe mon édredon. Je ne peux pas parler.

«Essayez de la décrire, m'encourage doucement Wyatt. À quoi ressemble-t-elle?

— Une poupée de porcelaine. Belle mais effrayante.

— Est-elle aussi vieille que la maman de Vero? renchérit Kevin.

— Plus vieille. Cinquante ans peut-être.

— A-t-elle des enfants, un mari, un ami en particulier?»

Je le regarde. Les souvenirs affluent. «Certains hommes la veulent. Mais les filles murmurent : *Attention à ce que vous désirez.*

— Y a-t-il d'autres tenanciers?» dit Wyatt.

Je secoue la tête. «C'est la maison de madame Sade. C'est elle qui édicte les règles. C'est elle qui distribue les punitions.

— Combien de filles vivent avec vous?

— Je ne sais pas. Jusqu'à l'âge de douze ans, Vero reste enfermée dans sa tour, comme une fleur précieuse, une marchandise rare.»

Kevin baisse les yeux. Le visage de Wyatt est trop fermé pour que je le déchiffre, mais ce n'est pas grave. De toute façon, je suis trop perdue dans les méandres bourbeux de mon esprit pour m'en inquiéter.

« Et après douze ans, que se passe-t-il pour elle ? lâche-t-il au bout d'un moment.

— Il y a d'autres étages dans la maison de poupée. Vero déménage. On l'installe en bas, dans une chambre plus petite qu'elle doit partager avec une autre fille. Chelsea. Elle est plus âgée que Vero, elle n'est pas contente de la voir. Elle lui vole son maquillage, fait des trous dans ses robes. Elle l'oblige à dormir par terre, sur la carpette. Vero a trouvé une compagne mais elle est toujours aussi seule. Heureusement, elle a ses histoires. Elle se les raconte à mi-voix, chaque nuit. Il était une fois, dans un royaume secret, une reine magicienne et sa belle princesse...

— Les hommes continuent à venir ?

— Madame Sade aime les jolies choses. Nous rendons les hommes heureux ; elle obtient davantage de jolies choses.

— Pouvez-vous décrire les clients ? » demande Wyatt.

Je hausse les épaules. « Ces hommes exercent des métiers comme il faut, sont habillés comme il faut, fréquentent les gens qu'il faut. Madame Sade ne permet pas à n'importe qui de venir jouer chez elle.

— Vous reconnaîtriez ces hommes si vous les revoyiez ?

— Vous croyez vraiment que je regardais leur visage ? »

Wyatt rougit, recule sur son siège.

«Que pouvez-vous nous apprendre au sujet de cette maison? rembraye Kevin.

— Des plafonds décorés, des sols en marbre. Des étages, des ailes, des tourelles. À n'en plus finir.

— Un genre de manoir? Plutôt dans le style médiéval ou victorien?»

Je me masse les tempes. «Victorien, je murmure.

— Aviez-vous le droit de sortir? poursuit Kevin. Qu'y avait-il aux alentours? Vous souvenez-vous des rues, des maisons voisines? Un bois, un cours d'eau, une montagne, des reliefs particuliers?»

Je secoue la tête. Mon front brûle. La nausée annonciatrice est revenue. Je veux que cette conversation s'arrête. Que ces souvenirs s'arrêtent.

«Vero… Nicky.» Wyatt sollicite encore mon attention. «Ce que vous décrivez ressemble beaucoup à du proxénétisme de luxe. C'est une affaire très grave. Vous comprenez? À l'heure qu'il est, certaines de ces personnes exploitent peut-être encore des enfants. Les réseaux criminels de ce type ont tendance à s'agrandir et à se ramifier avec le temps. Un peu comme la mafia. Trente années se sont écoulées, la fondatrice s'est peut-être retirée mais elle a pu laisser l'affaire à une armée de lieutenants. Cette maison… il faut qu'on la trouve.»

Je le regarde fixement. Il ne comprend pas. Ses paroles ne signifient rien pour moi. Comment le pourraient-elles? Si je n'avais pas reçu trois coups sur la tête, ces souvenirs n'auraient jamais refait surface. Je ne l'aurais pas permis.

Je soupire. Malgré moi. Je suis fatiguée, si fatiguée. J'ai mal à la tête et toutes ces questions qu'il me pose…

«Vero a six ans, je murmure. Elle est partie. Elle a disparu. Vous ne pouvez plus rien pour elle. »

Wyatt m'observe. «Alors pourquoi la cherchez-vous encore ? »

Un bref instant, des larmes me montent aux yeux.

Ils ne me laisseront pas partir. Ils croient que je sais des choses susceptibles de relancer l'enquête et ils m'interrogeront jusqu'au bout, même si leurs questions me rendent folle. Il y a trente ans, une petite fille a disparu. Aujourd'hui, c'est une femme adulte. Les flics ne renonceront pas. Thomas l'a compris. C'est pour ça qu'il a allumé l'incendie.

Quand on pose des questions, il faut s'attendre à recevoir toutes sortes de réponses, même les plus déplaisantes. C'est bien ce qu'il a essayé de me faire comprendre, n'est-ce pas ?

L'odeur de la fumée. La chaleur du feu.

Je tends la main, comme si je pouvais l'atteindre.

«Vero a douze ans, persévère Wyatt. Elle ne vit plus dans la chambre du haut. Où est-elle ? »

Je ne peux plus jouer. Les souvenirs sont trop pénibles, je suis trop crevée.

«Chut, leur dis-je. Chut... »

Pendant un instant, je crois qu'ils vont passer outre. Ils s'en fichent que je sois crevée, ils ont une affaire à résoudre. Mais Wyatt recule au fond de sa chaise, m'observe avec attention, voire avec compassion.

«Une dernière question ? négocie-t-il.

— Juste une.

— Comment êtes-vous sortie de la maison ? Comment avez-vous pu quitter madame Sade ? »

Je le regarde fixement. Je croyais que c'était évident. Mais apparemment ça ne l'est pas. Alors, je lui explique.

« Vero a appris à voler. »

24

Wyatt et Kevin sortirent de la salle de réunion. Ils avaient encore des questions mais ce serait pour plus tard. Nicky avait posé son édredon sur la table, sa tête sur l'édredon, et hop, elle s'était endormie dans la seconde.

Les deux policiers s'accordèrent un instant pour souffler.

«Mesdames et messieurs, rien ne va plus, dit Wyatt, planté dans le couloir devant la porte de la salle.

— J'ai besoin d'aspirine, acquiesça Kevin.

— Eh bien, prends-en, parce que la nuit promet d'être longue.»

Ils ne pouvaient pas laisser Nicky sans surveillance dans les locaux de la police. D'un autre côté, ils ne tireraient plus rien d'elle avant qu'elle ait dormi. Donc, ils adoptèrent la solution la plus pratique et s'assirent par terre dans le couloir, le dos collé au mur.

«Commençons par ce que nous savons, suggéra Wyatt. Les empreintes relevées sur l'épave de son véhicule nous ont appris que Nicole Frank s'appelle en réalité Veronica Sellers.

— Laquelle prétend avoir été kidnappée par une maquerelle de luxe il y a trente ans, rebondit Kevin. Et retenue prisonnière pendant au moins six années au terme desquelles elle a pu s'échapper.

— Que penses-tu de son histoire?» demanda Wyatt.

Kevin répondit sans hésiter. «L'absence d'affect dans son discours. Le fait qu'elle ne dise jamais "je", qu'elle décrive les choses de l'extérieur comme une narratrice omnisciente… Vero a fait ci, Vero a fait ça. Tout correspond. Elle a été sévèrement traumatisée. Même une actrice chevronnée ne serait pas aussi crédible.

— Elle était l'un des rouages du système, murmura Wyatt. On vous recrute et après vous recrutez.

— Ces réseaux de proxénétisme emploient tous les mêmes méthodes. Les témoignages des victimes sont là pour le prouver. Ce qui confirmerait que Nicky dit la vérité. Si elle voulait juste se faire passer pour une victime, elle n'irait pas chercher aussi loin.

— Nous tenons donc une piste susceptible de nous guider vers un bordel et/ou un réseau de proxénétisme ayant sévi voilà trente ans. Une maison close. Mais pas n'importe laquelle. La grande classe, si l'on se fie aux descriptions de Nicky.»

Kevin modéra l'ardeur de son équipier. «N'oublions pas que ces révélations viennent d'une femme ayant reçu des coups sur la tête. Écoute, je ne mets pas sa parole en doute; disons seulement que c'est un peu tiré par les cheveux.

— Le syndrome post-commotionnel a ses avantages et ses inconvénients, répondit Wyatt. Un bon avocat pourra arguer que les chocs à répétition jettent un doute sur la fiabilité de ses souvenirs. Mais, par ailleurs, si elle n'était pas tombée sur la tête, les fameux souvenirs n'auraient sans doute jamais refait surface.

— Les avocats détestent les souvenirs qui refont surface, dit platement Kevin. Les juges aussi ; sans parler des jurés. Rappelle-toi, dans les années 1980, tous ces gamins qui s'étaient miraculeusement "souvenus" qu'ils avaient été victimes d'une secte satanique. Des innocents sont allés en prison et, au bout du compte, il s'est avéré que les gosses avaient raconté n'importe quoi et que de soi-disant experts leur avaient monté le bourrichon.

— Donc, nous sommes d'accord, dit Wyatt. Les "souvenirs" de Nicky ne suffiront pas devant un tribunal.

— Non. On va devoir tout vérifier point par point. À commencer par la maison de poupée. À trente ans de distance, ça risque d'être coton. »

Wyatt hocha la tête. Ils étaient sur la même longueur d'onde. « Quel âge a Nicky, déjà ? Trente-six, trente-sept ?

— Oui, dans ces eaux-là, si l'on se base sur la date de naissance de Veronica Sellers. Nous n'avons pas dépassé le délai de prescription en matière de crimes sexuels, si c'est à cela que tu penses. »

Dans le cas d'un crime sur mineur, le délai de prescription était de vingt-deux ans après le dix-huitième anniversaire de la victime. Pour engager les poursuites, ils avaient donc trois ou quatre ans devant eux. Non pas que le délai de prescription soit un paramètre déterminant. Pour sa part, Wyatt se faisait un devoir d'enquêter sur tous les actes répréhensibles dont il avait connaissance, sans tenir compte des dates. Le grand public avait tendance à se focaliser sur l'infraction principale – kidnapping, trafic d'êtres humains ou autre – mais, dans la pratique, on constatait qu'un crime était rarement isolé. Par exemple, autour des réseaux de prostitution gravitaient souvent d'autres genres de trafics : drogue, faux papiers, subornation de témoins et/ou transport de victimes hors des frontières de l'État. Et si jamais les proxénètes avaient la mauvaise idée d'envoyer par la poste des invitations à leurs petites «fêtes» très privées, on pouvait encore ajouter un chef d'inculpation.

Wyatt avait personnellement connu des affaires qui s'étaient soldées par une arrestation alors qu'il n'avait pas réussi à prouver l'infraction principale. Le malfaiteur s'était fait serrer pour des faits mineurs mais suffisamment nombreux pour l'envoyer derrière les barreaux.

«Très bien, dit-il brusquement. Nous avons identifié Veronica Sellers, portée disparue depuis trente ans. Nous avons une présomption de kidnapping et de crimes sexuels. Nous sommes donc en droit de demander l'ouverture d'une enquête officielle. Il faudra aussi contacter le Centre national de recherche des enfants disparus et maltraités. Mais à la seconde où la nouvelle se répandra, ils vont tous rappliquer ici. Alors, profitons que nous sommes encore seuls sur le coup pour faire le point tranquillement. Qu'est-ce qu'il nous manque?»

Sans une hésitation, Kevin récapitula : «Nous ignorons ce qui a causé l'accident, pourquoi Nicky a fait appel à Northledge Investigations et qui elle suivait mercredi soir.»

Wyatt l'observa un instant. «Tu n'as pas compris? Tu ne vois toujours pas qui elle a suivi depuis le magasin d'alcool jusqu'à chez elle? Sérieusement?»

Kevin prit un air perplexe. «Ben non. Toi si?

— Évidemment.

— Qui?

— Marlene Bilek, notre caissière préférée et, par la même occasion, la mère de Veronica Sellers.

— Quoi?

— C'est dans le dossier d'origine, mon cher Cerveau. La mère y figure sous le nom de Marlene Sellers, laquelle a certainement épousé en secondes noces un certain monsieur Bilek. Mais il s'agit bien de la femme que Nicky voulait retrouver par l'intermédiaire de Northledge. Ils ont fini par la localiser; mercredi soir, ils en ont informé Nicky qui est partie aussi sec rencontrer sa maman. Tant qu'elle en avait le courage, rappelle-toi.»

Kevin lui jeta un regard en coin. «Très bien. Puisque tu es si malin, tu dois savoir pourquoi Thomas Frank a mis le feu à leur maison? Je veux dire, si Nicky dit la vérité, c'est elle la victime dans cette histoire. Même si elle commence à retrouver la mémoire, je ne vois aucune raison pour que le mari gratte une allumette et prenne la clé des champs.

— Oui, c'est là où ça coince, admit Wyatt.

— Nicky a dit que son mari possédait une photo de Vero, non?

— Quelque chose comme ça.

— Par quel miracle? Elle a disparu à Boston quand elle avait six ans. Ils ont fait connaissance des années plus tard, à La Nouvelle-Orléans. Comment peut-il avoir cette photo?»

Wyatt s'accorda deux secondes de réflexion. «Peut-être que leur première rencontre a eu lieu avant La Nouvelle-Orléans. Peut-être qu'il la connaissait déjà. Du temps de...» Il hésita. «... la maison de poupée.

— S'il a trempé dans un trafic d'êtres humains, il avait des raisons de se carapater, admit Kevin. Il constate que Nicky se remémore certains épisodes de son passé. Donc, plus elle se souvient...

— ... plus il balise, compléta Wyatt. L'histoire de leur rencontre m'a toujours semblé fabriquée. C'est peut-être le cas. Peut-être qu'en réalité, Thomas était chargé de la surveiller depuis le départ. Tant qu'elle ne disait rien – ou qu'elle ne se souvenait de rien – il n'y avait pas d'inquiétude à avoir. On les laissait vivre à leur guise. Mais après cette première chute dans l'escalier, voilà six mois...

— Nicky s'est mise à chercher Vero.

— Et à engager des détectives privés.

— Et à se libérer de l'emprise de Thomas.»

Wyatt hocha la tête. «Et après ça, certains osent dire que notre boulot est ennuyeux. Bon, on a du pain sur la planche. Il faut convaincre le chef, passer quelques coups de fil, constituer une équipe.» Il commençait à se relever en époussetant son pantalon quand il s'arrêta net.

«Une dernière question.

— Ouais.

— Le dossier Veronica Sellers dit qu'elle a disparu en mai, c'est cela ?

— Ouais. »

Wyatt dévisagea son équipier. « Alors, pourquoi novembre est-il le mois le plus triste de l'année ? »

Wyatt chargea l'une de ses adjointes, Gina, de surveiller Nicky Frank dans la salle de réunion. Il avait un truc à faire, en plus de mettre la pression au shérif ou de remplir les formulaires officiels ou de harceler les flics municipaux qui n'avaient toujours pas localisé Thomas Frank.

Il était quatre heures du matin. Wyatt était vanné et grandement dérouté par cette enquête qui se présentait comme le contraire d'une partie de plaisir.

Mais par ailleurs, comme Wyatt était un type bien, il ne pouvait décemment pas laisser la pauvre Nicky Frank livrée à elle-même. Et comme Wyatt était aussi un galant homme, il ne pouvait différer davantage la conversation qu'il avait laissée en suspens avec sa copine.

Par conséquent, il fit ce que les hommes bien et galants font en pareil cas. Il prit son téléphone et composa un numéro.

Tessa décrocha dès la deuxième sonnerie. Une personne qui reçoit des coups de fil chaque nuit pendant des années en garde forcément des séquelles.

« Allô. » Elle ne semblait même pas fatiguée. Malgré lui, Wyatt ressentit une bouffée d'orgueil.

« Tu acceptes de me parler ? lui demanda-t-il.

— Apparemment. Ça va ?

— Ouais. Je réfléchissais à cette histoire de limites.

— À quatre heures du matin?

— C'est ainsi dans le monde où nous vivons. Je t'aime, tu sais. Je te respecte. J'admire le boulot que tu fais. J'apprécie ta probité.

— OK.

— Cela dit, tes limites, j'en ai rien à foutre.

— Pardon?

— Je veux dire, tu fais comme tu veux. Impose-toi des limites si ça te chante. Et tu as raison; dans nos métiers certaines limites vont sans dire. Mais je trouve que tu pousses le bouchon un peu loin. Tu veux tout cloisonner. Tracer des lignes continues entre chaque chose. C'est comment ça et pas autrement. Moi, je ne marche pas dans cette combine. Le monde est trop compliqué. Nos jobs sont trop compliqués. *Nous* sommes trop compliqués. Personnellement, je préfère les pointillés aux lignes continues. Je veux bien qu'il y ait des cloisons, mais qu'elles soient un peu élastiques. Voilà pourquoi je t'appelle, même si je devrais m'en abstenir.

— Je ne te le fais pas dire. Qu'est-ce qui te prend de me téléphoner à quatre heures du matin pour...?

— Ta cliente a besoin de toi.

— Quoi?

— Si tu ne veux pas parler alors écoute. Nicole Frank a reçu un coup de fil de Northledge Investigations mercredi soir. Je suis donc quasiment sûr que Nicole Frank est cliente chez vous. Connaissant les méthodes de ton prestigieux cabinet d'enquêtes, je suppose qu'elle a versé une somme faramineuse à titre d'acompte...

— Je ne ferai aucun commentaire…

— Rappelle-toi, les pointillés. Hier soir, la maison de Nicole a été ravagée par un incendie. Son mari s'est envolé. En ce moment, elle est toute seule, sans aucun endroit où aller. À l'instant où nous parlons, elle dort ici, dans une salle de réunion, la tête sur la table. Ta société a bien touché l'acompte, n'est-ce pas? Elle est toujours votre cliente, hein? Alors, votre intérêt et le sien coïncident. Bon sang, Tessa, cette femme est complètement paumée. Moi je ne suis qu'un officier de police. Elle a besoin de quelqu'un qui l'aide.»

Tessa ne répondit pas aussitôt mais il l'entendait presque réfléchir. «Et ton intérêt à toi serait de la garder au secret, loin de nous, de l'avoir sous la main, murmura-t-elle enfin. Dans ces conditions, elle serait plus encline à t'avouer la vérité. Elle pourrait même t'aider à retrouver son mari.

— Certes.

— Tu ne me dois rien. C'est ton boulot, ton enquête, tes limites. Elle pourrait finir par contacter Northledge mais, entre-temps, tu pourrais lui faire cracher le morceau.

— En effet.

— Tu n'es pas obligé de faire ça.

— Exact.»

Nouveau silence. Tessa pesait le pour et le contre. C'était l'une des choses qui les différenciaient, songea Wyatt. Lui misait essentiellement sur son instinct. Mais Tessa avait un lourd passif et pour elle, les choses n'étaient pas aussi simples.

«Que cherches-tu, Wyatt?

— La vérité. C'est pour ça que je suis devenu flic. J'aime obtenir des réponses. Et crois-moi, cette femme est un gigantesque point d'interrogation.

— Si jamais elle me fournit certaines des réponses que tu attends mais qu'elle m'interdit de te les communiquer ?

— Revoilà les pointillés.

— Tu sais pourquoi son mari a disparu de la circulation ?

— Non. Mais je sais comment elle s'appelle. » Pause. « Veronica Sellers ? »

Ce fut au tour de Wyatt d'être surpris. « Tu n'étais pas au courant ?

— Non. Elle ne nous a pas engagés pour ça. Mais dès que j'ai commencé à creuser, j'ai eu des soupçons. Ça tombait sous le sens. Seulement voilà, je ne suis pas payée pour étaler mes soupçons. Je dois chercher là où le client me demande de chercher. Tu crois que son mari veut la tuer ? Les chutes à répétition, l'accident de mercredi soir ?

— Je n'en ai aucune idée. Mais elle nous a raconté l'enlèvement dont elle a été victime il y a trente ans. Et si la moitié de ce qu'elle dit est vrai, j'ai des raisons de craindre pour sa vie.

— Bon. J'arrive. Au fait, Wyatt…

— Oui ?

— Merci. »

25

Je me réveille en sursaut. Mes jambes battent l'air, ma tête explose. Je hurle ? Je fais un gros effort pour ravaler mon cri, à la dernière seconde. Les vieilles habitudes ont la vie dure.

Une table ronde. Du lino gris sur le sol. Un faux plafond très moche. Les bureaux du shérif. Je me suis écroulée dans la salle de réunion et j'ai dormi la tête sur la table, toujours accrochée à l'édredon jaune pâle.

Wyatt et Kevin ne sont plus assis en face de moi. Wyatt se tient près de l'entrée, à côté d'une femme brune. Elle porte un jean, des bottes en cuir noir et une veste bleu marine cintrée qui fait ressortir la couleur de ses yeux. Quelque chose dans leur maintien attire mon attention. Ils sont ensemble sans l'être. J'ai comme un sentiment de déjà-vu. Thomas et moi.

« Nicole Frank ? » dit la femme d'une voix ferme et posée. La voix de l'autorité.

« Oui.

— Je m'appelle Tessa Leoni. Vous vous souvenez de moi ? Nous avons parlé au téléphone. Mercredi soir. »

Je sens un déclic au fond mon crâne. Je regarde Wyatt.

«C'est le brigadier Foster qui m'a demandé de venir, explique la femme comme si elle lisait dans mes pensées. Étant donné votre situation, il s'est dit que vous auriez besoin d'une assistance.

— Vous n'êtes pas avocate.

— Non. Je suis spécialiste en matière de sécurité.»

Je souris malgré moi. «Je suis donc si mal partie que j'aie besoin d'une spécialiste.»

La femme me sourit en retour. Elle n'est pas belle mais elle a de la personnalité. Un visage anguleux. Une mâchoire puissante. Un sourire rassurant sans être mièvre. Une posture assurée sans être désinvolte. Son titre de spécialiste en sécurité, elle ne l'a pas trouvé dans une pochette-surprise.

La femme se tourne vers Wyatt. Il la regarde d'une manière…

Il resterait à la contempler jusqu'à la fin des temps, s'il pouvait. C'est comme ça que Thomas me regardait, autrefois.

«Ma cliente est-elle en état d'arrestation? lui demande la femme.

— Nous avons quelques questions…

— Qui peuvent attendre, j'en suis sûre. Elle a besoin d'une douche et d'un vrai repas.

— Nous lui avons offert à boire et à manger, réplique Wyatt du tac au tac.

— Mouais, j'ai vu le distributeur automatique.»

Ces deux-là sont amoureux. J'ai envie de leur dire : Rapprochez-vous, parlez moins, écoutez plus. Savourez l'instant. Je crois que je vais fondre en larmes. C'est dingue, ces changements d'humeur. Encore un effet secondaire.

Ça n'a rien à voir avec le fait que, pour la première fois depuis vingt-deux ans, je me suis réveillée loin de Thomas.

Ils m'observent. La femme ne pose pas de questions ; elle m'explique ce que nous allons faire.

« Vous allez venir avec moi. Je vais vous trouver une chambre d'hôtel, de quoi vous restaurer, vous changer. Vous êtes ma cliente, ce qui signifie que tout ce que vous me confierez restera entre nous. Ce monsieur ne peut pas en dire autant. Donc je vous suggère d'attendre que nous soyons seules pour continuer cette conversation. »

Elle se tourne vers Wyatt. « Ton service est-il étanche en ce moment ?

— Ça va, n'exagère pas.

— Nous avons besoin de temps. » Tessa baisse d'un ton. « Elle a besoin de temps. » Elle se tourne brusquement vers moi. « Vingt-quatre heures ?

— Je ne garantis rien, dit Wyatt. Les enfants disparus sont du ressort des fédéraux. Et les enfants qui réapparaissent comme par magie après trente ans d'absence…

— … font vibrer les cœurs pourtant secs des patrons de chaînes d'information, complète-t-elle.

— Exactement. »

Tessa ne prononce plus un mot avant que nous soyons dans la rue. Elle m'emmène jusqu'à sa Lexus, un gros 4 × 4 de couleur foncée avec un intérieur en cuir fauve de toute beauté. Je pense à mon Audi. Et j'ai l'impression que des années ont passé depuis mon accident. Cette Audi appartenait à une autre femme dans une autre vie. Pas la mienne, en tout cas.

Nous montons. Elle verrouille les portières.

«Comment allez-vous? demande-t-elle sans préambule. J'ai cru comprendre que vous aviez subi plusieurs traumatismes. Voulez-vous consulter un médecin? Avez-vous besoin d'acheter de l'ibuprofène, des antalgiques, des pansements, des beignets au chocolat, ou autre?

— J'aime bien les poches de glace.

— C'est faisable. De quand date votre dernière nuit de sommeil?

— Quelle heure est-il?

— Neuf heures du matin.

— J'ai dormi quelques heures au poste de police.»

Tessa hoche la tête, sort du parking. «Vous vous souvenez de moi? demande-t-elle en s'engageant dans la rue principale.

— Nous avons parlé au téléphone mercredi. Mais ce n'était pas vous, la première fois…

— Non. C'est Diane Fieldcrest qui vous a reçue. Mais elle a été retenue par une autre mission. Et comme je n'ai pas grand-chose à faire cette semaine, j'ai proposé de l'aider. Pour être honnête, je ne m'occupe pas des enquêtes de routine, d'habitude. Mais quand j'ai su qui vous cherchiez…»

Je ne dis rien.

Tessa me jette un coup d'œil. Elle manie son volant avec une belle assurance. «Vous n'êtes pas obligée de me parler, poursuit-elle sur un ton neutre. Vous avez demandé à Northledge de retrouver une femme. J'ai étudié le contexte, j'ai trouvé l'info, je

304

vous l'ai transmise. Ce qui se passe après, c'est votre problème, pas le nôtre. »

Je ne dis rien.

« Vous n'êtes pas obligée, répète-t-elle. Et pourtant, il faut que vous mesuriez ce à quoi vous risquez d'être confrontée.

— De quoi parlez-vous ?

— Primo, vous avez disparu pendant trente ans. Autrement dit, c'est un peu comme si vous veniez de ressusciter. »

Je grimace.

« La presse raffole de ce genre d'histoires. Disons-le carrément, si les journalistes ne nous tombent pas dessus d'ici le début de l'après-midi, je serai hyper-étonnée. »

Je la regarde, éberluée. Je n'avais pas envisagé cet aspect des choses.

« Ils vont vous poser des tas de questions, poursuit Tessa. Pourquoi n'avez-vous jamais donné signe de vie ? Si vous avez été enlevée à l'âge de six ans et que vous avez réussi à fuir… pourquoi avoir attendu si longtemps pour rechercher votre famille ? Qu'avez-vous fait pendant toutes ces années ? »

Je ne peux pas répondre. Mon cœur bat trop fort. J'ai l'impression d'un poids énorme sur ma poitrine. Comme une pierre tombale, me dis-je, affolée. Ils n'ont pas la moindre idée.

« Nicky, vous êtes dans de beaux draps. »

J'ouvre la bouche. Je ferme la bouche. Et enfin, j'acquiesce.

« Je le sais, vous le savez, Wyatt le sait. J'avoue, c'est pour ça qu'il m'a appelée. Bon, commençons par le plus pressé. Je vous emmène dans un hôtel où vous vous inscrirez sous une fausse identité. Je vous achète des vêtements, sans oublier les indispensables lunettes noires et chapeau à large bord. Et il vous faut un avocat, de toute urgence. Malheureusement, même quand je vous aurai fourni tout cela, vous ne serez pas sortie d'affaire, Nicky.

«Vous allez devoir justifier de ces trente années. Vous avez épousé un homme qu'on soupçonne de pyromanie. Vous avez provoqué un accident de voiture passible d'une peine de prison.»

Elle se tourne vers moi. «Nicky, vous avez une famille, une mère qui vit à soixante kilomètres de chez vous et qui ignore que vous êtes encore de ce monde.

«Nicky, au nom des journalistes et des citoyens de cette communauté qui vont bientôt vous tomber sur le poil, je vous demande : qu'avez-vous à dire pour votre défense, bordel?»

Je n'ai pas de réponse.

Je m'accroche à mon édredon. Et cette ritournelle, toujours la même, qui revient me hanter : le plus dur n'est pas de voler mais d'atterrir.

Tessa nous trouve un petit hôtel. C'est un établissement modeste, près d'une station de ski. Ici, hors saison, il y a dix fois plus de chambres que d'habitants. Je comprends que les journalistes auront du mal à nous repérer dans ce trou paumé.

Elle me dit d'attendre dans la voiture, le temps qu'elle passe à l'accueil. Quand elle revient, elle démarre et va se garer derrière le bâtiment. Nous sommes au premier sans ascenseur. Comme il n'y a pas de vis-à-vis, personne – exemple au hasard, un reporter équipé d'un téléobjectif – ne nous espionnera. Tiens, je commence à raisonner comme elle! À moins que ces précautions me soient déjà familières. Une chambre donnant sur l'arrière est plus sûre qu'une chambre en façade. Un rez-de-chaussée est trop accessible, un premier étage plus facile à contrôler.

La chambre est basique mais agréable. Deux grands lits, une moquette beige relativement neuve, un téléviseur à écran plat. Sur un mur l'inévitable photo d'élan, sur un autre une montagne enneigée. Un hôtel comme on en trouve partout dans le North Country, me dis-je. La planque idéale.

Tessa a emporté un petit fourre-tout contenant ses effets personnels. Moi, j'ai toujours mon édredon.

Elle pose son sac sur le lit le plus proche de la porte. J'étale l'édredon sur l'autre.

«Vous restez?» je demande. En réalité, je veux savoir si nous allons partager la chambre. Une perspective qui ne m'enchante guère. J'ai l'impression d'avoir échangé mes deux gardes-chiourme – Wyatt et Kevin – contre un seul.

Tessa ignore ma question, s'assoit au pied du lit. Elle a tiré les rideaux. Maintenant elle allume la télé, zappe, s'arrête sur une chaîne d'info en continu et baisse le volume.

«Bien, commençons par le commencement.»

Je m'assois à mon tour, faute de trouver autre chose à faire.

«Vous avez faim?

— Oui, je crois.

— Je vais vous chercher de quoi manger. Faites-moi la liste de ce qui vous ferait plaisir. N'appelez pas le service d'étage. Pas encore. Ça risquerait d'attirer l'attention.

— On va rester ici combien de temps?

— Aucune idée. Bon, à mon tour : où est votre mari?»

Je joue le même jeu : «Aucune idée. »

Elle rit. «Je tiens à ce que les choses soient bien claires. J'imagine que Diane vous a déjà expliqué les bases mais comme vous souffrez d'une commotion cérébrale et que vous vous souvenez à peine d'avoir signé un contrat avec Northledge...

— Je m'en souviens très bien, dis-je, piquée au vif.

— Alors, décrivez-moi nos bureaux de Boston?»

J'essaie. En vain.

Elle hoche la tête. «C'est ce que je disais. Quand vous avez demandé à Northledge de retrouver la trace de Marlene Bilek, vous avez versé une certaine somme à titre d'avance. Somme destinée à couvrir les dépenses liées à l'enquête. En fait, vous nous avez remis un chèque de banque. »

Elle laisse passer un blanc qui me permet de devancer sa question. «Je ne pouvais pas faire un chèque sur notre compte joint. Thomas l'aurait remarqué.

— Pas de problème. Le cabinet accepte tous les moyens de paiement. Seulement, voyez-vous, il ne m'a fallu que quinze minutes montre en main pour localiser Marlene Bilek. Résultat des courses, votre acompte est quasiment intact. Et cet argent fait de vous ce qu'on appelle une cliente privilégiée.

— OK.

— Raison pour laquelle j'ai pris votre affaire en main. Au préalable, je dois vous expliquer deux ou trois choses. Notre cabinet fonctionne selon des principes très stricts. Le plus important d'entre eux est la confidentialité ; votre vie privée est notre bien le plus précieux. En retour, il est essentiel que vous soyez honnête envers moi. Plus vous me ferez confiance, mieux je pourrai vous aider. »

Je l'observe froidement. Je trouve que je deviens bonne à ce petit jeu : « Mais ?

— Mais s'il est vrai qu'un détective privé est tenu par le principe de confidentialité, nos échanges ne sont toutefois pas couverts par le secret professionnel. Par exemple, la justice n'a pas le droit de s'immiscer dans les rapports qu'entretient une personne avec son médecin ou son avocat. Or moi, je ne suis ni médecin ni avocat, juste enquêtrice.

— Ce qui signifie qu'on peut vous obliger à révéler ce que je vous dis.

— On peut m'y obliger par voie d'injonction, oui. C'est pareil pour les journalistes. Donc, soit je protège mes sources, façon de parler, et je peux être condamnée pour outrage à magistrat, soit je déballe tout.

— L'outrage à magistrat est assorti d'une peine de prison. Pourquoi voudriez-vous aller en prison pour moi ? »

Tessa penche la tête sur le côté. « Je ne sais pas, Nicky. Pourquoi voudrais-je aller en prison pour vous ?

— Vous me demandez d'être sincère, dis-je après une courte réflexion. Mais aussi de me montrer prudente. Pour notre bien à toutes les deux.

— Si cela peut vous rassurer, je vais essayer de nous faciliter les choses.

— Comment cela ?

— Wyatt… le brigadier Foster…

— Wyatt. Vous vous connaissez. Vous entretenez une relation.

— Nous sommes d'anciens collègues.

— Ce n'est pas un tribunal, ici, lui dis-je. Vous n'êtes pas sous le coup d'une injonction. »

Tessa sourit mais ne mord pas à l'hameçon. « D'après Wyatt, vous dites avoir été kidnappée, retenue prisonnière et exploitée comme esclave sexuelle. Dans une belle maison, genre manoir victorien, probablement dans la région de Boston. Une maison de poupée, selon vos propres termes.

— Oui.

— Il y avait d'autres filles sur place. Une compagne de chambre au minimum, mais sans doute beaucoup plus que cela.

— C'était très grand.

— Et les habitués devaient être des hommes riches, en vue. C'était un bordel de luxe. »

Je hausse les épaules. « Il y a des pervers dans toutes les classes sociales.

— Je suis au courant. Donc il s'agissait d'un établissement sélect, hein ? Et vous n'étiez pas la première à vous faire enlever, ni la dernière. »

Je ne peux plus la regarder. « Non. »

Elle hoche la tête. « La police va rechercher la maison de poupée, enquêter sur les réseaux de proxénétisme, les financements, les personnes impliquées. Je parie qu'ils savent déjà par où ils vont commencer.

Mais, étant donné votre situation, j'ai une autre idée.

— Laquelle?

— Nicky, il ne vous est jamais venu à l'esprit que vous n'étiez peut-être pas la première à vous enfuir?»

Je ne peux m'empêcher de la fixer d'un air stupéfait. Non, je n'y avais jamais songé.

«Peut-être qu'il y en a des tas d'autres comme vous, continue Tessa. Et ce serait une bonne chose, Nicky. L'union fait la force. Votre histoire n'en serait que plus crédible. En un mot comme en cent, ça prouverait que vous n'êtes pas seule au monde.»

Je ne peux plus parler; je ne peux plus respirer. Une autre fille. Ce serait une bonne chose ou pas? Une sœur d'armes? Ou alors... Je suis incapable de rester assise. Je me lève, je fais les cent pas.

«Il y a trente ans, dit Tessa, les techniques d'investigation n'étaient pas aussi développées qu'aujourd'hui. La base de données ViCAP, qui sert à relier les affaires entre elles, venait juste d'être lancée. Le Centre national de recherche des enfants disparus et maltraités existait à peine. Du coup, les divers corps de police, les diverses juridictions n'avaient pas les moyens de partager leurs infos. Une gamine de six ans pouvait se faire kidnapper dans un parc A, une fugueuse de douze ans pouvait disparaître d'un foyer B, une petite voleuse de huit ans pouvait ne jamais revenir d'un centre commercial C. Et personne ne faisait le rapport entre ces trois incidents. Aujourd'hui, on peut le faire et j'aimerais que nous en profitions.

— Comment?

— J'ai une amie. Une collègue de Boston qui dispose d'un peu de temps libre en ce moment. Je vais lui demander d'étudier les cas de disparition d'enfants en Nouvelle-Angleterre au cours des trente dernières années, et de tenter des recoupements. Si on parvient à déterminer combien de filles ont été enlevées, comment et où, on obtiendra de quoi corroborer votre histoire et peut-être identifier les individus impliqués. »

Je m'éloigne d'elle, je jette un œil sur le téléviseur à écran plat, je me frotte les bras comme si j'avais froid. Je n'ai pas froid mais j'ai la chair de poule.

Thomas me manque. Je me demande où il est, à l'heure actuelle. Vers où se dirige-t-il ? Que fait-il ? À tort ou à raison, j'aimerais qu'il soit là, près de moi.

« Pourquoi faire appel à quelqu'un d'autre ? je marmonne. Vous ne pouvez pas vous charger de tout ? »

Tessa ne répond pas aussitôt. Quand elle se décide, sa question me déconcerte :

« Vous savez ce qu'est une muraille de Chine ? »

J'ai du mal à suivre. Il faudrait que je dorme encore un peu. Ma tête me fait mal.

« C'est une barrière qu'une firme élève en son propre sein pour préserver son éthique. Par exemple, dans un cabinet d'avocats, si une enquête menée au profit d'un client A révèle des informations susceptibles de nuire à un client B, on pourra édifier une muraille de Chine. En clair, le cabinet poursuivra les deux enquêtes mais séparément, en proscrivant tout échange de renseignements en interne, de manière à servir les intérêts de ses deux clients sans toutefois enfreindre ses règles déontologiques.»

Je ne comprends pas bien. «Mais je suis votre seule cliente. Pourquoi faire intervenir une personne qui, si elle trouve des choses intéressantes, les gardera pour elle?

— À moi, elle ne me dira peut-être rien mais à vous, si.» Tessa hésite. Quand elle reprend, on sent qu'elle s'arme de prudence. «Northledge est un cabinet de première importance. La plupart de ses clients sont des gens respectables et fortunés. Or, vous dites que les habitués de la maison de poupée…

— … étaient des gens respectables et fortunés.

— Précisément. Je pourrais me charger seule de votre affaire. Mais ce que je risque de trouver ne plaira pas forcément à mes patrons… Non, c'est plus sûr comme ça, autant pour vous que pour moi. Et croyez-moi, l'enquêtrice dont je vous parle, D.D. Warren, dites-vous bien que si elle découvrait que le gouverneur en personne trempe dans un réseau de prostitution infantile, elle n'hésiterait pas à le dénoncer. S'il reste le moindre indice, même au bout de trente ans, elle le trouvera.»

J'ai beau hocher la tête, je ne suis guère rassurée. Cette muraille de Chine protège Tessa et ses gros clients pleins aux as. Ce qu'il faudrait c'est une muraille de Chine rien que pour moi. Une barrière assez haute pour me protéger de celle que j'étais autrefois. Mais ça n'existe pas. Voilà pourquoi je passe le plus clair de mon temps à oublier qui je suis tout en continuant à chercher Vero.

«Une dernière chose, dit Tessa posément.

— Quoi ?

— Votre maman, Nicky. Thomas est parti mais vous avez encore de la famille. Ne croyez-vous pas qu'il serait temps de l'appeler ?

— Vous ne comprenez pas, je murmure. Vero a six ans. Elle est partie. Elle disparaît. »

Mais brusquement, je me souviens d'une chose. Je vois une maison. Je suis dehors et il pleut. Une jeune fille est assise à l'intérieur, sur un canapé.

J'ouvre la bouche. Rien ne sort.

Tessa attend que je parle. Elle est patiente. Wyatt est patient. Le monde entier est suspendu à mes lèvres.

Je veux qu'on éteigne les lumières, je veux m'allonger sous mon édredon, une poche de glace sur la tête. Je veux fermer les yeux et rester seule avec Vero.

Nous siroterons du scotch dans des tasses à thé. Je regarderai les asticots grouiller sur son crâne blanchi.

Et encore une fois, je lui demanderai pardon pour tout le mal que j'ai fait.

Peut-être que cette fois-ci, elle voudra bien me l'accorder. Parce que personne n'est jamais sorti vivant de la maison de poupée.

« Nicole ? » souffle Tessa.

D'autres images affluent. Des ombres glacées qui se dressent, menaçantes. Rien de réconfortant, rien d'éclairant.

Je réalise pour la première fois que la vérité n'est pas totalement révélée. Et que cette vérité ne m'apportera pas forcément la liberté. Thomas a essayé de m'avertir mais je ne l'ai pas écouté. Et me voilà, tremblante, à deux doigts de m'étrangler d'épouvante. Quelque chose, quelque chose me guette dans le noir.

Tant d'années plus tard, cette chose m'attend toujours...

« Nicky ? »

La voix de Tessa me parvient de très loin. Je m'y accroche comme à une bouée qui me ramène vers le présent.

Elle doit remarquer un truc dans mes yeux, parce qu'elle prend ma main, me pousse à m'asseoir sur un des lits.

« Nicky, essayez de visualiser la maison de poupée. Concentrez-vous sur une pièce, un meuble ou autre, puis respirez profondément et dites-moi si vous identifiez une odeur. Ça n'a rien d'effrayant ni d'insurmontable. Dites juste ce qui vous vient à l'esprit. »

C'est drôle, je ne fais même pas d'effort. Elle a raison, déjà un parfum chatouille mes narines.

« L'herbe coupée. »

Tessa accueille mon choix sans le discuter. Elle se relève. « Je vais acheter quelques bricoles. Profitez de mon absence pour faire un brin de toilette. Dès que je reviens, on se met au boulot. »

26

Wyatt commençait à subir le contrecoup de sa nuit blanche. Assis dans le bureau de son patron, incapable de tenir sa tête droite, il s'efforçait d'exposer intelligiblement les ressorts d'une affaire comportant trop de questions et pas assez de réponses.

«Vous êtes sûr que cette femme est Veronica Sellers? demanda le shérif Rober. Une enfant disparue voilà trente ans?

— Si l'on se fie aux empreintes digitales, c'est bien elle.

— Vous pensez qu'elle a été kidnappée par une maquerelle de luxe et emprisonnée dans la maison/bordel de cette dernière jusqu'au jour où elle a réussi à s'en échapper. À la suite de quoi, elle s'est rendue à La Nouvelle-Orléans où elle a épousé ce Thomas et pris un nouveau départ. Ils ont vécu heureux pendant vingt-deux ans, et soudain, il y a six mois, Thomas a décidé de se débarrasser d'elle, d'où les trois accidents et, pour finir, l'incendie.»

Wyatt hocha la tête. Pourtant, résumée ainsi, l'affaire ressemblait à une énumération sans queue ni tête…

«Ça fait beaucoup de malheurs pour une seule personne, non? conclut le shérif un peu sèchement.

— Je ne sais pas trop, monsieur.

— À mon humble avis, nous avons là deux affaires différentes. L'une vieille de trente ans : le kidnapping, les crimes sexuels. Et l'autre : un accident de voiture suivi d'un incendie volontaire. Sans oublier la disparition du mari.

— Nous avons lancé un avis de recherche et nous essayons de tracer son téléphone portable. Nous finirons bien par le retrouver.

— Mais vous ne le tenez pas encore. En fait, qu'avez-vous à part des élucubrations jaillies du cerveau endommagé de cette femme?

— Nous savons que l'accident de voiture n'en est pas un, commença Wyatt. Le contrôle de stabilité a été désactivé, le levier de vitesse placé au point mort et le véhicule a probablement été poussé dans la pente. Ce qui suppose la présence d'une deuxième personne sur les lieux.

— Encore le mari?

— Qui nous a remis son imperméable avec beaucoup de réticence et s'est donné beaucoup de mal pour récupérer les vêtements que sa femme portait cette nuit-là. Dans le but d'effacer les preuves de son forfait. Ajoutez à cela qu'il a incendié sa propre maison et s'est évanoui dans la nature à l'instant même où nous commencions à le soupçonner. Oui, ce type-là m'a l'air coupable.

— Pourquoi? renchérit le shérif Rober. Après vingt-deux ans, que s'est-il passé tout à coup? Laissez tomber cette histoire de bordel et d'enfants kidnappés. Revenez aux fondamentaux. Qu'est-ce qui pousse un mari à vouloir tuer sa femme?

— L'argent de l'assurance, la vengeance, le désir de rompre sans avoir à partager les biens communs.» Wyatt haussa les épaules. «Nous avons épluché toutes ces possibilités, croyez-moi. Pour l'instant, nous n'avons trouvé ni assurance vie digne de ce nom, ni relations extraconjugales. Honnêtement, monsieur, tout me porte à croire que les événements actuels prennent leur source dans ce qui s'est passé il y a trente ans.

— Vous pensez que Thomas Frank était impliqué dans cette... maison de poupée?

— Peut-être. Cela dit, à l'époque, il n'était lui-même qu'un enfant. Ce qui complique encore les choses.

— Une autre victime? Le trafic d'êtres humains ne touche pas que les filles.

— Je ne sais pas. Kevin est en train de fouiller le passé du couple Frank. Thomas prétend qu'ils se sont connus et mariés à La Nouvelle-Orléans, il y a vingt-deux ans. Après vérification, il s'avère que le nom de Thomas Frank n'apparaît nulle part avant 1995. Pas de carte de crédit, pas de permis de conduire. Pareil pour Nicole Frank.

— Fausses identités?

— Très probablement. Une fraude habile et assez discrète pour résister à une inspection superficielle, mais dès qu'on commence à creuser... Certes, Thomas Frank possède un certificat de naissance mais, il y a vingt ans, ce type n'existait pas.

— Vous avez interrogé sa femme à ce sujet?

318

— Étant donné sa mémoire déficiente, je doute qu'elle puisse nous fournir une réponse fiable.

— Raison supplémentaire pour choper Thomas et le cuisiner.

— Exact.

— Comment comptez-vous faire? demanda le shérif. D'un côté, vous avez un suspect qui a pris la clé des champs et de l'autre une victime qui bat la campagne. Alors?

— Je vais contacter le Centre national de recherche des enfants disparus et maltraités et leur parler du cas Veronica Sellers. J'aimerais bien qu'ils m'envoient les rapports d'enquête de l'époque. En dépouillant les anciens témoignages, je tomberai peut-être sur un détail susceptible d'éclairer l'affaire présente.

— Peut-être bien, dit le shérif en hochant la tête, ce qui d'après Wyatt signifiait qu'il désapprouvait. C'est vrai, il faut les contacter, c'est obligatoire. J'imagine qu'ils vous refileront un vieux dossier. Mais dites-vous bien ceci : dès qu'ils recevront votre appel, ils convoqueront une réunion en vue de constituer une équipe d'intervention, ils localiseront le nord du New Hampshire sur une carte et le soir même, ils seront dans l'avion. Le lendemain matin à la première heure, ils débarqueront dans nos locaux. Peut-être qu'ils vous remettront un carton rempli de paperasse, mais une chose est sûre : ils vous piqueront votre meilleur témoin, Nicky Frank, et cette enquête vous passera sous le nez. »

Wyatt poussa un soupir résigné. Le shérif avait raison, bien entendu. La soudaine réapparition d'une personne enlevée trente ans auparavant était une nouvelle de première importance. Le genre de nouvelle dont ces beaux messieurs en costard s'empresseraient de s'attribuer tout le mérite devant les journalistes réunis en conférence de presse. Un misérable poste de police au fin fond du New Hampshire n'avait pas la moindre chance face à ces gens-là.

«Pouvez-vous localiser le fameux bordel? demanda le shérif. Avez-vous une description, un indice concret qui place cette maison à l'intérieur du comté?

— Je n'ai rien, confessa Wyatt. Nicky nous a décrit un manoir victorien dans la région de Boston. Une tenancière qui ressemblait à une poupée de porcelaine. Une compagne de chambre qui lui en voulait, une dénommée Chelsea. Nous ne savons rien d'autre.

— Un conseil : ne dites pas cela aux fédéraux.

— Entendu.

— Alors, qu'est-ce que vous avez?» insista le shérif.

Wyatt n'en pouvait plus. Il n'avait pas fermé l'œil de la nuit et l'effet de la caféine commençait à se dissiper. Il considéra son patron d'un œil vide.

«Vous avez… Nicky Frank, articula le shérif en lui tirant les mots de la bouche. Ou Veronica Sellers. Peu importe son nom. Voilà ce que vous avez et qu'ils n'ont pas.

— Le témoin le moins fiable du monde?

— C'est elle, et elle seule, qui détient la clé. Allez chercher un médecin, un hypnotiseur, un psy, tout ce que vous voudrez. Mais poussez-la dans ses retranchements et tenez bon jusqu'à ce qu'elle crache la vérité, y compris en ce qui concerne son mari. Vous avez moins de vingt-quatre heures pour trouver des réponses, brigadier. C'est à vous de jouer.»

Pendant qu'il longeait le couloir du premier étage pour regagner son modeste bureau, Wyatt tourna et retourna cette conversation dans sa tête. L'idée de l'hypnotiseur lui déplaisait. Il était d'accord avec Nicky; elle avait les idées assez embrouillées comme ça. Mais pourquoi pas un psy? Un spécialiste du stress post-commotionnel? Un thérapeute serait-il capable de mettre Nicky sur le bon chemin? Mais où dégotter cette perle rare? Et comment le faire rappliquer dare-dare? L'heure tournait. Pas de repos pour les braves.

En arrivant devant la porte de son bureau il se demandait vaguement si une dose supplémentaire de café l'aiderait à tenir ou finirait de l'achever quand Kevin surgit devant lui.

«On l'a.

— Qui ça?

— Thomas Frank. Un officier de patrouille a repéré son véhicule garé derrière un motel, sur la route 302, à quarante minutes vers le nord.»

Oubliant son dilemme à base de caféine, Wyatt s'empara des clés de contact posées au coin de sa table et, Kevin à ses côtés, dévala bruyamment l'escalier en direction du parking.

«Il l'a interpellé? demanda Wyatt en arrivant au rez-de-chaussée.

— Non, il a préféré nous appeler immédiatement. Comme tu étais en grande conversation avec le boss, je lui ai dit de faire profil bas, de ne pas le quitter des yeux et de rester planqué. Il essaie de nous trouver son numéro de chambre.

— Parfait. Très bien. Préviens les collègues. Il nous faut des véhicules de patrouille au nord et au sud du motel, au cas où il s'échapperait. Le reste, on s'en charge. On va établir le premier contact. »

Ils sautèrent dans le 4 × 4 du comté, Wyatt au volant, Kevin à la radio. Quarante minutes vers le nord. D'après les calculs de Wyatt, ça devait faire dans les cinquante kilomètres. Et il avait raison.

Kevin venait de repérer le motel peint en blanc à gauche de la route quand la Chevrolet Suburban gris métallisé de Thomas émergea du parking sous leur nez.

« Là, c'est lui ! » beugla Wyatt. Le conducteur, qui semblait n'avoir rien remarqué, roulait à une allure modérée. Wyatt alluma les sirènes.

La Chevrolet bondit littéralement. Son moteur V8 réagissait au quart de tour. Thomas Frank n'avait visiblement pas l'intention d'obtempérer.

« T'aurais pas dû, mec, marmonna Wyatt. Parce que là, tu vas comprendre ton malheur. »

Le pied au plancher, Wyatt rattrapa facilement son retard. À côté de lui, Kevin alertait les deux véhicules de patrouille qui arrivaient par le nord. Ils passèrent à toute vitesse devant une station-service-vente de produits régionaux, un petit resto, un camping. Après quoi, les signes de civilisation se raréfièrent. La route leur appartenait.

Quatre-vingt-dix, cent, cent vingt kilomètres à l'heure. Et rien que des virages. Devant eux, la

Suburban se retrouva en équilibre sur deux roues. Elle resta ainsi pendant une seconde avant de retomber de tout son poids en se projetant maladroitement vers l'avant. Nouveau virage serré à gauche, même chose à droite. La Chevrolet passa de cent vingt à cent puis remonta à cent vingt.

Parfaitement concentré, les mains bien posées sur le volant, le souffle régulier, Wyatt était dans son élément. Pour un officier de police aguerri, les courses-poursuites étaient des moments de pur bonheur.

En revanche, le véhicule devant eux se comportait bizarrement, comme si le conducteur avait du mal à rouler droit. Était-ce à cause de la panique, de l'épuisement, d'une blessure ? En tout cas, Thomas Frank perdait ses moyens.

Il donna un coup de volant, vira brusquement sur la voie de gauche. L'automobiliste qui venait en face fit hurler son klaxon puis, apercevant le véhicule de police, se rangea sur le bas-côté. Mieux vaut tard que jamais, comme disait le proverbe.

La Suburban venait de réintégrer la bonne voie. Maintenant, elle dérivait vers la droite, à tel point que ses deux roues mordirent le gravier mêlé de terre, ce qui provoqua une perte d'adhérence et un violent tête-à-queue.

Wyatt rétrograda et se mit à observer d'un œil inquiet les manœuvres erratiques de la Chevrolet. Soudain, il eut un étrange pressentiment. Quelque chose clochait mais quoi… ?

Un camion remorque transportant des troncs d'arbre apparut loin devant eux, au détour d'un

virage. À cause de sa longueur, le convoi exception-
nel n'avait pas d'autre possibilité que d'occuper la
majeure partie de la chaussée. Or la Suburban ne
ralentissait pas.

« Alors, tu y vas ou tu te dégonfles ? » hurla Wyatt
à l'intention de Thomas Frank.

Lequel venait de se replacer sur la voie de gauche,
comme s'il n'avait rien de plus intelligent à faire que
jouer au plus fort avec un poids-lourd. Comme s'il
préférait mourir plutôt que se rendre à la police du
comté.

Wyatt ne voyait qu'une solution. Une idée qui
n'avait rien de génial, mais faute de temps...

Il mit le pied au plancher. Ses 202 chevaux lui
obéirent sans broncher. Quand il parvint par la gauche
au niveau de la Suburban, les vitres fumées l'empê-
chèrent de voir le visage de Thomas. Était-il blême de
peur ou bien calme et déterminé ? Impossible à dire.
Et Wyatt n'avait pas le temps de s'interroger.

Le semi-remorque freina à mort tout en faisant
mugir son avertisseur. Au même instant, Wyatt
donna un coup de volant à droite. Le flanc de son
véhicule crissa contre celui de la Chevrolet. Comme
ni l'un ni l'autre ne voulait céder, ils continuèrent
ainsi, métal contre métal. Une double cible pour le
poids-lourd qui se rapprochait. Le temps se figea.
Wyatt leva le pied, emboutit de nouveau les portières de la Suburban. Et...

Heurtée par la gauche, la Chevrolet partit dans
le décor – à savoir une rangée d'arbres – à l'instant
même où le camion franchissait en mugissant l'espace qu'il venait de libérer. Wyatt dut déployer tout

son talent pour contrôler son 4×4 et regagner sans dommage la voie de droite. Quand le chargement de bois passa à quelques centimètres de sa vitre, il entendit le Cerveau brailler certaines expressions imagées qu'il employait rarement.

Wyatt monta sur les freins. Son véhicule s'immobilisa. Le camion fit de même.

Et le monde aussi.

«Merde», marmonna Wyatt.

Kevin demanda du renfort par radio.

La Suburban avait percuté un arbre. Le capot gris métallisé n'était plus qu'un tas de tôle froissée d'où s'échappaient un nuage de vapeur ainsi que divers liquides, comme si la voiture, sur le point de rendre l'âme, ne maîtrisait plus ses viscères.

Wyatt fit le tour jusqu'à la portière, Kevin en soutien derrière lui. Les sirènes de police commençaient à résonner au loin.

La vitre du conducteur était intacte, chose ennuyeuse car Wyatt voyait mal ce qui se passait à l'intérieur. Il lui semblait toutefois que l'homme était avachi sur le volant. Il fit un signe à Kevin puis compta sur ses doigts. À trois, Wyatt esquissa un pas glissé et, dans le même mouvement, ouvrit la portière, pivota et se réfugia derrière.

Le chauffeur bascula sur le côté et tomba par terre.

«Thomas Frank, vous êtes en état d'arrestation», aboya Wyatt.

Sauf que l'homme vautré dans l'herbe à ses pieds n'était pas Thomas Frank.

Il leur fallut encore trente minutes pour reconstituer ce qui s'était passé. Malgré toutes ses précautions, l'officier de patrouille avait dû se faire repérer. Mais au lieu de sauter immédiatement dans sa voiture et de quitter le motel, Thomas Frank avait toqué chez son voisin, un certain Brad Kittel, lequel avait passé le plus clair de la matinée à se shooter. En voyant ce drôle de type lui remettre les clés de sa voiture, Brad avait cru que son jour de gloire était arrivé. Il avait pris les clés et s'était facilement laissé convaincre de faire un petit tour dans la campagne, juste pour l'essayer.

Sauf que très vite, il avait cru entendre des sirènes de police. Après cela, les choses autour de lui étaient devenues un peu floues. Brad savait juste qu'il planait comme un cerf-volant, conduisait la voiture d'un autre et s'était fait retirer son permis. Et avec les deux neurones qui lui restaient, il comprit qu'il risquait de graves emmerdes.

Alors il avait appuyé sur le champignon. C'était carrément excitant, comme dans un film d'action, avait-il précisé à la police pendant que de ses multiples coupures au visage ruisselaient des filets de sang, sa dose de la matinée tenant lieu d'anesthésique.

«Je savais pas qu'une Suburban bombait comme ça, putain, s'était-il exclamé. Je veux dire, c'était comme une charge de rhinocéros, mec. Une vraie bête sauvage. Un coup à droite, un coup à gauche. J'ai cru que j'allais crever. Trop cool!»

Wyatt et Kevin laissèrent le type cuver et retournèrent au motel. Le patrouilleur qui leur avait refilé le tuyau les attendait sur le parking, impatient de savoir ce que la course-poursuite avait donné. Sans dire un mot, Wyatt et Kevin se précipitèrent dans la chambre de Thomas. Quand ils franchirent le seuil, l'évidence s'imposa. La pièce était vide. Pas de Thomas Frank.

« Porte-à-porte, ordonna Wyatt au flic en tenue. Faites sortir tous les clients. Thomas n'a pas seulement disparu. Il a volé une voiture ou il est parti avec quelqu'un. Bref. Ne les lâchez pas avant de savoir exactement par quel moyen il a quitté les lieux. Et quand vous aurez une réponse, appelez-moi immédiatement, qu'on puisse actualiser l'avis de recherche. »

L'officier déconfit se mit au travail.

Kevin appela le labo pour qu'on envoie des techniciens passer la chambre au crible ; puis ils s'en retournèrent afin d'examiner de plus près leur unique pièce à conviction, leur seul lien avec Thomas Frank : une Chevrolet Suburban en piteux état.

Wyatt s'occupa des sièges avant, Kevin de la banquette arrière. Comme sa femme, Thomas semblait avoir une passion pour l'ordre et la propreté. Rien ne traînait, ni emballages vides, ni vieux tickets bancaires, ni cartes routières mal repliées.

La boîte à gants contenait le manuel d'utilisation du véhicule, les papiers de l'assurance et la carte grise établie au nom de Thomas Frank. Wyatt ramassa sur le sol une casquette de base-ball noire encore un peu humide au toucher. Depuis la tempête de mercredi soir, peut-être. Quand il avait pris sa voiture pour suivre, poursuivre, sa femme.

Il découvrit également un badge de télépéage. Malheureusement, les seules autoroutes équipées de ce système se trouvaient dans le sud du New Hampshire, et Wyatt s'intéressait surtout aux déplacements de Thomas autour de chez lui.

«Je rêve ou les Frank ont étudié l'art d'effacer les traces? marmonna Wyatt à Kevin penché dans le coffre.

— J'ai quelque chose.

— Dieu merci.»

Wyatt abandonna l'avant du véhicule pour rejoindre son collègue.

«Dans le compartiment de la roue de secours, précisa Kevin. Premier objet digne d'intérêt.» Kevin le tenait entre ses mains gantées. «Une pelle pliante… achetée récemment, ajouta-t-il en désignant les étiquettes de prix encore collées dessus.

— Intéressant, en effet. Thomas avait-il l'intention d'enterrer quelque chose?

— Ce qui nous mène à l'objet numéro 2, un gros sac en papier kraft. Lequel…» Kevin fut pris d'une toux rauque. «… empeste le whisky. Beurk.

— Les vêtements.» Wyatt s'empara du paquet. «Ceux que Nicky portait mercredi soir, j'en mets ma main à couper.»

Il enfila des gants pour ouvrir le sac qui, effectivement, ne sentait pas la rose. Whisky, terre mouillée et quelque chose de pire.

Dans un silence religieux, Kevin le regarda sortir un jean raide de boue, un pull à col roulé noir et une polaire grise.

Wyatt réprima un haut-le-cœur. Une bouffée venait de lui monter au nez. Du sang. C'était évident. Du sang séché qui avait imbibé le tissu avant de dégorger sur le sac. Le sang des blessures de Nicky cette nuit-là? Ou celui de quelqu'un d'autre?

«Wyatt.» Kevin montrait du doigt la chose qui venait de tomber du jean. Un truc collant, froissé en boule, presque noir mais pas tout à fait puisque la matière gluante qui l'imprégnait était rouge foncé.

Wyatt sortit un stylo et procéda avec lenteur. Petit à petit, il déplia le latex sanguinolent et ne s'arrêta que lorsque l'objet familier fut déployé devant leurs yeux. Fripé, taché mais néanmoins reconnaissable.

Le gant du crime, aurait-on dit dans un polar à l'ancienne.

«Mais nom de Dieu, chuchota Kevin, qu'est-ce qu'ils ont pu foutre mercredi soir pour avoir besoin d'une pelle pliable et de gants en latex?»

Wyatt ne répondit pas.

27

Vero me fait des tresses. Nous ne sommes plus dans la chambre de la tour. Est-ce à cause de mon humeur ou de la sienne ? En tout cas, nous avons été reléguées dans la petite chambre avec une seule fenêtre, deux lits jumeaux collés l'un contre l'autre à cause du manque de place, une carpette bleue criblée de taches. Nous ne la regardons pas.

Je suis assise sur un lit, Vero agenouillée derrière moi. De ses mains habiles, elle natte mes longs cheveux bruns. Et en même temps, elle me fait la leçon.

« Tu ne peux pas leur faire confiance. »

Je ne réponds rien. Je ne bouge pas. De temps en temps, un bout de chair tombe de ses doigts et je sens le frottement de l'os sur mon cuir chevelu.

« Que faisait la police il y a trente ans ? S'ils étaient si forts, ils t'auraient trouvée. S'ils étaient si honnêtes, si travailleurs, ils t'auraient sauvée. Même les flics ont des appétits. Tu sais bien que j'ai raison. »

Au loin, j'entends le moteur d'une tondeuse à gazon. J'ignore pourquoi, mais ce bruit me rassure. Mon visage se détend, mes épaules s'abaissent. Si Vero n'était pas là avec moi, je me lèverais, je ramperais sur le lit pour atteindre la minuscule fenêtre. Je regarderais dehors et je verrais…

«Il faut faire attention!» Vero me tire les cheveux. Méchamment. Je grimace. Elle s'en fiche. «Le temps presse; tu comprends ça?»

Comme je ne peux pas tourner la tête pour la regarder, je me contente de hausser les épaules.

«Je dis ça pour t'aider. Tu refuses toujours de voir. Tu refuses toujours de savoir. Tu comptes faire l'idiote encore longtemps?

— Qu'es-tu? je demande. Le fantôme de mon enfance? Ma mauvaise conscience?»

Elle me tire encore les cheveux, définitivement fâchée. «Je sais ce que je suis, réplique-t-elle. Tu ne peux pas en dire autant.

— Je crois que tu es un outil.»

Elle ouvre la bouche, choquée par la trivialité de cette comparaison, écœurée, même.

Je poursuis néanmoins, comme si je pensais tout haut : «Tu es la gardienne des souvenirs que je ne peux affronter. Tout ce qui s'est passé à l'époque… je l'ai enfermé dans une boîte et j'ai collé dessus l'étiquette "Danger". Sauf que certaines choses n'apprécient pas de rester des années au fond d'une boîte, n'est-ce pas? Même le passé veut se faire entendre. Je pense que tu es un avatar, l'incarnation de tous ces souvenirs retenus contre leur gré.

— Puisque tu es si maligne, répond Vero, pourquoi tu ne piges jamais rien?» Elle lâche mes cheveux et descend du lit, furieuse.

Mais je ne la laisse pas partir. Le temps presse. Le pire est sur le point d'advenir. J'ai mis le doigt dans l'engrenage, il est trop tard pour me rétracter. Si je ne convoque pas tous mes souvenirs, et vite…

Le passé veut se faire entendre. Mais pas seulement. Parfois il veut aussi se venger.

L'odeur de la fumée. La chaleur des flammes.

Elle hurle.

Même claquemurée à l'intérieur de moi-même, je tends la main vers Thomas.

«Pourquoi Chelsea me déteste-t-elle? je demande à Vero. Cette chambre…» Je caresse vaguement le couvre-lit marron élimé. «Nous étions inséparables. Je croyais que nous étions amies.

— Elle ne peut pas être ton amie», rétorque Vero, debout sur la carpette bleue. Son visage est redevenu normal mais ses mains sont toujours décharnées.

«Et pourquoi pas?

— Il n'y a pas d'amies dans la maison de poupée. On survit. On endure. On ne se fait pas d'amies.»

La voix de Vero sonne bizarrement. Je la regarde mieux et je vois qu'elle pleure.

«Tu es triste», je murmure. Je ne sais pourquoi, cela me surprend. C'est normal qu'elle soit triste. Elle n'est que le souvenir d'une petite fille kidnappée. Elle devrait être totalement anéantie.

«Le royaume secret, la reine magicienne», chantonne-t-elle. Ses cheveux tombent par poignées, son crâne blanc apparaît en dessous. «Autrefois j'avais une vie. Autrefois j'avais une histoire. Ces histoires, je te les ai racontées. Encore et encore. Car il fallait que quelqu'un sache. Il fallait que quelqu'un se souvienne de ce qui s'est réellement passé.

— Je comprends.

— Chelsea n'avait pas d'histoire. Même avant la maison de poupée. Elle n'avait pas de reine magicienne, pas de royaume secret. Personne ne l'a jamais aimée, même pas toi. Personne ne veut lui ressembler » – elle m'observe d'un air rusé –, « même pas toi.

— Elle était jalouse.

— Je lui ai volé sa chambre, la meilleure, la chambre de la tour… » Le ton de Vero est passé de la tristesse à la satisfaction. Une étrange expression traverse son visage. Pas enfantine du tout. Sournoise. Soudain, l'anxiété monte en moi.

« Autrefois, c'était elle la princesse et puis je suis arrivée. J'étais plus jeune, plus belle. » Elle se pavane. Je recule, toujours plus nerveuse.

« Je lui ai pris sa chambre. J'ai investi la tour. J'ai capté toute l'attention de madame Sade. J'étais la plus jeune, la plus brillante, la meilleure. Et bien sûr, elle me consacrait tout son temps. J'en valais la peine !

— Tu étais une petite fille…

— Un diamant brut. Mais j'ai appris. J'ai appris tout ce qu'il fallait savoir. Et quand j'ai eu douze ans, le temps venu, elle m'a offerte à la crème de ses amis, le plus riche, le plus puissant, le plus impressionnant de tous. Les autres l'ont su. Bien sûr, elles m'en ont voulu. » Vero ne se plaint pas ; elle se rengorge.

Pourtant, elle en a bavé. Pendant six longues années, elle était restée au secret, seule avec elle-même et son professeur.

« Qui sont les autres filles ? » je demande, car, de nouveau, les souvenirs s'agitent dans la boîte. Sauf que cette fois, je tiens bon. Je me rapproche.

«Tu le sais pertinemment. Nous formons une famille. Une famille tordue, odieuse, enfantée par la mère la plus tordue, la plus odieuse qui soit, j'ai nommé madame Sade.»

L'espace d'une seconde, j'arrive presque à me représenter la scène. Les dîners de famille, oui. Tout le monde assis autour de la table. Madame Sade n'a que des filles – oui, non? –, quatre. Deux grandes, deux petites. Chelsea et moi sommes les plus jeunes. On nous a mises au bout et, de là, nous regardons les deux autres, soigneusement maquillées, coiffées, qui discutent à voix basse. De temps à autre, presque comme un fait exprès, elles tournent la tête et nous observent d'un air entendu, revêche. Vite, nous détournons les yeux. Elles nous font peur. Elles sont notre futur, et nous le savons.

Vero chuchote à mon oreille : «Personne ne quitte la maison de poupée. La seule issue c'est la mort, la mort, la mort.»

Mais il y a autre chose, une chose à laquelle je dois m'accrocher pour l'étudier de plus près.

Je m'entends dire : «Tu n'es pas restée dans la chambre de la tour.»

Vero a un mouvement de recul qui lui fait perdre encore quelques touffes de cheveux puis des bouts de visage.

«Nulle n'est plus jeune et plus jolie que moi! gronde-t-elle.

— Tu as emménagé dans une chambre avec Chelsea.

— Jalouse. Personne ne l'a jamais aimée. Même pas toi. Personne ne veut lui ressembler, même pas toi!

— Mais elle…» J'hésite un peu, puis les mots s'écoulent librement. J'ignore s'ils traduisent la vérité mais j'ai besoin de les prononcer. «Chelsea t'aimait. Au début, elle était jalouse. Non, elle avait peur. Mais à la fin, elle t'aimait beaucoup. Dans cette chambre avec toi, elle ne se sentait plus seule. Pour la première fois de sa vie.»

Vero ne veut plus me regarder. Elle s'éloigne et se met à tourner sur elle-même. Moitié chair, moitié os. Moitié fille, moitié fantôme.

Elle danse sur la carpette. Comme pour me défier.

Dehors, le bruit de la tondeuse à gazon retentit plus fortement. J'ai très envie de me mettre à la fenêtre. Je ne veux plus rester coincée dans cette piaule avec Vero. Je veux embrasser du regard l'immense pelouse si bien tenue, sentir la caresse du soleil sur mon visage. Je veux le voir.

Mais je ne bouge pas. Je reste à ma place, à regarder Vero, et je réalise brusquement qu'elle tient une seringue. Des marques apparaissent sur la face interne de ses bras. Des marques que j'ai déjà aperçues sur les bras des deux grandes. Nous dans quelques années. Parce que, au début, madame Sade nous offre une belle chambre, un toit. Mais ensuite, ça ne suffit plus. Il faut qu'elle emploie des arguments plus convaincants pour nous donner du cœur à l'ouvrage.

Nous rendre dépendantes.

Vero saisit mon regard. Elle rit plus fort, danse plus vite.

Je tente de lui dire : «Écoute, ce n'était pas de ta faute. Peu importe ce qui s'est passé, ce que tu as fait. Tu n'aurais jamais dû te retrouver dans une telle situation; tu n'aurais pas dû…

— … aimer voler?»

Je ne peux plus rien lui dire. Cette expression sur son visage…

La peur revient. Plus forte que jamais. Mes doigts pétrissent le bord du matelas. Je veux m'en aller, je ne veux pas lui parler; je ne veux pas me souvenir.

Et pourtant je reste. Le processus est enclenché. Il est trop tard pour faire marche arrière.

«Il n'y a qu'une seule issue», hurle-t-elle en tournoyant, en dansant, en tapant des pieds sur la carpette. «La mort, la mort, la mort!

— Mais je ne suis pas morte», je proteste.

Elle s'immobilise si soudainement que la peau de son corps glisse et s'envole. Devant moi, il n'y a plus qu'un squelette aux os blanchis, fier d'exhiber sa décrépitude.

Son visage reprend cette expression suffisante. «Alors, dis-moi comment tu as fait. Tu t'es enfuie?»

Puis elle se remet à trépigner sur cette affreuse carpette bleu marine toute pourrie. Je frissonne.

Je me réveille en humant une odeur d'herbe coupée. Je mets du temps à réaliser où je suis. Je pense, c'est Thomas. Il est en train de tondre la pelouse. Puis le plafond devient net, ainsi que la photo d'élan accrochée au mur. Je reconnais le contact familier de l'édredon sous mes doigts, mais pas l'oreiller où repose ma nuque.

La chambre d'hôtel, bien sûr. Je cligne des yeux, ce qui ne dissipe en rien le parfum d'herbe. Je me redresse et je découvre Tessa Leoni au fond d'un fauteuil, les yeux rivés sur moi.

«À quoi pensez-vous en cet instant?» me demande-t-elle.

Je réponds sans réfléchir. «À Thomas.

— La première chose que vous avez remarquée chez lui.

— Son regard. Il a un regard gentil.

— Décrivez-le.

— Il est grand. Efflanqué. Tout en bras et en jambes. Brun avec des cheveux épais et toujours mal coiffés. Il a de grandes mains calleuses, habiles. Il suffit de le regarder pour comprendre qu'il sait faire des tas de choses. Il est fort.

— La première chose qu'il vous a dite.

— Il ne disait rien. Il me regardait. Moi je ne voulais pas qu'il me remarque. Je ne voulais pas qu'il me voie. De temps en temps, je me retournais et il était là. Il m'observait. Il souriait. Et ça me… faisait chaud partout. Comme si j'avais passé des années à grelotter de froid. Mais tout de suite, je détournais les yeux. Avant qu'on ait des problèmes.

— Nicky, où êtes-vous?»

Je suis bien réveillée maintenant. Et je vois la perche qu'elle me tend. Alors, je ne réponds pas. Je sais bien que je ne suis pas à La Nouvelle-Orléans. Je suis ailleurs, avant. Ce fragment de mon passé n'est pas encore net dans ma tête. J'ai besoin de l'affiner pour moi-même. Et quand ce sera fait, je le partagerai avec quelqu'un d'autre. Pas avant, et encore, à supposer que j'en aie envie.

Vero disait vrai ; je ne peux faire confiance à personne, pas même aux flics. Que faisaient-ils, il y a trente ans, puisqu'ils étaient si forts ?

« Vous avez acheté une bougie », dis-je. J'ai fini par comprendre d'où provient cette odeur. Sur une table ronde, dans un coin de la chambre, la flamme d'une bougie vert clair danse entre les parois d'un gros verre.

« Yankee Candle Company, m'informe-t-elle. Ils ont un parfum pour chaque occasion. Je vous ai pris de quoi manger. Et quelques affaires aussi. »

D'abord, elle me laisse le temps d'avaler une salade grecque garnie de morceaux de poulet grillé. Je dévore. Je n'avais pas réalisé à quel point j'étais affamée. J'ai des vêtements neufs : un pull large bleu marine, une casquette de couleur foncée, des lunettes. Une tenue peu flatteuse mais commode pour passer inaperçue. À côté, je vois un grand carnet à dessin, une boîte de crayons et de pastels posée dessus.

Tandis que les senteurs d'herbe coupée investissent tout l'espace, Tessa m'explique le principe du jeu.

« Je veux que vous dessiniez. La maison, la chambre, le jardin, les gens, les lieux, les choses. Tout ce qui vous passe par la tête. Fermez les yeux, laissez-vous porter par l'odeur et dessinez.

— Vous voulez savoir si la maison de poupée existe réellement, lui dis-je.

— Je veux que vous la fassiez exister. Pour l'instant, vous êtes juste une femme qui s'est cogné la tête et qui depuis voit des fantômes. Pour que cette enquête ait une chance d'aboutir, nous avons besoin de précisions. Ce qui suppose que vous revisitiez certains lieux qui vous font horreur. Je vous assure, Nicky, il n'y a pas d'autre moyen.»

Je comprends. Je dirais même que ça m'intrigue. Parler du passé n'est pas chose facile. Il faut d'abord capter un souvenir puis le restituer avec des mots; cet exercice me fatigue, m'accable. Dessiner, c'est différent. Je suis une artiste. Je sais tenir un crayon. Et peut-être, grâce à ma mémoire musculaire, si je laisse ma main se déplacer librement sur la page…

J'ouvre le carnet. Je choisis un crayon noir. Je me mets au travail.

Je ferme les yeux. Tessa a raison; c'est plus facile comme ça. Je respire à fond, je fais passer l'odeur de l'herbe dans mes poumons, dans mon ventre. Je sens la chaleur du soleil, la promesse du monde extérieur, le désir d'évasion d'une jeune fille enfermée trop longtemps entre quatre murs.

Ma main s'agite sur le papier.

Parfois, Tessa me pose une question. Elle s'est assise sur une chaise en face de moi, assez loin pour ne pas me gêner. J'entends le cliquetis d'un clavier, ses doigts qui frétillent sur les touches. Elle est dans son monde, moi dans le mien et ses questions se mêlent aux images qui se déploient sous mes yeux.

«Comment s'appellent les filles?

— Vero, Chelsea, CeeCee, Renita.

— Quel âge ont-elles?

— CeeCee et Renita sont plus grandes. Les premières pensionnaires de Madame. Elles nous font peur.

— Pourquoi?

— Elles sont… froides. Elles savent des choses que nous ignorons encore. Madame est dure avec elles. Elles ont passé l'âge et tout le monde le sait.

— Vous parlez avec elles ?

— Jamais.

— Avec qui parlez-vous ?

— Vero raconte des histoires. Des choses d'avant. Quand elle était une vraie petite fille et que quelqu'un l'aimait. Chelsea écoute. Elles se blottissent l'une contre l'autre dans leurs petits lits posés côte à côte. Elles murmurent, elles rêvent au Grand Jour. À l'Ailleurs. À Dehors. Puis la nuit tombe. Madame arrive avec sa clé, elle les fait sortir. Et c'est reparti. »

Je dessine une pièce. Pas la petite chambre. Plutôt un salon avec une cheminée en marbre et des appliques en cuivre. Autrefois, cette pièce était splendide. Maintenant elle semble défraîchie, usée. Comme Madame. Femme superbe en son temps, elle s'accrochait désespérément aux vestiges de son passé, réel ou imaginaire.

Maintenant, c'est elle que je dessine. Ma main bégaie sur sa bouche amère, ses yeux cernés de rides. Malgré moi, je frissonne.

« Comment s'appelle-t-elle ? me demande Tessa.

— Madame.

— Tout le monde l'appelle ainsi ?

— Oui, sinon ce serait de l'irrespect, et nous devons la respecter. » Je fais une pause. « Elle veut que nous l'aimions. Peut-être qu'au fond d'elle-même, elle souhaiterait que nous soyons vraiment ses filles, que nous formions une grande et belle famille. Mais comme nous ne l'aimons pas, elle s'arrange pour qu'on la craigne.

— La maison lui appartient ?

— Elle est dans sa famille depuis des générations. Nous avons de la chance de pouvoir y vivre.

— Comme vous avez de la chance de porter les vêtements qu'elle vous donne, de manger ce qu'elle met dans vos assiettes ? s'indigne Tessa.

— Sans elle, nous n'aurions rien, dis-je simplement. Sans elle, nous ne serions rien. »

Je me déplace vers la salle à manger et sa longue table rectangulaire, assez grande pour accueillir seize convives. Un lustre en cristal alambiqué est suspendu au centre du plafond. Le papier peint à fleurs écarlates commence à jaunir.

« Qui fait la cuisine, le ménage ? demande Tessa.

— Elle prend soin de nous ; nous prenons soin d'elle.

— Et la nuit, quand les… invités débarquent ?

— Elle donne de grands dîners. Elle est l'hôtesse. Nous sommes ses filles. Nous devons être aux petits soins pour les messieurs, leur faire la conversation, satisfaire leurs moindres besoins. »

Je sors de la salle à manger. Je débouche sur la vaste véranda, à l'avant. Nous avons le droit de nous y asseoir quand nous avons été bien sages. Je passe dans le vestibule au plafond voûté, là où elle se tenait pour accueillir ses hôtes. Puis dans la chambre de la tour, avec son rosier grimpant peint sur le mur. Là où tout a commencé. Là où tout s'est achevé.

Là où Vero et moi nous retrouvons autour d'une tasse de thé.

Il reste une pièce. Je la connais bien ; deux lits jumeaux collés l'un contre l'autre, une minuscule fenêtre percée dans le mur. C'est ici que Chelsea et Vero passent leurs dernières années, à se raconter des histoires en chuchotant dans le noir.

Exiguë et dépouillée comme elle est, cette chambre devrait être la plus facile à dessiner. Et pourtant ma main hésite, dérape.

Vero me fait des tresses, sa peau se décolle par plaques.

Vero danse sur la carpette bleue usée jusqu'à la corde.

Ma main tremble. Je n'arrive pas à poser la pointe du crayon sur le papier. Dès que j'essaie de me concentrer, d'obliger mes doigts à agir, c'est mon bras qui se met à tressauter.

Je vois bien que Tessa m'observe, ce qui n'arrange rien.

« Nicky, dit-elle gentiment, c'est vous ou Thomas qui avez eu l'idée de revenir dans le New Hampshire ? »

Je ne réponds pas. Je suis trop occupée à scruter ma main récalcitrante. Son portable sonne. Tessa regarde le nom de l'appelant puis s'excuse et sort de la chambre.

Maintenant que je suis seule, je vais y arriver, me dis-je. Dessine la carpette. Juste la carpette.

Mais je ne peux pas.

Quand ma main se remet à bouger, elle ne dessine pas la pièce. Elle dessine un visage. Un visage que je connais aussi bien que le mien. Avec des yeux sombres. Des rides d'expression qu'il s'est faites à

342

trop sourire. Des cheveux bruns, ébouriffés sur le front.

Ce Thomas-là est plus jeune que le mien. La peau plus lisse, les cheveux plus drus. Une mâchoire moins osseuse. Des traits encore enfantins. Un jeune homme plein de promesses mais pas très sûr de lui.

Il ne me sourit pas. Il ne me fait pas les yeux doux. Même pas un clin d'œil coquin.

Mes doigts se remettent en branle. De la boue lui salit le front. L'odeur de la terre retournée, la sensation de la tombe. Ou alors c'est de la suie qui macule sa joue ? L'odeur de la fumée, la chaleur des flammes.

Ce Thomas-là m'est inconnu. Son expression est si lugubre, si effrayante.

Une phrase défile dans ma tête. Les choses qu'il a faites, les choses qu'il s'apprête à faire…

Je lâche le crayon. Je soulève la feuille. Vite, avant que je me ravise, je l'arrache du carnet.

J'entends la voix de Tessa. Elle discute toujours au téléphone dans le couloir. Je me précipite vers le lit, je soulève le matelas et je glisse le dessin en dessous, pour que personne ne le voie.

Mon cœur bat la chamade. Je peux à peine rester assise. Ma tête me lance. Thomas, le jeune Thomas, n'était pas de La Nouvelle-Orléans.

Vero rit dans ma tête. Elle me nargue. « *Puisque tu es si maligne, pourquoi tu ne piges jamais rien ?* »

Puis : « *Sauve-toi, ma chérie, cours.* »

Mais je ne peux pas m'enfuir. Je n'ai nulle part où aller. Je n'ai que des horreurs pour tout souvenir. De nouveaux dangers me guettent.

Il faut que je me reprenne. L'odeur de l'herbe. J'essaie de m'en imprégner, de retrouver mon équilibre intérieur. Mais je n'y parviens pas.

Vero tournoie dans mon esprit. Elle danse sur cette horrible carpette, ses cheveux tombent, ses os transpercent sa chair qui fond.

Je suis à la limite. Jamais je ne suis allée aussi loin dans mes souvenirs. La boîte est posée juste devant moi. Je n'ai plus qu'à me pencher, décoller l'étiquette «Danger», tirer sur le couvercle et...

La porte s'ouvre. Tessa entre. Elle me regarde d'un air sévère. Je crains le pire. «C'était Wyatt. Il faut qu'on retourne au bureau du shérif. Ils ont retrouvé le véhicule de Thomas. Nicky, on ne rigole plus. Il va falloir vous expliquer.»

28

Wyatt prenait son temps. Les choses allaient trop vite depuis trop longtemps ; il n'avait fait que courir pour tenter de les rattraper. Ses subordonnés avaient réagi au lieu d'agir. Maintenant qu'il lui restait moins de douze heures pour interroger une femme sur deux crimes et obtenir d'elle tout ce qu'il voulait savoir, il comptait procéder sans précipitation, seule façon de gérer correctement la situation.

Il avait réservé la salle de réunion. Kevin l'avait aidé à suspendre au mur une carte du North Country sur laquelle ils avaient épinglé des photos représentant les lieux clés : le magasin d'alcool, la station-service, la maison de Marlene Bilek, le site de l'accident. Wyatt avait apporté les relevés du compteur kilométrique et, cerise sur le gâteau, une pelle pliante quasiment neuve et des gants maculés de sang séché, lesquels étaient à présent posés sur une table.

Kevin était fasciné par ces gants. Il avait passé une bonne heure à les défroisser en prenant soin de ne pas les abîmer davantage. Ils étaient plus épais que des gants en latex classiques mais plus fins que des gants de jardinage. Il avait prélevé un fragment de la croûte brunâtre collée dessus, du sang humain selon les résultats de l'analyse. Encore un argument massue qu'ils pourraient balancer à point nommé – *Ne me dites pas que vous les avez mis pour enterrer Médor ou transporter un cerf blessé. C'est du sang humain, alors maintenant, vous allez cracher le morceau.*

Le shérif avait raison ; il n'était plus temps de tourner autour du pot. Wyatt voulait des réponses, et il les voulait tout de suite.

Parce qu'il avait fini par appeler le Centre national de recherche des enfants disparus et maltraités pour leur annoncer que Veronica Sellers avait été retrouvée. En apprenant la nouvelle, ils avaient fait des bonds, le genre de bonds qui les projetteraient bientôt dans le New Hampshire où ils prendraient l'affaire en main.

À quatre heures de l'après-midi, après trente-six heures sans dormir, Wyatt savait qu'il avait une dernière chance de sauver les meubles. Et cette fois, pas question de merder.

Il jeta un œil par la fenêtre. La voiture de Tessa pénétrait sur le parking. Il fit signe à Kevin d'achever les préparatifs ; puis les deux hommes se mirent en position.

Quand Nicky Frank, alias Veronica Sellers, entra dans la salle, Wyatt lui trouva meilleure mine que sept heures auparavant. Certes, entre les coupures, les hématomes et les points de suture, son visage tenait encore du patchwork, mais elle avait la tête droite, l'œil plus vif. Bref, elle semblait sereine et déterminée. Peut-être avait-elle profité de ce temps mort pour prendre certaines décisions.

Tessa la suivait, toujours aussi impassible, efficace. Sans accorder la moindre attention à Wyatt, elle fit asseoir Nicky sur une chaise en plastique avant de s'installer un peu à l'écart. Elle jouerait la neutralité, se tiendrait autant que possible loin de la mêlée.

Wyatt ne remarqua la présence du carnet de croquis qu'en voyant Tessa le poser sur la table devant elle. Les deux femmes dirigèrent leur attention vers lui.

Wyatt s'éclaircit la gorge. Il avait le trac, tout à coup, et il le déplorait.

«Merci d'être venue», commença-t-il. Pour mieux combattre sa nervosité, il décida de rester assis. «Comme Tessa vous l'a probablement expliqué, nous avons des questions supplémentaires à vous poser.

— Nous non plus on n'a pas chômé, lança Nicky au débotté. Tessa a essayé le truc de la bougie. Elle m'a fait sentir une odeur familière et j'ai dessiné la maison de poupée. Plusieurs pièces me sont revenues en mémoire…»

Wyatt leva la main. «Stop.»

Nicky le regarda, éberluée : «Comment ça, stop? bredouilla-t-elle.

— La maison de poupée ne m'intéresse pas.

— Elle ne vous intéresse pas? Vous ne voulez pas savoir ce qui s'est passé il y a trente ans?

— Non. Une seule chose m'intéresse : la nuit de mercredi. Si ça vous amuse de ressasser des vieilles histoires de maquerelle, d'enfants kidnappées, de méchante compagne de chambre, libre à vous. Continuez à délirer, ne vous gênez pas. Ce qui s'est passé il y a trente ans n'est pas de mon ressort, Nicky. Et personnellement, je commence à penser que vous nous menez en bateau. Comme vous l'avez fait jeudi matin. N'oubliez pas qu'à cause de vous, nous avons écumé la région pour tenter de retrouver une enfant qui n'existe pas. Vous avez un problème, Nicky. Nous le savions et pourtant nous avons mordu à l'hameçon. Maintenant c'est terminé. Vous allez me dire ce qui s'est réellement passé mercredi soir, à chaque heure, chaque minute, chaque seconde. Et pour commencer, que faisaient ces gants couverts de sang dans la poche de votre jean ? Qu'avez-vous fait, Nicky ? Pourquoi aviez-vous besoin d'une pelle ?

Manifestement, elle ne s'y attendait pas. Il suffisait de la voir ouvrir et refermer la bouche comme un poisson hors de l'eau. Une menteuse à court de mensonges. Wyatt ne fit rien pour meubler le silence. Kevin non plus.

Même Tessa restait dans son coin sans rien dire. Elle avait maintes fois assisté à ce genre de confrontation et bien qu'elle soit au service de Nicky, elle n'était pas son avocate.

« Des gants ? » finit par murmurer Nicky.

Wyatt se leva. Au lieu de lui présenter aussitôt les deux pièces à conviction, il choisit de la laisser mariner un peu et se dirigea vers la grande carte du New Hampshire. Avec l'aide de Kevin, il y avait indiqué l'itinéraire emprunté par Nicky dans la nuit de mercredi, en se basant sur la déposition de Marlene Bilek et le relevé du compteur kilométrique de l'Audi.

« Vous avez roulé jusqu'au magasin d'alcool. Le cabinet Northledge vous avait contactée. En la personne de Tessa Leoni. »

Il jeta un coup d'œil à Tessa qui confirma d'un signe de tête.

« Elle vous a dit où travaillait Marlene Bilek, la mère que vous n'aviez pas revue depuis trente ans et que Northledge était chargé de retrouver sur votre demande.

— Je n'avais pas l'intention de l'importuner », le coupa Nicky, les yeux rivés sur la carte. Elle semblait déjà tendue. « Je voulais juste… Je voulais savoir.

— C'est à elle que vous avez acheté la couverture jaune », ajouta Wyatt. Une affirmation, pas une question.

« Pendant des années, je l'ai cherchée sur Internet. Mais elle s'était remariée ; elle avait changé de nom. Puis un jour, je suis tombée sur un vieux post. Leur photo de mariage avec leurs noms écrits dessous. Alors, j'ai entré Bilek dans le moteur de recherche et… je l'ai trouvée. Dans le New Hampshire. Elle vendait des édredons en ligne. J'en ai acheté un.

— En vous présentant comme Nicky Frank ?

— Oui.

— Vous ne lui avez pas révélé votre véritable identité ? Vous ne lui avez donné aucun détail sur vous ? »

Nicky secoua la tête. « Je ne lui ai même pas parlé. C'était juste un achat en ligne. J'ai réglé avec PayPal. Nous n'avons jamais communiqué.

— Pourtant, vous l'avez traquée.

— Le site ne mentionnait pas d'adresse, juste une boîte postale. Je crois que son mari… Il est flic, n'est-ce pas ? À la retraite. Je suppose qu'il veille à ne pas diffuser d'infos personnelles sur le Net.

— Du coup, vous vous êtes adressée à Northledge. Avec la bénédiction de Thomas ?

— Non, non, répondit Nicky en secouant vivement la tête. Absolument pas. Je l'ai fait en cachette. J'ai payé avec un chèque de banque et tout. Je ne voulais pas qu'il sache. Pas après…

— Pas après quoi, Nicky ? »

Elle détourna les yeux, baissa la tête. « Je pense qu'il avait deviné pour l'édredon. Je ne lui en avais pas parlé mais le jour où je l'ai reçu par la poste, j'ai versé toutes les larmes de mon corps. Impossible de m'arrêter. Il a dû comprendre d'où il venait. Après cela, il est devenu plus froid, moins patient. Il répétait sans cesse : "Nous sommes heureux ensemble, non ? Je suis ton mari, tu es ma femme, ça ne te suffit pas ?" Moi, je ne lui voulais pas de mal, je ne voulais pas le blesser, après tout ce qu'il avait fait pour moi… Mais non » – elle releva lentement la tête –, « ça ne suffit pas. Je suis toujours triste même si je n'ai aucune raison de l'être.

— Mercredi soir, vous êtes partie à la recherche de Marlene Bilek, reprit Wyatt d'une voix ferme.

— Oui.

— Vous avez roulé jusqu'au magasin. » Il tapota l'emplacement sur la carte. « Vous êtes entrée en espérant l'apercevoir.

— Je l'ai reconnue. Pourtant, elle était au fond. Alors, j'ai paniqué. Je ne voulais pas qu'elle me voie.

Je n'étais pas prête. Et si jamais elle m'avait oubliée ? Vous vous rendez compte ? Une fille qui ressurgit brusquement au bout de trente ans d'absence, comme si elle revenait d'entre les morts ?

— Vous avez acheté une bouteille de Glenlivet. »

Nicky affronta son regard en hochant la tête d'un air misérable.

« Après quoi, vous l'avez suivie. » Wyatt se retourna vers la carte. « J'ai discuté avec Marlene Bilek cet après-midi…

— Vous lui avez parlé de moi ?

— J'ai discuté avec madame Bilek cet après-midi, répéta sèchement Wyatt, et je lui ai demandé quel itinéraire elle emprunte habituellement pour rentrer chez elle. C'est une sacrée balade. Soixante kilomètres par des petites routes de campagne. Celle-ci, celle-là et encore celle-là. » Du bout du doigt, il suivit la ligne rouge tracée sur la carte. « Et enfin, celle-ci qui passe devant chez elle. »

Il tapota la photo de la maison Bilek, prise de jour, alors que Nicky ne l'avait vue que de nuit mais d'assez près.

Les yeux de Nicky restèrent collés dessus. Elle la buvait littéralement du regard.

« Vous lui avez parlé de moi ? murmura Nicky. Vous lui avez dit que je suis Vero ? Que… qu'a-t-elle répondu ?

— Ce n'est pas à moi de vous le dire. » Wyatt lui jeta un regard si sévère qu'elle baissa les yeux.

« Madame Bilek a déclaré que sa fille de seize ans était chez elle, cette nuit-là, poursuivit-il. Elle s'appelle Hannah Veigh. Cela vous évoque quelqu'un ?

— Vero, souffla-t-elle.

— Qu'avez-vous fait, Nicky ?»

La froideur de sa question parut la décontenancer. «Quoi ?

— Qu'avez-vous fait ? Vous avez erré la moitié de la nuit. Vous avez bu ; vous avez roulé. Maintenant, vous arrivez devant cette jolie petite maison, vous regardez par la fenêtre et qu'est-ce que vous voyez ? Vous-même, Vero, des années plus tôt. Alors, qu'avez-vous fait ?»

Nicky se rencogna dans son siège en calant ses deux mains au bord de la table. «Ce que j'ai fait ? Rien. Qu'aurais-je pu faire ?»

En trois rapides enjambées, Wyatt s'approcha des pièces à conviction. «Parlez-moi de cette pelle pliante, Nicky. Parlez-moi de ces gants. Couverts de sang. De sang *humain*. C'est prouvé, nous l'avons analysé. Vous êtes ivre, vous êtes seule, et vous venez de découvrir que votre mère s'est non seulement bien remise de votre disparition mais qu'elle s'est remariée et qu'elle a eu un autre enfant. Vero 2.0. Votre mère a refait sa vie et vous ne lui manquez pas du tout.

— Vous n'en savez rien. Qu'est-ce que vous en savez ?

— Vous la traquez.

— Je voulais juste la voir. Savoir comment elle allait…

— Vous ne pouviez pas lui téléphoner ? Lui écrire ? *Salut maman, une méchante maquerelle m'a enlevée mais j'ai réussi à m'échapper. Bon, ça fait vingt-deux ans mais, comme on dit, mieux vaut tard que jamais. Si on se faisait une bouffe ?*

352

— Ça ne marche pas comme ça, protesta faiblement Nicky.

— Pourquoi ça ne marche pas comme ça? Parce que vous êtes barge, à côté de vos pompes, que vous roulez en état d'ivresse et que vous espionnez votre propre mère? Parlez-moi de la pelle. Pourquoi une pelle si vous vouliez juste savoir comment elle allait? Parlez-moi de vos vêtements. Si vous ne faisiez que la suivre, pourquoi sont-ils couverts de sang? Qu'avez-vous fait mercredi soir? Allons, Nicky. J'en ai marre de vos mensonges, de vos affabulations. Qu'avez-vous fait mercredi soir?

— J'ai appelé Thomas. » Ces paroles avaient jailli d'elles-mêmes. Nicky cligna des yeux comme si quelqu'un d'autre avait parlé à sa place.

« Vous avez appelé votre mari?

— D'une cabine publique. Je pleurais, j'étais à bout de nerfs. Je venais de voir Vero. Vivante, alors que je la croyais morte. J'étais totalement paumée. J'avais si mal à la tête. Je sais, je n'aurais pas dû boire. Je sais, je n'aurais pas dû conduire. Thomas allait être fâché contre moi parce qu'il m'avait demandé, supplié, de renoncer. "Nous pouvons être heureux, disait-il. Autrefois nous l'étions; nous le serons à nouveau, j'en suis sûr."

« Mais je ne peux pas continuer à vivre ainsi. J'en ai assez d'être triste. Il faut que les choses changent. Et pour qu'elles changent, j'ai besoin de savoir. Pourquoi le mois de novembre est-il si horrible? Pourquoi je passe mes après-midi à discuter avec un fantôme? Thomas sait ce que vivre signifie. Pas moi. Voilà pourquoi j'ai demandé à emménager ici…

— Vous avez demandé, l'interrompit Wyatt.

— Oui.

— Thomas n'a pas refusé.

— Il proposait le Vermont. Mais j'ai tenu bon et il a fini par céder. Dès que je suis arrivée… j'ai senti que je me rapprochais. La boîte postale de Marlene était située dans le New Hampshire. Nous vivions dans le même État. Mais c'était insuffisant. Je voulais la voir, juste… la voir. Donc je me suis adressée à Northledge et mercredi soir… »

La voix de Nicky se brisa. « Quand j'ai regardé par la fenêtre, quand j'ai vu Vero… Ma tête a explosé. Il y avait une telle clarté. Du feu, des flammes partout. *Vero a appris à voler.* J'ai voulu me précipiter dans la maison. La prendre dans mes bras. Lui demander de me pardonner, de ne pas me haïr car je n'avais pas eu l'intention de… Mais, bien sûr, ce n'était pas Vero, n'est-ce pas ? Ça ne pouvait pas être elle. Je pleurais trop fort pour réfléchir. Et comme il n'y avait pas de réseau, j'ai cherché une cabine et j'ai appelé Thomas.

— Et il est venu.

— Il m'a donné rendez-vous quelque part. Après la station-service. Au virage. C'est là qu'il devait m'attendre.

— Et vous êtes partie rejoindre votre mari. Portiez-vous des gants, Nicky ? »

Elle secoua la tête. « Non, je faisais très attention à ma conduite. Ma tête, l'alcool. J'avais du mal à rouler droit.

— Quand vous êtes arrivée au point de rendez-vous, Thomas vous attendait. Avait-il une pelle ? »

Nicky ferma les yeux comme si elle faisait un effort de mémoire. «Non.

— Des gants?

— Il… il m'a donné une paire de gants et m'a dit de les enfiler. Il m'a demandé : "Tu me fais confiance?" puis il a répété : "Tu me fais confiance?"»

Nicky ouvrit les yeux et les posa sur Wyatt. «J'ai répondu oui.

— Et après?

— Après, il… il a disparu. Et je me suis envolée. Et je suis morte encore une fois. Je suis une femme revenue par deux fois d'entre les morts.»

Wyatt était décidé à ne pas la lâcher. Il voulut qu'elle se lève pour regarder les gants, la pelle, qu'elle revisite chacune des étapes de son périple nocturne, grâce aux photos.

«Est-ce qu'elle… va bien? demanda-t-elle en regardant le portrait d'Hannah Veigh Bilek. Avec ses longs cheveux bruns, ses yeux clairs, l'adolescente aurait pu être la jeune sœur de Nicky. «Il ne leur est rien arrivé, n'est-ce pas? Je veux dire, il y a du sang sur ces gants. Mais je sais que je n'ai rien fait. Et Thomas… il n'aurait pas pu. Il n'aurait jamais fait ça. N'est-ce pas?

— On dirait que vous avez des doutes.

— C'est quelqu'un de bien, dit-elle sur un ton si plat qu'on aurait pu penser le contraire.

— Où est-il, Nicky?

— Je ne sais pas.

— Est-ce qu'il vous aime?

— Il ne m'a jamais quittée.

— Et aujourd'hui ? Il a mis le feu à votre maison, il a disparu dans la nature. »

Elle hésita. Wyatt devina les pensées qu'elle ne pouvait se résoudre à exprimer. Thomas n'était pas parti. Du moins, pas pour Nicky. Il traînait forcément dans les parages, à l'attendre. Leurs liens étaient si forts qu'elle ne pouvait rien envisager d'autre.

Son mari avait sans doute mis en scène son accident de voiture, il avait incendié leur maison mais, tout au fond d'elle-même, Nicky savait qu'il l'aimait.

Étrange, comme relation, se dit Wyatt. Dans la police, on voyait défiler des couples bizarres à longueur de temps mais celui-ci avait quelque chose de particulier.

Il lui fit répéter plusieurs fois son emploi du temps de la nuit, sans toutefois parvenir à la faire craquer. Oui, elle avait enfilé les gants. Peut-être que le sang était le sien ; après tout, elle avait reçu des éclats de verre pendant l'accident, d'où les déchirures. Elle se souvenait vaguement d'avoir enlevé les gants et de les avoir enfoncés dans la poche arrière de son jean. Ils la gênaient et elle ne voulait pas les jeter n'importe où. En revanche, la pelle était un mystère. Elle ignorait ce que Thomas prévoyait de faire avec.

Oui, elle avait suivi Marlene Bilek. Elle avait eu l'intention de lui parler mais au dernier moment, elle avait perdu courage. Vouloir changer et changer réellement sont deux choses bien différentes. De même que vouloir retrouver son passé et être de taille à l'affronter.

Pour finir, Kevin l'emmena au service des empreintes. Ils avaient celles de Veronica Sellers dans leurs fichiers mais elles dataient de trente ans et, pour les comparer à celles retrouvées sur la pelle, les gants, etc., Wyatt et a fortiori ses collègues techniciens préféraient disposer de prélèvements plus récents.

Après leur départ, Wyatt et Tessa prirent une minute pour souffler. Il tira la chaise à côté d'elle, se passa la main dans les cheveux, ce qui les décoiffa un peu plus, et s'assit. Bon Dieu, il aurait bien besoin d'une douche. Sans parler d'une petite sieste.

« Tu as dormi ? lui demanda-t-elle.

— Pas plus que toi.

— Alors, tu dois être crevé. »

Il grimaça. « Désolé de te priver d'un week-end avec Sophie.

— Ce n'est pas la première fois. Je lui ai parlé du chiot. Je crois que tu l'as conquise.

— Je vais l'aider à le choisir ?

— J'espère bien que oui. »

Elle souriait gentiment en disant cela. Et pourtant, il avait toujours cette drôle d'impression. Comme si une page venait de se tourner. Les lèvres de Tessa étaient relevées aux commissures mais ses yeux demeuraient légèrement voilés. Ou alors il était fatigué, tout simplement. Peut-être fallait-il en prendre son parti : Tessa n'était pas une femme ordinaire et ils avaient beau être amants, elle garderait toujours une part de mystère.

« Sophie va bien ? demanda-t-il.

— Pour autant que je le sache.

— Pourtant tu... m'as l'air » – il chercha le mot juste – « préoccupée.

— D.D. Warren m'a appris un truc intéressant, ce midi, dit-elle enfin, le regard posé sur le carnet de croquis. Depuis, je retourne ça dans ma tête.

— Intéressant en bien ou en mal ?

— Je l'ignore encore. Wyatt, je ne suis pas parfaite, tu le sais, hein ?

— Je ne me prononcerai pas sur ce sujet.

— Voilà trois ans… il s'est passé certaines choses. Que je ne regrette pas.

— Moi non plus, surtout depuis que je connais Sophie. » Il s'interrompit. « Tu as des problèmes, Tessa ? Si c'est le cas, tu sais que je suis là. Si tu as besoin de quoi que ce soit… »

Elle sourit encore mais sans parvenir à dissiper l'ombre dans ses yeux. « Pas d'affolement. Pour l'instant, il ne s'agit que d'une nouvelle intéressante… »

Il lui prit la main, faute de pouvoir faire mieux. Elle tressaillit à son contact mais ne se dégagea pas. « Je suis avec toi, Tessa. Je te soutiens à cent pour cent. Je sais que tu as un lourd passé mais personnellement, c'est notre avenir qui m'occupe. »

Peut-être se faisait-il des idées mais il crut un instant voir des larmes briller dans les yeux de Tessa.

« D.D. m'a traitée de louve solitaire, murmura-t-elle.

— Sophie et madame Ennis sont certainement d'un autre avis. »

Elle hocha la tête et attendit quelques secondes avant de revenir au sujet principal : « Nicky veut être libre. Je sais que son histoire de maison de poupée te laisse dubitatif mais après avoir passé l'après-midi avec elle, je pense qu'elle aussi traîne un lourd passé.

Non seulement il lui est arrivé des trucs horribles mais... j'ai l'impression... Pour survivre dans ce genre de contexte, on doit faire certaines choses.»

Wyatt hocha la tête à son tour.

«Vingt-deux ans, ça paraît long. Elle aurait dû réagir plus vite, contacter sa mère plus tôt. C'est le fait qu'elle se soit décidée tardivement qui te pose problème?

— Elle disait qu'elle avait dessiné la maison cet après-midi?

— Moi aussi je me lance dans la thérapie mémorielle. Regarde.» Tessa ouvrit le carnet de croquis et en retira cinq grandes feuilles de dessin. «Comme tu peux le constater, elle est douée et très observatrice.»

Wyatt ne comprit pas immédiatement ce qu'il avait devant les yeux. Une pièce ronde dont les murs étaient décorés de roses peintes et où trônait un lit à baldaquin drapé de tulle. Une cheminée en marbre dominant un salon chic. Le troisième croquis était une vue générale : une grande villa victorienne en bois, comme celles que les gens riches se faisaient construire au XIXᵉ siècle pour passer l'été en famille loin de la chaleur et de la puanteur des villes. Une magnifique véranda ouverte à l'avant, une tourelle haute de deux étages, une aile droite de belles dimensions, ponctuée de nombreuses lucarnes. Cette bâtisse avait quelque chose de saisissant, de précieux. Avec ses vitres en losange et ses frises en bois sculpté, on aurait vraiment dit une maison de poupée.

Il leva les yeux et contempla Tessa d'un air rêveur. «Tu penses qu'elle existe?

— Je pense qu'elle pense qu'elle existe.

— Ce qui ne nous avance guère.» Le dessin suivant représentait une femme d'âge mûr, les cheveux relevés en chignon, les traits sévères, le regard froid. Il frissonna malgré lui.

«Madame Sade, expliqua Tessa.

— Le genre de sorcière capable d'enlever des petits enfants, acquiesça-t-il.

— J'ai demandé à D.D. d'inventorier les anciennes affaires de kidnapping, précisa Tessa. Grâce aux bases de renseignement dont nous disposons aujourd'hui, nous saurons peut-être si les enlèvements de petites filles ont connu une recrudescence en Nouvelle-Angleterre dans ces années-là. Et si tel est le cas, l'histoire de Nicky gagnera en crédibilité.

— Certainement.

— Quant à déterminer si cette maison existe ou pas, regarde un peu ce qu'on aperçoit au fond. La vue qu'on a depuis la chambre de la tour.»

Wyatt dut revenir en arrière. S'il n'avait rien remarqué au premier passage, c'était à cause de la surprise, mais en effet, la pièce ronde disposait de plusieurs grandes fenêtres. Nicky avait pris la peine de dessiner chaque carreau taillé en losange. Et, au-delà... une chaîne de montagnes. Un relief si familier qu'il eut l'impression qu'en l'étudiant une minute encore, le nom de ce massif lui reviendrait.

«Les White Mountains. C'est donc le New Hampshire, d'après toi.» Il jeta un coup d'œil à Tessa.

«C'est elle qui a voulu s'installer ici, pas Thomas.

— Parce que Marlene Bilek vit dans la région.

— Peut-être. Mais tu l'as entendue comme moi. Elle cherche des réponses. Je crois que c'est son instinct qui l'a guidée jusqu'ici. Plus près de la vérité.

— Le shérif m'a posé une question pertinente, ce matin, dit brusquement Wyatt. Si les accidents de Nicky ont effectivement été mis en scène par Thomas, il faut se demander pourquoi. Qu'est-ce qui pousse un mari à vouloir supprimer sa femme ? Les mobiles ne sont pas légion : la vengeance, l'argent, la perte de son emprise sur elle. Qu'est-ce qui a changé dans leur couple au bout de vingt-deux ans de mariage ? »

Il connaissait la réponse mais Tessa se chargea de l'exprimer : « Nicky a décidé qu'il était temps d'avancer. Elle en avait marre d'être triste.

— N'importe quel homme redoute de voir sa femme prendre son indépendance, a fortiori un homme comme Thomas qui veut avoir la mainmise sur tout, confirma Wyatt.

— Je ne crois pas à cette histoire de rencontre à La Nouvelle-Orléans, poursuivit Tessa.

— Moi non plus. Depuis le début, ils m'ont l'air de réciter un texte.

— J'ai essayé de la faire parler de Thomas pendant qu'elle dessinait. On dirait qu'une partie d'elle-même est amoureuse de lui. Mieux encore, elle croit qu'elle a *besoin* de lui. Il prend soin d'elle mais pour quelle raison ? Et cette fichue habitude de bouger d'un lieu à l'autre : un jour ici, l'autre là. Ça m'évoque moins un couple vivant en harmonie qu'une paire de malfaiteurs en cavale. »

Wyatt revint au portrait de la tenancière. « Si Nicky a bien été emprisonnée dans la maison de poupée et si Thomas trempait là-dedans, qui avait intérêt à ce que la chose ne parvienne jamais aux oreilles de la police ? Je vois au moins une personne, ajouta-t-il en tapotant le visage de la femme aux yeux froids. Tessa, si tout cela est vrai… comment Nicky, Vero, s'est-elle enfuie ? C'est ce qui me préoccupe le plus. Une organisation criminelle de cette envergure, une femme comme celle-ci… Les filles n'avaient strictement aucune chance d'en réchapper. Il a fallu que quelque chose se passe. Et qu'on ne me dise pas que Vero a appris à voler, ou des conneries du même style. »

Tessa hésita. « J'ai une hypothèse. Peut-être que je me fourvoie, à cause de mon propre… passé et tout. Mais je pense que Vero a bien été kidnappée il y a trente ans. Je pense que cette femme l'a retenue prisonnière dans cette maison. Et je pense… je pense que quelque chose de terrible s'est passé qui lui a permis de s'échapper. Non. Je crois plutôt que Vero a fait quelque chose de terrible et que, grâce à cela, elle a pu s'enfuir. Et que, même après toutes ces années, elle ne peut toujours pas assumer sa responsabilité. Seulement voilà. » Tessa haussa les épaules et ses lèvres retrouvèrent leur sourire triste. « Le passé finit toujours par ressurgir. Il veut qu'on l'écoute. Les souvenirs qu'elle a volontairement refoulés sont en train d'émerger au grand jour.

— Novembre est le mois le plus triste, murmura Wyatt. Une femme revenue par deux fois d'entre les morts.

— Je pense que Nicky veut se souvenir. Je pense qu'une partie d'elle-même veut nous expliquer ce qui s'est passé, pour s'en libérer. Elle a juste besoin d'un petit coup de pouce.

— Une bougie parfumée? dit Wyatt en arquant un sourcil.

— Non. Nous devrions organiser une rencontre entre elle et sa mère. Pour qu'elles puissent enfin se parler.»

Wyatt réfléchit à sa suggestion. «Très bien. Je vais appeler Marlene, lui annoncer la grande nouvelle. J'ai remarqué que Nicky ne lui était pas indifférente. Je n'imagine pas une seconde qu'elle refuse de voir la fille qu'elle a perdue il y a tant d'années. Mais il va falloir procéder avec discrétion. La presse peut nous tomber sur le râble à n'importe quel moment.

— Exact.

— Et il faut que ça se passe ce soir. Pas simplement parce que les fédéraux débarquent demain matin avec leurs gros sabots. Ça fait presque vingt-quatre heures que Thomas Frank s'est fait la malle après avoir mis le feu à sa maison et pourtant, nous l'avons repéré à moins de soixante kilomètres d'ici. Tu vois ce que j'en conclus?»

Wyatt lui laissa le temps de répondre.

«Il considère toujours Nicky comme une menace. Et il n'en a pas fini avec elle.»

29

Je bois du thé amélioré avec Vero. Le rosier peint sur le mur disparaît sous les gros traits noirs qu'une main furieuse a tracés au marqueur. Les rideaux de tulle autour du lit à baldaquin ont été tailladés à coups de cutter. Le matelas éventré n'est plus qu'un tas de mousse déchiquetée.

Je n'ose même pas regarder ce qu'elle a fait subir à Gros Nounours.

«Tu as peur», lui dis-je d'un air entendu. Pourtant c'est mon cœur et pas le sien qui bat la chamade.

«Va te faire foutre.» Vero ne s'encombre pas de vêtements, ni de peau d'ailleurs. Je suis face à un squelette grimaçant. Quelques mèches de cheveux et des lambeaux de chair putréfiée adhèrent encore à son crâne. Quand elle boit, je vois le liquide s'écouler le long de sa colonne vertébrale.

«C'est ta mère, dis-je, espérant toujours la convaincre. Cet instant, tu en as rêvé pendant des années et des années. Tu te souviens?

— Je préférais cette chambre, lâche-t-elle. Je l'aimais mieux que toutes les autres pièces de cette stupide maison. On l'aurait crue faite pour une princesse. Toutes les petites filles rêvent d'être des princesses.

— Ta mère t'aime encore. »

Elle sourit. « Ce ne serait pas plutôt la tienne ?

— Ne t'inquiète pas », dis-je, mais à qui ? À elle, à moi, à Gros Nounours qui gît en pièces sur le sol, les yeux arrachés ? « Tout va s'arranger. »

Vero esquisse un autre sourire et s'envoie une nouvelle rasade.

« Ma pauvre Nicky. Tu as toujours été stupide. »

Il est neuf heures du soir. Je ne supporte plus de rester allongée. Je me lève, je tourne en rond dans la chambre. Assise sur l'autre lit, Tessa fait en sorte de me laisser le maximum d'espace. Elle zappe sur les chaînes d'information. Elle veut savoir si la nouvelle a été diffusée au plan national. Tout à l'heure, Wyatt nous a fait sortir du poste de police par la porte de derrière. Des cameramen menaçaient d'envahir les locaux, la presse ayant fini par apprendre qu'une enfant disparue trente ans auparavant venait de refaire surface.

Je regagnais la salle de réunion en contemplant mes doigts tachés d'encre noire quand Wyatt a lâché une deuxième bombe : Marlene Bilek souhaitait me rencontrer. Immédiatement. Ce soir même. Et pas question de discuter. Il avait déjà tout organisé.

Je vais donc parler à ma mère, après toutes ces années, tous ces doutes, ces tergiversations…

Tessa m'a ramenée à l'hôtel par des routes connues d'elle seule en employant des techniques d'agent secret. Une fois que nous avons été en sécurité dans la chambre, elle m'a conseillé d'avaler un dîner copieux et de me reposer. La nuit promettait d'être longue.

Tessa joue de la télécommande. Pour l'instant, l'incroyable ressortie de cette affaire classée depuis trente ans ne fait les choux gras que des télés locales. Les grands patrons de chaînes sont probablement dans les starting-blocks, me dit Tessa. Pour lancer l'offensive, ils attendent la confirmation officielle, l'interview-choc, la photo qui tue. Tant mieux pour moi.

Je recommence à faire les cent pas autour de nos deux lits. Mon esprit bat la campagne.

Je repense au petit logement lugubre. À la femme qui planquait Vero au fond d'un placard pour la protéger du pire. À la mère qui lui apportait des glaces, jouait à cache-cache et dormait avec son enfant blottie contre sa poitrine, quand il n'était pas dans les parages.

Je m'arrête une seconde pour toucher l'édredon jaune, respirer son parfum. Ma raison me dit que cette odeur s'est évaporée depuis belle lurette, mon cœur espère le contraire.

Et Thomas me manque. Où est-il en ce moment ? J'essaie à toute force de comprendre ce qui s'est passé mercredi soir. Oui, je l'ai appelé. Et il est venu, parce qu'il ne m'a jamais fait faux bond. Pendant vingt-deux ans, il a été mon ancre, mon rocher. Je pouvais hurler de terreur la nuit, il m'accueillait tendrement chaque matin au réveil. Du moins, c'est ce que je pensais.

Car il a beau rabâcher que nous sommes très proches, je me suis quand même installée dans la chambre d'amis. Encore une preuve qu'une partie de moi connaît des choses que je refuse d'affronter. L'autre jour, quand je me suis réveillée à l'hôpital, j'ai éprouvé de la colère, pas de l'amour. Je voulais qu'il s'en aille. Je l'aimais ; je le détestais. Les commotions cérébrales m'ont peut-être brouillé les idées mais qui me dit qu'il n'avait pas commencé à me laver le cerveau auparavant ?

Pourquoi n'ai-je jamais appelé ma mère, pris contact avec ma famille ? Je me suis échappée de la maison de poupée. D'une manière ou d'une autre…

Vero a appris à voler.

Mais je ne suis jamais rentrée chez moi. Je suis restée avec Thomas. Thomas encore et toujours.

Tu me fais confiance ? m'a-t-il demandé mercredi soir en me tendant la paire de gants.

Mais qu'avais-je besoin d'une paire de gants ? Et pourquoi ai-je répondu oui ?

Je lui en veux. D'avoir incendié notre maison, d'avoir pris la clé des champs, de m'avoir laissée seule avec toutes ces questions sans réponse.

« *Sauve-toi, cours* », répète Vero dans ma tête. Je sais ce qu'elle veut dire. Elle ne parle pas de l'arrivée imminente de ma mère. Elle parle de Thomas.

Vingt-deux heures quinze. Le bruit d'un moteur brise le silence trop pesant. Je me lève d'un bond, l'oreille dressée. La voiture pénètre sur le parking, j'entends le crissement des roues. Instinctivement, je marche vers la porte. Tessa me regarde sévèrement, m'ordonne de me rasseoir. Elle porte la main à sa ceinture, comme si elle s'apprêtait à dégainer une arme. La tension grimpe en flèche.

Je me précipite dans la salle de bains. Je vomis. Quand je ressors, des voix résonnent dans le couloir, une clé remue dans une serrure. Une porte s'ouvre, celle de la chambre voisine. Voilà donc la fameuse organisation. Tessa a réservé deux chambres communicantes sous deux noms différents.

De manière à ce que personne ne fasse le rapprochement entre cet hôtel et le bureau du shérif surveillé par les journalistes. Rien ne doit trahir ma présence ici. Ni celle de Marlene Bilek.

Aucun camion satellite ne surgira sur le parking en faisant crisser ses pneus, aucun photographe ne déboulera dans le couloir. L'hôtel moyenne gamme restera aussi paisible qu'il l'est d'habitude pendant la saison creuse. Alors, rien ne s'oppose à ce que…

La porte de séparation s'ouvre lentement. Le brigadier Wyatt Foster entre.

Puis…

Marlene Bilek apparaît devant moi.

Nous ne parlons pas aussitôt. C'est un moment… Je crois qu'il y a un mot pour ça. Nous restons face à face à nous observer, à nous imprégner l'une de l'autre. Je tiens son édredon. Elle le regarde, me sourit.

«Je savais qu'il trouverait sa destinataire», chuchote-t-elle.

Je pleure. Les larmes ruissellent sur mes joues. Je ne peux pas m'arrêter ; je ne peux pas bouger, même pour les essuyer. Je suis juste plantée là, les yeux rivés sur cette femme, le visage dégoulinant.

Je m'étais fait une autre idée de cette rencontre. La mère dont j'ai gardé le souvenir durant toutes ces années était une jeune femme d'une vingtaine d'années, un peu paumée, un peu résignée à son sort, même avant que sa fille bien-aimée lui soit ravie. Je la voyais plus douce, plus ronde, plus maternelle en quelque sorte. Cette femme-là est tout le contraire : elle a les traits tirés, marqués par la vie et les choix qu'elle a dû faire. J'ai cru comprendre qu'elle a fini par larguer le mari qui la battait. Elle a cessé de boire, pris un nouveau départ.

Mais elle n'a pu effacer la tristesse de son visage. Une femme qui sait qu'elle ne retrouvera jamais tout ce qu'elle a perdu.

« Je propose que... qu'on s'asseye, dit Wyatt en montrant les deux lits. Mettez-vous à votre aise. »

Tessa et lui échangent un regard. Elle a sorti son iPhone. Je suppose qu'elle nous enregistre. Oui, bien sûr, il n'est pas question pour eux de perdre une miette de ce « tête-à-tête ».

Marlene s'avance lentement. Elle porte l'uniforme rouge foncé du magasin d'alcool. Encore une ruse pour tromper la presse. Je m'étonne qu'elle n'ait pas apporté de quoi se changer, des vêtements plus personnels, mieux adaptés aux circonstances. Elle est quand même censée revoir sa fille, l'enfant qu'elle a perdu quand elle était jeune. Ce détail ajoute à ma confusion. Je cherche ma maman et tout ce que j'obtiens, c'est la caissière Marlene Bilek.

Je m'assois au bord du lit le plus proche de la porte. Elle s'installe en face de moi, sur l'autre lit. Wyatt et Tessa se déplacent vers la petite table ronde poussée dans un coin. Ils tentent de se faire oublier mais c'est difficile dans une pièce aussi exiguë.

«Tes cheveux n'ont pas changé», murmure Marlene en explorant mon visage. Je suis si gênée que mes épaules se creusent. «Bruns, longs, ondulés. Une fois par semaine, je te donnais le bain dans l'évier de la cuisine. Après, quand il faisait soleil, on s'asseyait près d'une fenêtre et je les brossais jusqu'à ce qu'ils soient secs. Ils étaient magnifiques, bien plus beaux que les miens.»

D'un geste embarrassé, elle touche ses boucles courtes dont le châtain vire au gris. Comment était-elle coiffée autrefois? Portait-elle les cheveux longs ou courts? Étaient-ils frisés ou raides? Je ne m'en souviens pas. Je garde d'elle une image idéale, celle d'une maman, pas d'une personne à part entière.

«Pourtant c'est drôle, reprend Marlene. Tu avais les yeux beaucoup plus gris étant enfant. Aujourd'hui, ils sont bleus. Ce sont des choses qui arrivent, je suppose. J'avais une amie dont le fils a été blond jusqu'à l'âge de huit ou neuf ans. Maintenant il est très brun.

— Vous avez une autre fille», m'entends-je dire. Sur quel ton me suis-je exprimée? Pas sur un ton accusateur, j'espère.

«Tu veux parler de Hannah?» Marlene se trouble encore. Elle jette un œil sur le tapis. «Elle a les cheveux bruns et les yeux gris, comme toi autrefois. À la seconde où elle est venue au monde, mon cœur s'est arrêté de battre. J'ai pensé, c'est Vero. Mon Dieu, ma fille m'a été rendue!

«J'ai dû me faire violence pour accepter qu'elle devienne Hannah. Il n'y a qu'une seule Vero. Oh, ma chérie, tu m'as tellement manqué.»

Elle se dresse sur ses jambes, se jette sur moi. Je ne m'y attendais pas. Je n'ai pas le temps de lever les mains pour me protéger. Ses bras m'enveloppent, me serrent.

Elle m'embrasse, me dis-je, désemparée. C'est moi qui suis là, contre la poitrine de ma mère.

Je devrais l'étreindre à mon tour. Je devrais m'écrier : «Maman, je suis de retour!»

Mais je suis incapable de faire un geste, de dire un mot.

Je suis trop obnubilée par le rire hystérique de Vero qui résonne dans ma tête.

«Vous fabriquez des édredons», finis-je par articuler au bout de deux, trois ou dix minutes. Le mien est posé à côté de moi, sur le lit. Encore un truc dont je ne sais que faire, tout à coup.

«Oui. Depuis vingt ans», me répond Marlene. Elle me fixe, comme hypnotisée. Mon regard s'enfuit, cherche un point où se poser. «Je… heu…» Elle respire à fond. «Les années qui ont suivi ta disparition. Une sale période, l'horreur. Et moi qui croyais avoir déjà connu l'enfer. Seigneur! Je suis désolée de t'avoir emmenée au parc ce jour-là. Je suis désolée de m'être endormie. Pardon, pardon, pardon.

— Vous aviez bu», dis-je. Ma voix m'étonne par sa sévérité. Et j'ajoute, sans renoncer à la vouvoyer : «Vous étiez ivre.

— Je suis désolée», répète-t-elle d'une voix monocorde, comme si ces mots étaient usés d'avoir trop servi pendant trente ans.

«Quand j'ai réalisé que tu n'étais nulle part, dit-elle. Quand j'ai eu fait plusieurs fois le tour du parc en criant ton nom sans te voir accourir... j'ai compris. J'ai compris que le pire était arrivé.

— Vero voulait juste jouer à la poupée », je murmure. Je parle de moi à la troisième personne. Impossible de faire autrement. Vero a trop longtemps vécu à l'intérieur de ma tête sous les traits d'une autre, une petite fille ayant tendance à perdre sa peau dans les moments de détresse. J'ai beau savoir qu'elle est moi, ou que je suis elle... c'est trop abstrait. Vero est Vero. Je ne suis qu'une gardienne. Tout ce que je sais d'elle, c'est elle qui me l'a dit. C'est une façon de me préserver, je suppose, de prendre mes distances face à l'insoutenable. Avec le temps, ce réflexe est devenu une seconde nature. Pour changer cela, il suffit peut-être d'une formule magique mais hélas, je ne la connais pas. Le fait d'être là, devant cette femme – pardon, devant ma mère –, me déroute profondément. Je me dis, Tiens, c'est la maman de Vero. Moi qui ai toujours voulu faire sa connaissance. Mais ma maman à moi...

Je ne suis pas encore prête, voilà tout.

« Vero a suivi la jeune fille. Elle est sortie du parc avec elle. Madame l'attendait. Une piqûre et hop, on la jette dans la voiture. Quand vous avez constaté son absence, Vero était déjà loin. »

Les doigts de Marlene pétrissent le bord du matelas. Elle ne dit rien, elle hoche la tête. Je ne lui apprends rien qu'elle n'ait déjà ressassé jour après jour, pendant des années.

« J'ai tout fait pour te retrouver », m'assure-t-elle, sans paraître importunée par mon usage persistant de la troisième personne. « J'ai répondu aux questions de la police, j'ai sonné chez les voisins. J'étais persuadée que ce n'était qu'une question de temps, qu'ils finiraient par te trouver errant dans la rue. Tu avais peut-être suivi un chien ou un camion de glaces. Qui sait? La police était sur les dents; même les gens du quartier sont partis à ta recherche. Tu étais mon enfant mais, après ta disparition, tu es devenue l'enfant de tout le monde. Sauf que personne n'a été capable de te ramener à la maison.

— Madame Sade a conduit Vero dans une belle demeure. Vero a eu droit à une chambre de princesse. Un lit moelleux, une fresque peinte à la main qui représentait des roses grimpantes. Un service à thé en porcelaine rien que pour elle.

— Les premiers jours, je n'ai pas bu une seule goutte, murmure Marlene. Je suis restée sobre. Pour la première fois en dix ans. Je ne dormais pas, je ne buvais pas, je ne mangeais pas. Je passais mon temps à attendre devant le téléphone. Je me disais qu'il allait sonner, que je décrocherais et que la police m'annoncerait ton retour.

— Madame a donné des habits neufs à Vero et, quand Vero s'est mise à pleurer très fort, elle les a repris. Madame a laissé Vero seule dans cette grande chambre glacée pendant des jours et des jours. Comme Vero n'avait pas le droit de dormir sur le lit, elle se blottissait toute nue au fond d'un placard et elle vous appelait.

— Le premier soir, Ronnie m'a fichu une trempe, chuchote Marlene sans me quitter des yeux. Il m'a dit que j'étais trop conne de t'avoir perdue. Le deuxième soir, il a remis ça parce que je pleurais trop.

Le troisième soir pareil, et le quatrième aussi. Le cinquième, le policier qui était venu me donner des nouvelles de l'enquête m'a emmenée aux urgences. J'avais la mâchoire déboîtée. Ce policier, Hank, m'a déconseillé de rentrer chez moi. Il a dit que pour sauver ma fille, je devais commencer par me sauver moi-même.

— Madame Sade venait tous les après-midi lui donner des cours. "Les filles ne doivent pas rester ignorantes", disait-elle. Donc Vero a appris à lire, à compter, elle a étudié la géographie, l'histoire. Après cela, il y a eu des cours de danse, de mode, de maquillage, de coiffure. Madame lui disait qu'elle serait sa mère désormais. Elles formaient une famille. Vero vivrait dans cette belle maison pour toujours, à condition qu'elle fasse tout ce qu'on lui disait de faire. Puis madame Sade s'en allait et Vero restait seule. Chaque matin, chaque soir. Pendant des heures et des heures et des heures, et toute la nuit. Seule comme un chien.

« Vero essayait d'être courageuse, je murmure. Mais l'isolement… chaque jour, elle oubliait un peu plus qui elle était. Chaque jour, elle devenait un peu plus celle que Madame souhaitait qu'elle soit. Surtout quand elle a eu douze ans et que le premier homme est venu. Quand ç'a été fini, Vero n'a pas pleuré. Elle a juste enfermé son malheur dans une boîte, comme si rien ne s'était passé, et elle a rangé la boîte tout au fond de sa tête. C'était arrivé à quelqu'un d'autre, se répétait-elle, pas à la vraie Vero. Puisque la vraie Vero était une princesse venue d'un royaume secret et sa mère une reine magicienne qui avait promis de la protéger contre la méchante sorcière. »

Je dévisage Marlene. « Vero inventait des histoires. Peut-être pour ne pas oublier la sienne. C'est très dur d'être soi-même dans la maison de poupée. »

Marlene ne peut plus me regarder. Ce qui ne m'étonne guère.

« Dès ma sortie de l'hôpital, je suis retournée auprès de Ronnie », continue-t-elle, car après tout, c'est autant sa confession que la mienne. Et au bout de trente ans, il y a fort à dire. « Normal. Je ne savais pas vivre seule. Quand je l'ai rencontré, j'étais une gamine stupide, et enceinte par-dessus le marché. J'étais incapable de subvenir à mes besoins, incapable de décrocher le moindre boulot. Ronnie s'est occupé de moi. C'est vrai, il avait ses humeurs, parfois il buvait trop, il cognait dur, mais au moins j'avais un toit sur la tête.

« Après ta disparition, les choses sont allées de mal en pis. Quand je me suis retrouvée pour la sixième fois aux urgences, le policier qui me suivait, Hank, a dit qu'il en avait marre. Il a proposé de m'héberger. Il dormirait sur le canapé. Moi dans le lit. Mais en contrepartie, plus d'alcool, plus de larmes, plus de drames. Comme au bout d'un an il n'avait pas réussi à retrouver la fille, il s'était promis de sauver la mère. Il prenait sa mission très à cœur.

— Les filles grandissent. Même les belles princesses… » Je grimace. Un lambeau de souvenir me traverse l'esprit, léger comme une toile d'araignée. *Il ne veut plus de toi; à quoi tu sers maintenant?* Madame Sade était en colère. Tu ne voulais pas qu'elle s'énerve; tu devais absolument éviter qu'elle s'énerve.

Je frissonne, j'essaie d'évacuer cette image. Quand je reprends la parole, elle a disparu dans la boîte fermée à clé. «Vero a emménagé dans une autre chambre, à l'étage inférieur, dis-je platement. Elle a gagné une compagne, Chelsea, une fille légèrement plus âgée qu'elle. Comme Vero, Chelsea était une brune aux yeux bleus. Le meilleur client de Madame préférait les brunes aux yeux bleus. Vero était contente d'avoir une compagne de chambre. Elle se disait qu'enfin, elle ne serait plus seule. Mais Chelsea l'a prise en grippe dès le départ car personne ne l'avait aimée comme Vero l'avait été. Sa mère l'avait vendue à madame Sade contre une dose. En revanche, dans la maison de poupée, c'était elle la favorite. On lui avait donné la jolie chambre de la tour. Jusqu'à ce que Vero débarque, bien entendu. Chelsea détestait Vero, elle lui déchirait ses vêtements, gâchait ses produits de beauté.

«Elle l'obligeait à dormir sur la descente de lit. Elle l'insultait, lui disait qu'elle était le petit chien de madame Sade. Et que madame Sade ne gardait pas ses petits chiens très longtemps. Elle lui disait que bientôt, ils viendraient la chercher, qu'il n'y avait qu'une seule façon de quitter la maison de poupée, que son heure avait sonné.

— Le plus dur c'était le soir, reprend Marlene. Je regardais le soleil se coucher et je me disais : encore un jour sans savoir où est mon bébé. J'avais envie de picoler. Tout le temps. Pour résister, je pensais à toi. Au début, je m'asseyais sur le canapé de Hank et

376

je revoyais ton premier anniversaire, ton deuxième anniversaire, ton troisième. Par la suite, je t'ai imaginée le jour de tes sept ans, de tes huit ans, de tes neuf ans. Pour ton dixième anniversaire, j'ai fait un gâteau à la vanille avec un glaçage bleu parce que tu étais une grande fille à présent. J'avais besoin de croire que tu avais grandi, que tu allais bien.

— Vero dormait sur la carpette. Elle faisait tout pour ne pas contrarier Chelsea. Chaque nuit, elle se racontait des histoires à voix basse. Les aventures du royaume secret, de la reine magicienne et de la méchante sorcière. Sauf qu'une nuit, elle s'est aperçue que Chelsea écoutait. Alors, Vero a changé d'histoire. Elle a raconté celle du placard. Le placard était un passage entre deux mondes ; il fallait juste trouver la bonne porte et, quand elle l'aurait trouvée, elle pourrait s'enfuir. Chelsea était suspendue à ses lèvres. » Je ferme les yeux et, pendant un instant, je vois clairement la scène. Deux filles brunes, tête penchée l'une vers l'autre, bavardent à voix basse. Un souvenir heureux, comme l'odeur de l'herbe coupée. L'un des rares moments où la maison de poupée ressemblait presque à un vrai foyer. Je m'entends murmurer : « Vero ne dort plus sur la carpette. Elle a grimpé dans le lit, à côté de Chelsea, et elles parlent de leurs rêves, elles se font des confidences. Elles sont devenues sœurs. Et Vero n'est plus seule. »

Je pleure doucement, en silence. Pourquoi pleurer ? Puis Vero réapparaît. Elle tourne comme une toupie sur cet affreux tapis bleu, une seringue dans la main. Elle a des marques sur le bras. Un poids énorme m'écrase la poitrine.

Marlene glisse sa main dans la mienne. Ses doigts tremblants me donnent de la force, me prennent de la force. Nous replongeons ensemble dans le fleuve de la mémoire.

Elle parle la première : «Un jour, j'ai craqué. Comme ça. J'étais partie me balader. Je suis passée devant un magasin d'alcool et je… je suis entrée. J'ai acheté une bouteille de whisky, je l'ai ramenée chez Hank et j'ai tout sifflé. Quand je me suis réveillée aux urgences, Hank était effondré. Il m'a fait jurer de ne jamais recommencer. Il… Il m'a dit qu'il m'aimait, qu'il voulait m'épouser. Mais à une condition : je devais rester sobre pendant un an. Je devais choisir de vivre, m'a-t-il dit, parce que sinon, il en aurait le cœur brisé.

— Les choses ont commencé à se dégrader.» Je marche dans ma tête le long du couloir sombre, je me rapproche du panneau «Danger». DANGER !!! «Il n'y avait plus assez de chair fraîche dans la maison de poupée. Les réceptions se raréfiaient, madame Sade était à cran. Elle avait besoin d'argent. "Vous croyez qu'une baraque pareille s'entretient par l'opération du Saint-Esprit ?" disait-elle. Avec tout ce qu'elle dépensait pour nous nourrir, nous habiller. Nous n'étions que des ingrates. Pas étonnant que personne ne veuille plus jouer avec nous. À partir de là, elle s'est mise à nous droguer. La première fois, elle a déboulé dans la chambre avec une seringue. J'ai cru que c'était la fin, qu'elle allait nous injecter une dose mortelle de sédatif et qu'ensuite elle laisserait nos cadavres pourrir dans la forêt. Après tout, la mort n'était-elle pas la seule issue ?

« Mais ce n'était pas un sédatif. On n'a pas perdu connaissance, au contraire, on a eu l'impression… de fondre, de flotter. C'était agréable. On gloussait, on souriait aux anges, on dansait. Au bout de quelques semaines à ce régime, on aurait fait n'importe quoi pour elle : la fête, la conversation et tout le reste, avec tous les hommes qu'elle aurait bien voulu nous présenter. Pourvu qu'elle continue à nous donner notre part de bonheur. » Je fais une pause. Une phrase me traverse, cette mystérieuse rengaine qui m'habite depuis si longtemps. « Vero a appris à voler.

— Pour arriver à décrocher, il fallait que je m'occupe, rebondit Marlene. C'est comme ça que j'ai commencé à fabriquer des édredons. Chaque matin, j'allais dans des boutiques de tissu, j'achetais des coupons. Je les choisissais gris comme tes yeux, bruns comme tes cheveux, roses comme ta première robe. Et je cousais pour oublier ma douleur. Avant que je comprenne ce qui se passait, des gens ont voulu me les acheter. Le premier, je l'ai vendu à ma voisine. C'était mon premier vrai job, mon premier dollar gagné honnêtement. Par la suite, Hank m'a aidée à les mettre sur Internet. Peu après, je suis tombée enceinte.

— La maison de poupée… périclitait. C'était flagrant. Les locaux se détérioraient, madame Sade était constamment en rogne et nous de plus en plus… fatiguées. Fini les longs conciliabules dans la chambre, fini les histoires qu'on se racontait blotties l'une contre l'autre. La moitié du temps, on planait dans la stratosphère et l'autre moitié, on tombait dans les abîmes du manque. L'ambiance autour de la table était à couper au couteau. Nous regardions les deux grandes filles assises à l'autre bout. Dures. Décharnées. Il fallait fuir, c'était *évident*. Vero et Chelsea en avaient conscience. Mais comment?

— J'ai bâti une famille », murmure Marlene, apparemment gênée d'avoir pu mener une existence normale alors qu'au même moment, sa fille aînée vivait l'enfer. « J'ai épousé Hank. J'ai accouché d'une belle petite. J'ai trouvé un vrai boulot de vendeuse. Et je n'ai pas bu une goutte en l'espace de vingt ans. Je regrette amèrement de n'avoir pas arrêté plus tôt. Je suis désolée d'avoir été si bête. Si je pouvais revenir en arrière, si c'était à refaire…

— Vous l'avez laissée tomber.

— Je suis désolée…

— Mais moi j'ai fait pire. »

Elle ne dit rien; ses doigts tremblent entre les miens.

Je suis arrivée au bout de mon corridor mental, devant la plus grande porte, celle où est écrit « Danger ». J'ai la main sur la poignée. Je vais le faire. Je dois le faire. Tout de suite. Pas question de flancher.

« J'ai cessé de me droguer. Progressivement. Chaque jour, je planquais les doses que je ne prenais pas. Je ne pouvais plus m'infliger un tel supplice. La vie, la mort à petit feu. Il fallait qu'on se tire de là. Si je retrouvais mes facultés, alors peut-être…

« Je cachais mes doses dans un trou de mon matelas. Je savais que madame Sade ne les trouverait pas. Ma compagne de chambre me voyait faire mais ce n'était pas grave. Nous étions dans la même galère, elle et moi. Nous étions sœurs. J'aurais voulu qu'elle arrête, elle aussi, mais pour elle c'était plus dur. Elle était trop fatiguée, encore plus fatiguée que moi. Même si on arrivait à s'enfuir, disait-elle, où irions-nous?

«J'aurais voulu…» Ma voix se brise. Je tourne la poignée. Le battant pivote sur ses gonds. Je vois la raie sombre s'élargir entre la porte et le chambranle.

«Je savais, dis-je d'une voix monocorde, les yeux rivés sur les mains de la femme assise devant moi. Je ne voulais pas le croire, mais au fond je savais ce qu'elle prévoyait de faire.

— Je suis désolée, murmure Marlene, comme si elle connaissait la suite.

— Elle s'est injecté toutes les doses d'un seul coup. Elle a fait ça un après-midi, alors que j'étais de corvée de cuisine. Quand je suis remontée, je l'ai trouvée sur la carpette, morte. Je ne savais pas quoi faire.» J'ai hurlé. Je l'ai suppliée, *Je t'en prie, ne me laisse pas. Toute seule, je n'y arriverai pas.* «Madame est arrivée. C'était la première fois qu'un tel événement se produisait. Elle a piqué une colère. Il n'y avait rien à faire, a-t-elle dit. À part attendre le soir. Quand il ferait nuit, le gardien viendrait chercher le corps. Et elle l'a laissée comme ça, étendue par terre. Et moi, je suis restée seule à côté du cadavre de ma meilleure amie.

«J'ai écarté les cheveux qui lui couvraient le visage. De longs cheveux aussi bruns et bouclés que les miens. Je lui ai fermé les yeux. Des yeux bleu clair comme les miens. Et ensuite… j'ai pris ma décision.»

Marlene me presse la main. Elle veut savoir la fin. Les flics, Tessa et Wyatt, se sont levés. Ils se tournent vers moi, retenant leur souffle.

Je m'efforce de les regarder dans les yeux pendant que je déroule la suite de l'histoire.

«J'ai échangé nos vêtements. Non sans mal, j'ai réussi à la hisser sur le lit. J'ai rabattu la couverture sur elle et j'ai pris sa place sur la carpette.» *Imprégnée de vomi et d'urine.* «Je me suis enroulée dans le tapis, j'ai serré les mâchoires et je n'ai plus bougé.

«Finalement, la porte s'est ouverte. J'ai entendu le gardien entrer. Mais je ne voyais rien, bien sûr, puisque j'étais dans le tapis. Il m'a soulevée, m'a jetée en travers de son épaule et *plonk, plonk, plonk*, il a descendu les marches. Son épaule me comprime l'estomac. J'ai envie de vomir. Mais je ne peux pas vomir puisque je suis morte.

«On est dehors. Il marche vers la forêt. Il avance lentement car il doit enjamber des pierres, des racines. Il pleut. Je sens l'humidité à travers le tapis. Il fait nuit noire, le vent souffle fort. Un temps de circonstance. Il s'arrête, me jette par terre. Je vais crier. Mais je ne crie pas puisque je suis morte.

«Puis, brusquement, il m'attrape et me balance dans la fosse. Vlan. Comme ça. Madame Sade ne se dérange même pas. Elle aurait pu prononcer quelques mots sur la tombe de celle qu'elle appelait sa fille. Mais non, rien… Allez, à la poubelle. Normal, puisque je suis un déchet. Et après cela, bien évidemment, l'homme ramasse sa pelle et commence à me recouvrir de terre.»

Marlene me broie la main. Nos articulations sont exsangues et mes doigts tellement engourdis que je ne sens plus rien au bout. Pourtant, je ne bouge pas. Je la regarde fixement et, pour la première fois, je prends la mesure de ma colère. La petite Vero avait cru en elle, au pouvoir magique de ses étreintes. La petite Vero s'était montrée courageuse parce qu'elle croyait que l'amour d'une mère n'avait pas de fin. Sauf que la petite Vero n'aurait jamais dû mettre les pieds dans cette maison.

Je n'avais jamais considéré les choses sous cet angle mais c'est vrai : ce n'était pas à moi de sauver Vero. C'était le boulot de cette femme... *de sa mère*.

« La terre est lourde, elle m'écrase, dis-je en martelant chaque mot. Elle est humide, compacte. Je ne peux pas remuer les jambes. Je ne peux pas remuer les bras. Je suis piégée. Coincée. Je suffoque. Je vais mourir pour de bon.

— Je suis désolée, souffle Marlene.

— Et au moment où je crois que tout est fini pour moi, la terre cesse de s'accumuler. Le gardien s'en va. Son travail est terminé. Le mien commence. Je me contorsionne, je me débats, je pousse, je tire. Et à force de lutter, j'émerge à l'air libre. Je sors de la fosse. Couverte de boue de la tête aux pieds, je me dresse sous la pluie battante en essayant de reprendre mon souffle. Je suis revenue d'entre les morts. »

Un éclair zèbre le ciel. Je sens l'averse sur mon crâne, l'air qui circule dans mes poumons, comme une bénédiction. Je ris, je pleure et après, je m'écroule, anéantie. Si je suis vivante c'est grâce à ma meilleure amie, ma seule amie. Ma sœur bien-aimée.

Je lâche les mains de Marlene. D'un geste brusque, violent, je m'écarte d'elle. « Je savais ce qui allait se passer. »

Elle ne trouve rien à dire. Wyatt esquisse un pas vers moi comme s'il estimait nécessaire d'intervenir.

«Je savais qu'elle ferait une overdose. Elle était fatiguée, déprimée. Elle était accro, incapable de résister. Et pourtant, j'ai continué à planquer mes doses sous ses yeux.

— Bébé, commence Marlene.

— Taisez-vous! Vous connaissiez le danger. Vous saviez ce qui risquait d'arriver à un enfant seul dans un parc. Et pourtant vous avez picolé et vous avez laissé Vero sans surveillance.»

Elle se raidit, ne répond pas.

Je suis déchaînée. Ma tête explose mais il y a pire : mon cœur se brise en mille morceaux. J'ai ouvert la porte aux souvenirs et maintenant, je revis tout ce qui s'est passé ce jour-là. «Je savais que si je stockais mes doses, elle finirait par les prendre. Il n'y a qu'une seule façon de quitter la maison de poupée. Elle en avait assez de la vie. Je le savais et pourtant je l'ai fait. Parce que sa mort était ma seule chance de retrouver la liberté.

— Vero…», bredouille Marlene. Je repousse la main qu'elle me tend.

«Je ne suis pas Vero! Vous ne comprenez pas? Je ne suis pas Vero. Vero n'est qu'un fantôme dans ma tête. Une vieille erreur que je m'acharne à réparer. Une faute que je n'arrive toujours pas à m'avouer. Ou l'inverse. Il y a tellement de choses qui m'échappent. Je voulais vous voir, pas vous parler. J'en suis incapable. Je ne peux pas… revenir en arrière. Je ne peux pas…» Les mots me manquent; je perds le fil. Je tends le bras, je fouille sous mon oreiller, j'attrape la photo que j'ai trouvée dans la poche de Thomas. «Tenez.» Je la lui jette à la figure. «Voilà tout ce qu'il reste de votre fille.»

Marlene prend la photo, se penche dessus, fronce les sourcils. «Qui est-ce?

— Vero, bien sûr. Vous devriez la reconnaître…

— Non, ce n'est pas elle.

— Quoi?» Je cligne les yeux, me frotte les tempes. Déterrer des souvenirs que j'avais tout fait pour oublier n'est pas sans conséquence. J'en subis le contrecoup, maintenant. Je sais que je suis déboussolée; je sais qu'il me manque des cases. Et pourtant.

J'insiste. «C'est Vero. Dans la maison de poupée. Je l'ai trouvée dans la veste de Thomas.» Ces derniers mots sortent d'eux-mêmes. Wyatt et Tessa se sont rapprochés pour examiner le cliché à leur tour.

«Absolument pas, s'obstine Marlene. Je veux bien admettre qu'elle a été prise plusieurs années après sa disparition. Mais non, cette fille n'est pas Vero.

— Vous êtes sûre? lui demande Wyatt. Elle ne date pas d'hier, elle est un peu floue. Regardez ses cheveux, ses yeux…

— Son avant-bras gauche. Il n'a pas de cicatrice.

— Quelle cicatrice?» C'est moi qui ai dit cela, dans un couinement.

Tout à coup…

Vero réapparaît. Son crâne blanchi. Son sourire triomphant. Vero n'a jamais été moi.

«*Attends, tu vas voir*, chuchote-t-elle. *Un, deux et…*»

«Vero a une cicatrice, déclare Marlene. Elle a eu… euh… un accident quand elle avait trois ans.

Elle jouait à l'avion et elle s'est cognée contre la table basse. »

Sauf que Vero avait une autre version de cet événement. Chaque nuit, Chelsea, sa compagne de chambre, l'entendait raconter l'histoire de Ronnie, le vilain chevalier. Ronnie s'emparait de la princesse et la projetait dans les airs. Il la précipitait contre la table en disant : *Tu cherches un prétexte pour pleurer, petite conne ? Je vais t'en donner un…*

Marlene se tourne vers moi. Dans la vie réelle. Pas dans un passé plus ou moins enfoui.

« Montre-lui, m'ordonne-t-elle. Ton bras gauche. La cicatrice. »

Je bouge au ralenti. Je lève le bras. Je remonte ma manche.

Je sais bien ce qu'il y a dessous : une surface de peau blanche et parfaitement lisse.

Et enfin, je comprends. Le tout dernier secret tapi au fond de la boîte noire et béante. Un minuscule lambeau de souvenir, si redoutable que même des années plus tard je n'ai pas eu le cran de l'affronter. La Vero que je trimballe dans ma tête n'est pas l'un de mes avatars. Si elle me hante ainsi c'est parce que je l'ai tuée.

Marlene étouffe une exclamation horrifiée. « Vous n'êtes pas ma fille. »

Et Vero pousse un cri de victoire : « *Surprise !* »

30

« Qui êtes-vous ? » La main de Marlene Bilek se resserra comme un étau sur le poignet de Nicky, laquelle grimaça de douleur. « D'où tenez-vous toutes ces choses que vous avez dites ? Qu'avez-vous fait à ma fille ?

— Madame, s'il vous plaît. » Wyatt s'interposa. Il dut employer la force pour l'obliger à lâcher Nicky.

Elle se tourna vers lui. « Si c'est une blague, elle est de très mauvais goût. Moi qui croyais que vous aviez retrouvé ma fille. Que vous teniez la preuve !

— Nous avons des empreintes digitales, madame Bilek. Des empreintes digitales correspondant à celles de votre fille…

— Mais cette femme n'est pas Vero ! Elle n'a pas de cicatrice. Vero a une cicatrice…

— Bon, OK, d'accord. Tout le monde se calme. On respire. On prend un peu de recul. »

Wyatt conduisit Marlene et Nicky chacune à un bout de la chambre. Le visage de Marlene exprimait un mélange de douleur, de rage et d'indignation, celui de Nicky trahissait un simple désarroi. Elle se massait les tempes comme pour conjurer une migraine. Wyatt lui aussi sentait monter un furieux mal de tête. Et pourtant, il n'avait jamais eu de traumatisme crânien.

Tessa fit asseoir Nicky sur une chaise, Wyatt présenta un siège à Marlene Bilek. Tessa pêcha deux bouteilles d'eau fraîche dans le minibar, tendit l'une à Nicky, l'autre à Marlene.

Les deux femmes burent longuement.

Wyatt profita de ce court répit pour rassembler ses idées. C'était hallucinant. Quand on les voyait côte à côte, quand on comparait leurs gestes, leurs postures – sans parler de leur couleur de cheveux – on les prenait sans problème pour une mère et sa fille.

Sauf que, d'après Marlene Bilek, c'était impossible.

«Commençons par le commencement», reprit-il au bout d'un moment. Il se tourna vers Marlene. «Vous dites que Veronica a une cicatrice.

— À l'intérieur de l'avant-bras gauche. Sous le coude. Longue de quatre à cinq centimètres. Elle s'est cognée sur la table basse.

— C'est Ronnie qui l'a blessée, répliqua Nicky. Il l'a soulevée, Vero n'était qu'une toute petite fille, et il l'a balancée sur la table en bois comme un tas de merde. La table s'est brisée. L'un des pieds lui a transpercé le bras.

— D'où vous tenez ça? s'écria Marlene.

— Vero veut voler, murmura Nicky. Elle voulait juste voler. Comment avez-vous pu rester avec ce type? Comment avez-vous pu lui faire endurer ça?»

Marlene pâlit mais resta coite.

« Vous êtes vraiment formelle pour ce qui est de la cicatrice ? » redemanda Wyatt en désespoir de cause. Parce que si Vero avait effectivement une cicatrice, c'était à n'y plus rien comprendre.

« Vous n'avez qu'à vérifier dans le rapport de police, lui décocha Marlène. À la rubrique signes particuliers. »

Tessa ne se le fit pas dire deux fois. Elle sortit la copie du rapport de sa sacoche d'ordinateur et y jeta un bref coup d'œil. Quand elle releva les yeux, Wyatt vit la réponse dans son regard. Puis elle hocha la tête pour confirmer qu'ils venaient d'entrer dans le royaume de l'absurde.

Il se tourna vers Nicky. « Qui êtes-vous ?

— Je suis paumée. Personne n'a jamais voulu de moi, même avant la maison de poupée. Personne ne m'a jamais aimée, même avant la maison de poupée.

— Vous êtes Chelsea. » Tout en parlant, Wyatt rassemblait les pièces du puzzle. « Vous êtes la fameuse compagne de chambre. » Voilà, il avait saisi : « Vous avez tué Vero pour pouvoir vous enfuir.

— Mais ça fait vingt-deux ans que j'essaie de la sauver. »

Wyatt regarda Tessa. Tessa qui lui avait dit et redit que Nicky devait avoir une bonne raison pour refouler son passé. Celle-ci lui semblait assez valable.

« Chelsea…

— Nicky.

— Nicky. Vero est-elle morte cette nuit-là ?

— Il n'y a qu'une seule façon de quitter la maison de poupée.

— Vous êtes sûre ?» insista-t-il en entendant Marlene Bilek inspirer bruyamment.

Nicky ne répondit pas mais son expression angoissée était assez éloquente.

«Alors, pourquoi y avait-il ses empreintes digitales dans votre voiture ?

— Elle n'est pas morte ! réagit Marlene en se penchant sur sa chaise. Elle était avec vous ! Vous avez vu ma fille. Vous savez où elle est.»

Wyatt pivota vers Nicky, laquelle fronçait les sourcils, se massait le front. «Chut, murmura-t-elle. Chut...

— Vous vous sentez bien ? lui demanda-t-il par précaution.

— Elle se moque de moi. Je déteste quand elle fait ça. Je voudrais qu'elle renfile ses vêtements. Au moins sa peau.»

Wyatt et Tessa échangèrent un regard interloqué.

«Nicky, reprit-il d'une voix sévère. On est mercredi soir. Vous vous rendez dans le magasin d'alcool avec l'intention de rencontrer Marlene Bilek, la mère de Vero. Qui est avec vous dans la voiture ?»

Nicky ouvrit les yeux. Elle avait l'air d'une femme malheureuse mais pas d'une menteuse. «Vero est avec moi. Elle est toujours avec moi. Mais pas comme vous pensez.

— Vous la cherchez.

— Je n'arrête pas.

— Vous voulez la protéger. Vous lui avez fait du mal autrefois et maintenant vous essayez de vous racheter.

— Oui !

390

— Nicky», dit Wyatt en prenant sa main entre les siennes. Ses doigts glacés contrastaient avec la sueur qui perlait sur son front. Il ne leur restait plus beaucoup de temps, réalisa-t-il. Non seulement l'affaire était mal engagée mais il redoutait que Nicky ne puisse supporter ce surcroît de stress. Une migraine pouvait tout interrompre à tout moment. Elle retomberait dans le mutisme.

«Une fois pour toutes, dites-moi si Veronica Sellers, votre amie, votre compagne de chambre, a réussi à s'échapper de la maison de poupée?

— Vero a appris à voler.

— Vous parlez de son overdose.»

Nicky le regarda longuement, très longuement. Et soudain, Wyatt comprit. Ce n'était pas qu'elle refusait de leur dire la vérité. Elle ne pouvait même pas se l'avouer à elle-même. Avant la maison de poupée, Chelsea n'avait jamais reçu d'amour. Dans la maison de poupée, Chelsea avait trouvé une sœur.

«Oui», souffla-t-elle. Puis elle ferma les yeux, ce qui valait mieux pour elle comme pour lui, car la douleur qu'il avait entraperçue dans son regard était presque insoutenable.

«Nicky, je dois vous poser une autre question.»

Elle déglutit.

«Les empreintes digitales, celles qui étaient dans votre voiture... d'où viennent-elles?

— Ma fille était forcément avec vous, intervint Marlene. Vous mentez, elle n'est pas morte. Elle était dans la voiture avec vous, cette nuit-là.»

Nicky secoua la tête. «Non, ça ne s'est pas passé comme ça.

— En effet, c'est impossible, confirma Wyatt. Nous avons fait venir un chien policier sur les lieux de l'accident. Et selon Annie, il n'y avait qu'une seule personne à bord : la conductrice, dont elle a suivi la piste le long de la pente.

— Mais alors, comment expliques-tu les empreintes digitales?» persista Tessa. Elle était aussi perplexe que lui et cela le rassurait, dans un sens. «On ne peut pas contrefaire des empreintes digitales. Il n'y en a pas deux pareilles, même chez les jumeaux.

— C'est vrai.» Wyatt regarda les mains de Nicky. Ils avaient immédiatement prélevé les empreintes qui parsemaient l'épave de l'Audi. En revanche, celles de Nicky n'étaient en leur possession que depuis quelques heures. Ils l'avaient interrogée, emmenée faire un tour en voiture, ils avaient fouillé son domicile, mais à aucun moment ils n'avaient songé à prendre ses empreintes.

Autrement dit, les empreintes de Veronica Sellers trouvées dans le véhicule de Nicky Frank n'étaient pas forcément celles de Nicky Frank.

Même un débutant n'aurait pas commis une telle bévue. Il allait appeler Kevin sur-le-champ et lui demander de comparer les empreintes de Nicky, relevées l'après-midi même, et celles de la jeune Veronica Sellers, datant d'une trentaine d'années.

«Nicky, repartit Wyatt, vos doigts étaient couverts de sang. Du sang frais. Vous les avez posés sur les sièges, sur le tableau de bord. Partout. C'était *votre* sang.

— Vero veut voler, murmura-t-elle. Alors la voiture s'est envolée, légère comme une plume. Je sens son sourire. Je sens son rire à côté de moi.

— Que s'est-il passé?

— Mais tout ce qui vole finit par retomber un jour.

— Que s'est-il passé?

— Le plus dur n'est pas de voler mais d'atterrir.

— Nicky! gronda-t-il. Regardez-moi. Ce n'est *pas* Vero sur la photo. Vous m'entendez? C'est vous! C'est un portrait de vous. J'ignore comment Thomas se l'est procuré mais… Vero n'a rien à voir dans cette histoire. Il s'agit de vous et de vous seule, depuis le début.

— Vous vous trompez.» Nicky releva brusquement la tête puis elle articula en dévisageant Marlene. «C'est bien de Vero qu'il s'agit. Elle n'aurait jamais dû se retrouver dans la maison de poupée. Elle n'aurait jamais dû mourir là-bas. Vingt-deux ans ont passé mais elle cherche encore à se venger. Et elle finira par y arriver.»

Wyatt raccompagna Marlene Bilek dans la chambre mitoyenne. Après sa déclaration fracassante, Nicky s'était écroulée sur un lit. Quant à Marlene, une fois sa colère retombée, elle avait l'air plutôt sonnée.

Wyatt lui demanda encore une fois de décrire sa fille dans les moindres détails, mais cela ne lui apprit rien de nouveau. Sa Vero avait les yeux gris. Ceux de Nicky Frank étaient bleus. Sa Vero avait une cicatrice à l'avant-bras gauche. Oui, l'incident de la table basse s'était déroulé exactement comme Nicky l'avait décrit. Non, elle n'en était pas fière. Mais le fait que Nicky connaisse tout cela par cœur n'ébranlait pas ses certitudes. Nicky Frank avait beau tout savoir de Veronica Sellers, elle n'en était pas pour autant sa fille.

Pour ce qui était des empreintes digitales retrouvées dans l'Audi… on marchait sur la tête. Si Vero était vivante, pourquoi n'avait-elle pas contacté sa famille ? Pourquoi Nicky avait-elle pris la peine d'engager Northledge Investigations pour retrouver Marlene ? Passe encore si Marlene avait touché un gros héritage après la disparition de sa fille… Mais non, elle et sa famille vivaient modestement. Il n'y avait strictement aucun avantage à usurper l'identité de Vero, du moins sur le plan financier.

« Elle est malade, conclut Marlene comme si elle regrettait de s'être laissé emporter. Je veux dire, elle n'arrête pas de se frotter le front mais c'est plus grave que ça, hein ? Cette Nicky… elle ne serait pas un peu cinglée ? »

Wyatt hésita, ne sachant comment formuler sa réponse. « Je pense qu'elle est sincèrement désorientée.

— Elle se prenait pour Vero, ajouta Marlene. Je veux dire, quand elle m'a acheté cet édredon, quand elle m'a suivie jusqu'à chez moi. Elle croyait vraiment qu'elle était ma fille.

— On dirait que quelque chose de très fort la lie à Vero », déclara Wyatt. Ce qui était à peu près tout ce dont il était sûr, dans cette affaire.

« Pourquoi ? »

De nouveau, il hésita. « Madame Bilek… je sais que Nicky est perturbée et qu'elle s'exprime parfois de manière incohérente mais… je ne pense pas qu'elle affabule. En fait, je subodore que la plupart de ses souvenirs sont authentiques. Et si tel est le cas… »

Marlene paraissait de plus en plus calme. « Vous la croyez quand elle parle de cette maison de poupée ? Ces histoires qu'elle a racontées au début, elle les a vraiment vécues ? Et Vero aussi ?

— Je crois surtout qu'il nous appartient de faire jaillir la vérité. Ne serait-ce que par respect pour Vero, et pour Nicky. »

Elle leva les yeux vers lui. « Ma fille est morte là-bas. Chelsea a trouvé la force de décrocher. Alors que ma pauvre petite... » Sa voix se brisa ; elle déglutit. « C'est pour ça que Chelsea est tellement obsédée par Vero. Elle s'est servie d'elle pour s'échapper et depuis, elle est accablée de remords.

— Ne tirons pas de conclusions hâtives, voulez-vous ? »

Wyatt rassembla les croquis que Tessa lui avait laissés. « Connaissez-vous cette maison ? » Quand il lui présenta la feuille, le visage de Marlene Bilek se ferma brusquement. Elle examina le dessin d'un air impassible.

« C'est l'endroit en question ? » Elle lui lança un bref coup d'œil. « Elle est grande... magnifique. Jamais on n'imaginerait que les gens ayant la chance d'habiter une telle demeure sont des êtres malfaisants. On penserait plutôt que les enfants, les petites filles, étaient heureuses là-dedans. »

Pour reposer le dessin, Wyatt attendit qu'elle lui fasse signe de passer au suivant.

Quand il lui montra le portrait de madame Sade, Marlene frémit. Puis elle eut un geste surprenant. Elle tendit la main et s'empara de la feuille.

« C'est elle qui a tué ma petite fille ? »

Wyatt ne répondit rien.

«C'est elle l'unique responsable. Vous avez entendu ce qu'a dit Nicky. Chelsea. Cette femme a enlevé Vero dans le parc. Cette femme l'a enfermée pour toujours. Cette femme a tué mon enfant.

— L'auriez-vous aperçue dans le parc?

— Non.

— Et avant? Dans votre immeuble, dans le quartier?» Une professionnelle comme madame Sade n'enlevait pas les petites filles au hasard. Étant donné la ressemblance entre Vero et Chelsea, elle devait rechercher un type physique particulier. Peut-être même a-t-elle agi en fonction d'une commande passée par un client. Et dans ce cas, elle avait dû faire des repérages.

Marlene répondit non.

«Vous êtes sûre?»

Elle lui décocha un regard acéré. «Vous croyez que je pourrais oublier un tel glaçon? J'ai des frissons rien qu'à la voir en dessin.»

Wyatt rebondit. «Y avait-il des petits garçons dans le parc, ce jour-là?» Il essaya de lui décrire Thomas Frank avec trente ans de moins. Mais de nouveau, Marlene botta en touche.

«Ça fait tellement longtemps, brigadier. Et comme disait Nicky, j'étais saoule, ce jour-là. Je n'aurais jamais dû emmener ma petite fille au parc. Je n'aurais jamais dû m'asseoir sur ce banc. Tout est de ma faute. Et j'ai payé pour ça, j'ai payé le prix fort.»

Il tenta une approche différente. «Qui d'autre était au courant pour la cicatrice de Vero?

— Tous ceux qui ont lu son signalement, bien sûr.

— Vous parlez du rapport de police, n'est-ce pas? Parce que, sur les appels à témoins placardés dans les lieux publics, ce détail n'était pas indiqué. Sur les affiches, il y avait sa photo et quelques indications basiques comme sa taille, son poids, son âge.

— Oui.

— Vous aviez des amis, de la famille?» demanda-t-il.

Elle fit une grimace de honte. «On ne peut pas dire. La famille c'était nous trois, Vero, Ronnie et moi.

— Donc Ronnie savait. La police ne l'a jamais interrogé sur la disparition de Vero?

— Bien sûr que si. Mais c'était il y a longtemps et, de toute façon, il avait un alibi – il était au travail quand on l'a enlevée.

— D'accord.» Wyatt continuait à se triturer les méninges. Nicky Frank et Veronica Sellers avaient sensiblement le même âge et se ressemblaient comme deux gouttes d'eau. Mis à part la fameuse cicatrice.

C'était bien ce qui l'intriguait. Les personnes susceptibles de connaître un tel détail se comptaient sur les doigts d'une main. Et le grand public n'avait pas eu accès au rapport de police. Donc, si quelqu'un avait voulu à toute force faire passer Nicky Frank pour Veronica Sellers… Au point de coller les empreintes de Vero dans la voiture de Nicky…

Mais comment? Et pourquoi?

Cette nuit-là, Thomas avait rejoint son épouse à moitié ivre, totalement désemparée. Il lui avait ordonné d'enfiler des gants, puis il avait placé le levier de vitesse au point mort et avait poussé la voiture dans le ravin. Avait-il collé les fameuses empreintes dans l'habitacle? De quelle manière? Et pour quelle raison? Pour que sa femme vive sous l'identité de Veronica Sellers? Ou qu'elle meure sous celle d'une enfant disparue? Mais, encore une fois, pourquoi?

Une pelle pliable, une paire de gants maculés de sang. Qu'est-ce que ce type avait dans la caboche, cette nuit-là? Et quand finirait-on par trouver un sens quelconque à cette histoire de fous?

Wyatt remercia Marlene de s'être déplacée, lui fit promettre de ne rien dire à la presse puis demanda à l'un de ses adjoints de la ramener chez elle en voiture.

À peine fut-elle partie que Tessa ouvrit la porte de communication. Les deux chambres étaient le reflet l'une de l'autre. Tessa s'assit sur le lit en face de Wyatt.

«Eh bien, dit-elle. Ça ne s'est pas déroulé comme prévu.

— Je peux te poser une question? Est-il possible de contrefaire une empreinte digitale?

— Ce serait trop beau», fit-elle, sur un ton si brusque que Wyatt la regarda d'un air étonné. Elle se contenta de sourire. «En théorie, ça doit pouvoir se faire. On prélève une empreinte sur une surface quelconque, au moyen d'une bande plastique par exemple, et on la transfère sur une autre. Mais... une empreinte latente n'est qu'une pellicule microscopique constituée de crêtes de peau et de particules graisseuses. La faire passer d'un support à un autre en espérant en récupérer la totalité, on voit ça dans les séries mais sur le terrain…

— Tu sais ce qui m'a frappé quand j'ai examiné ce véhicule?» enchaîna-t-il.

Tessa fit non de la tête.

«Les empreintes étaient parfaites! Une chance pareille, c'était presque incroyable. Tu sais bien, dans la plupart des voitures accidentées, c'est la croix et la bannière pour en trouver une de potable. Les surfaces sont rugueuses, elles ont été manipulées maintes et maintes fois… Du coup, il y a des traces de doigts partout, collées les unes sur les autres. Un vrai foutoir. Mais la voiture de Nicole Frank n'était pas comme ça. Cette tache de sang avec une marque de pouce imprimée au milieu, je l'ai vue tout de suite. À l'œil nu. Tu parles d'un coup de bol!»

Tessa le dévisagea. «Tu crois qu'il s'agit d'une mise en scène.

— L'examen d'Annie a été formel : il n'y avait qu'une seule personne sur les lieux de l'accident et pour ma part, j'ai pleinement confiance dans le flair d'un bon chien policier.

— Mais pourquoi aurait-on fait cela?

— Aucune idée.

— Et comment aurait-on obtenu cette empreinte? poursuivit Tessa. Trois décennies plus tard. Encore fallait-il avoir accès au dossier de police.

— Pas besoin du dossier de police, répondit Wyatt. Le Centre national de recherche des enfants disparus et maltraités numérise ses archives depuis des années. Ce qui leur permet de diffuser les infos sur tout le territoire, d'établir des concordances.

— Donc, nous ne savons ni pourquoi ni comment, mais dans la colonne du qui, tu pencherais pour un individu ayant eu accès à cette base de données digitale.»

Wyatt la regarda fixement. Une pièce du puzzle venait de trouver sa place. «Empreintes digitales. Base de données *digitale*.

— Oui?

— Tu sais ce qu'on peut faire avec des images digitales?

— Hum… on peut les envoyer par e-mail, par texto, les partager…

— Les importer dans un logiciel de dessin afin de créer un modèle digital.

— Un modèle digital d'empreintes digitales?

— Oui. Après, on le bascule sur une imprimante 3D, laquelle fabrique un moule qui restitue les crêtes et les plis de la peau, et à l'arrivée, on obtient un gant de latex porteur d'empreintes.»

Tessa écarquilla les yeux. «Le latex ne laisse pas d'empreintes digitales. Il faut au préalable l'asperger de graisse, genre huile de cuisine en spray…

— Ou de sang.»

Tessa frissonna discrètement mais acquiesça. «Les gants retrouvés dans la voiture de Thomas Frank.

— Et que Thomas Frank a donnés à Nicky dans la nuit de mercredi. Une paire de gants très spéciale, fabriquée dans son atelier grâce à son imprimante 3D. Pour qu'elle les enfile, dépose les empreintes digitales de Veronica Sellers un peu partout dans la voiture et passe aux yeux de tous pour Veronica Sellers.»

Tessa posa la seule question logique. « Mais pourquoi?

— Je n'en sais rien. Il trempait dans cette affaire de proxénétisme, d'accord? Nicky dit qu'elle a trouvé la photo de… sa photo dans la veste de Thomas. Une photo prise dans la maison de poupée.

— Comment a-t-elle fait pour s'enfuir? répliqua Tessa. Je veux dire, c'est bien beau cette histoire d'overdose et de faux cadavre. Bon, Nicky se fait enterrer vivante, elle sort de sa tombe en creusant la terre avec ses petites mains, elle regagne le monde des vivants au beau milieu d'une tempête… et ensuite quoi? Elle marche jusqu'à La Nouvelle-Orléans? »

Wyatt voyait où elle voulait en venir. « Quelqu'un l'a aidée. Et c'est là que Thomas Frank entre en scène.

— Dans cette version, Thomas lui aurait sauvé la vie. Et il devait l'aimer, sinon il n'aurait jamais passé les vingt-deux années suivantes à ses côtés. On peut secourir quelqu'un lors d'une nuit de tempête sans pour autant lui consacrer toute sa vie. S'il était le complice de madame Sade, ou son employé, le gardien de Nicky par exemple, il n'était pas obligé de l'épouser ensuite. On dirait plutôt… Il devait être sincèrement épris, à sa manière. »

Wyatt demeurait sceptique. « C'est pourtant lui qui a balancé la voiture dans le ravin, avec sa femme à l'intérieur. C'est lui qui a brûlé leur maison, avec toutes leurs affaires personnelles à l'intérieur. Si tu appelles ça de l'amour, je me demande pourquoi je me fatigue à t'acheter des fleurs. »

Tessa leva les yeux au ciel puis elle récapitula : « Il y a trente ans, une petite fille de six ans, Veronica Sellers, a été enlevée dans un parc et enfermée dans une maison reconvertie en bordel de luxe. Il y a vingt ans environ, elle est morte dans cette même maison, mais sa compagne de chambre, Chelsea, a réussi à s'enfuir et, pendant des années, elle a vécu dans le souvenir de Vero.

— Chelsea s'est imprégnée des histoires que Vero lui racontait à longueur de temps. Aujourd'hui, soit elle les confond avec son propre vécu, soit il s'agit d'une démarche volontaire. » Wyatt estimait la deuxième option improbable. « Quoi qu'il en soit, Vero est toujours là et Nicky ne peut pas la laisser partir.

— Et voilà qu'un beau jour, il y a six mois, Chelsea décide qu'elle en a marre, alors que jusqu'à présent elle filait le parfait amour avec son superhéros de mari, le fidèle et dévoué Thomas Frank. Elle veut comprendre d'où viennent ses souvenirs confus, son trauma, sa dépression, etc. Elle insiste pour qu'ils emménagent dans le New Hampshire.

— Et à peine sont-ils installés dans leur nouvelle maison qu'elle tombe dans l'escalier de la cave. Peu de temps après, elle rate une marche du perron.

— Ce qui nous mène à mercredi soir, poursuivit Tessa. Elle rencontre Marlene Bilek, la femme qui l'obsède, son seul lien vivant avec Vero. Hélas, Nicky découvre ensuite que la petite maman chérie a refait sa vie et qu'elle ne porte plus le deuil de Vero.

« Nicky appelle Thomas. Profite-t-il de l'occasion pour mettre son projet à exécution ? À savoir,

402

transformer sa femme en Veronica Sellers?» Wyatt regarda fixement Tessa. «C'est là que ça coince.»

Tessa l'observait d'un air pensif. Elle ouvrit la bouche comme pour ajouter quelque chose, y renonça et secoua la tête. «Non. Je suis d'accord avec toi. Ça n'a aucun sens.

— Je vais appeler Kevin pour lui demander de comparer les empreintes et d'examiner de plus près les gants en caoutchouc. Après quoi, nous reprendrons toute l'histoire depuis le début, encore une fois. Je suis sûr qu'on a raté quelque chose.» Wyatt jeta un œil sur sa montre. Il était presque minuit. «Il reste neuf heures pour découvrir ce que c'est.»

Tessa acquiesça. «D'après toi, où est Thomas en ce moment?» lui demanda-t-elle.

Wyatt répondit sans hésiter : «À deux pas d'ici.»

31

Je me dispute avec Vero.

Je dis : «Je ne veux plus continuer comme ça. Je veux vivre ma vie.

— Quelle vie ? Tu n'as pas de vie.» Vero se tient sagement assise devant la petite table en bois, dans la chambre de la tour. Elle a fini par renfiler cette horrible robe à fleurs mais des lambeaux de peau pendent encore de son crâne, comme une mue.

«Je ne savais pas pour la cicatrice !

— Tu aurais dû, après tout le temps qu'on a passé ensemble. Ce n'est pas de ma faute si tu ne faisais pas attention.» Vero tend son bras gauche, mais comme elle est de nouveau réduite à l'état de squelette, on voit juste deux os reliant son coude à son poignet. «Oups, fait-elle. J'ai dû oublier quelque chose. Mais quand même, ce n'est pas tout à fait de ma faute. Je suis toi, tu le sais bien.»

Je me frotte le front. En vrai ou en pensée ? Les frontières sont tellement floues ; je ne sais plus.

«Je veux être libre.

— Non. Tu veux être moi. Depuis toujours. Tu es trop jalouse mais ça non plus, ce n'est pas de ma faute. Tu te souviens du jour où je t'ai parlé de ma mère pour la première fois? Je t'ai dit que quelqu'un à l'extérieur m'aimait de tout son cœur, que quelqu'un à l'extérieur avait de *l'affection* pour moi.» Elle parlait sur un ton moqueur. «C'est toi qui as fait mon malheur.»

Elle a raison. D'autres images défilent dans ma tête. Des souvenirs plus profondément enfouis et que je n'évoque jamais, parce que je préfère les histoires de Vero. Depuis le début, j'adore quand elle parle de la reine magicienne et de la méchante sorcière. Vero a peut-être fini par échouer dans la maison de poupée mais avant cela, pendant six ans, six merveilleuses années...

Elle avait une mère qui la serrait contre elle. Une mère qui la laissait grimper sur ses genoux. Une mère qui, une nuit, a dormi par terre avec elle, qui l'a suppliée de ne pas mourir.

Moi je n'ai pas ce genre de souvenirs. Même après trois commotions cérébrales. Je n'ai qu'elle, Vero, une fille que j'ai commencé par haïr... avant de l'aimer à ma façon. L'enfermement a parfois ce genre de conséquences sur les êtres. Ses histoires sont devenues mes histoires. Son espoir mon espoir. Parce que durant toutes ces années où nous avons vécu ensemble, Vero n'a jamais cessé de dire qu'un jour, elle reverrait sa mère.

Sauf que bien sûr...

«Tu n'aurais pas dû me tuer», dit-elle calmement. Elle verse du scotch dans sa tasse à thé. «Si tu ne m'avais pas tuée, tu aurais peut-être pu m'échapper.

— Ce n'est pas juste.

« — Qui c'est qui stockait ses doses ? Qui c'est qui cachait de la drogue en sachant que sa camarade de chambre la trouverait facilement ? »

Je cesse d'arpenter la pièce. J'essaie de me composer une attitude.

« Vero veut voler, dis-je. C'est ce que tu as fait. C'est *toi* qui as renoncé. C'est *toi* qui t'es injecté cette merde, toutes les doses d'un coup. Si tu n'avais pas fait cela… »

Vero me regarde avec un grand sourire. Elle me nargue. « Si je n'avais pas fait cela… »

J'essaie de garder le cap. « Tu avais quelqu'un qui t'aimait, à l'extérieur. Tu n'aurais pas dû toucher à la drogue. Ne serait-ce que pour elle. »

Voilà qu'elle boude, maintenant. « Dans quel but ? Pour vivre heureuse jusqu'à la fin des temps ? Enfermée avec toi, ma meilleure amie, dans le donjon de la maison de poupée ? »

Brusquement, tout devient trouble. Sur le mur, le rosier grimpant disparaît. Comme si des nappes de brouillard avaient envahi la chambre. Ou bien des nappes de fumée.

Dans mon esprit, ou dans la vie réelle, je tends la main d'un geste automatique.

Mais Thomas n'est pas là.

« Allez, dis-moi, reprend Vero. Dis-moi ce qui serait arrivé si je n'avais pas fait d'overdose.

— Je ne sais pas !

— Si, tu le sais.

— Non ! Je n'ai jamais…

— Mais si, tu le sais. Tu le savais ! »

Elle a raison, bien sûr. D'autres ombres se déplacent dans ma tête. Des souvenirs que je ne dois surtout pas évoquer. Je préfère m'aveugler. J'espère encore qu'ainsi je trouverai le bonheur. Sauf que je les sens qui approchent. Des fantômes glacés, immenses, plus sombres que jamais, s'infiltrent dans les méandres de mon cerveau. Le brigadier Wyatt avait raison ; Vero n'a rien à voir là-dedans. Il n'y a que moi. Moi seule. Et il a suffi de trois chocs sur la tête pour que ressurgisse un passé que je suis toujours incapable d'affronter.

« Va-t'en, lui dis-je. Je ne veux plus te parler !

— Impossible. Je suis toi. Tu parles toute seule. Tu te disputes avec toi-même. C'est toi qui ne supportes pas la vérité, pas moi. Moi, je ne suis qu'un joli petit fantôme. Je suis ta foutue conscience. »

Elle tend le bras gauche. Sa chair est revenue, la cicatrice se voit parfaitement. Une balafre aux lèvres épaisses, dentelées, zèbre sa peau blanche et douce. C'est bizarre, je ne l'avais jamais remarquée. Vero sourit. Elle n'est plus d'humeur querelleuse. Son fantôme, ma conscience, prend un air chagrin.

« Je voulais m'envoler, murmure Vero. Autrefois. Voilà bien longtemps, il y avait une petite fille qui ne connaissait rien à rien. Puis Ronnie l'a soulevée dans ses bras et l'a jetée sur une table basse. Il y a des tas de façons de mourir, Chelsea. Et certaines n'ont rien à voir avec la maison de poupée.

— Je suis désolée.

— Tu voulais que la princesse accède enfin au bonheur. Tu voulais qu'elle retrouve la reine magicienne et que l'histoire s'achève sur un arc-en-ciel à l'horizon d'un ciel radieux. À ta façon, tu croyais encore en moi alors que moi, j'avais perdu tout espoir depuis bien longtemps. »

Je ne dis rien.

« L'aventure ne pouvait pas se terminer comme ça, poursuit-elle, morose. Tu le sais parfaitement. Ce n'étaient que des histoires à dormir debout. Tu auras beau me rendre visite jusqu'à la fin de tes jours, tu auras beau me ressusciter dans ta tête, tu n'y changeras rien. De nous deux, c'est toi qui as survécu.

— Je t'aimais, je murmure.

— Je sais. Mais je vais te dire une chose : l'amour seul ne suffit pas à nous sauver. »

Soudain, d'autres silhouettes obscures s'ébranlent dans les méandres de mon cerveau. Là, je n'y suis pour rien, je le jure. Et pourtant… J'essaie de voir ce que c'est. Vero m'observe d'un air rusé.

« Arrête, lui dis-je.

— Impossible. Je suis toi, tu te souviens ?

— Je ne suis pas prête.

— Prête à quoi ? L'odeur de la fumée ? La chaleur des flammes. Le feu qui se répand partout. Dis-moi pourquoi ton mari a brûlé votre maison, Nicky ? Pourquoi ? Et pendant que tu y es, dis-moi d'où il tient ses talents de pyromane.

— *La ferme !* »

Vero s'éloigne de la table, traverse la chambre. Sa robe a disparu. Sa peau a disparu. Elle n'est plus qu'un tas de chair décomposée. Elle marche vers moi en tendant devant elle les os de ses mains.

« Thomas, fredonne-t-elle. Le beau Thomas. Le gentil Thomas. Thomas qui a *toujours* été là. Est-ce ton passé que tu essaies de fuir, Nicky? Ou bien l'homme que tu as épousé?»

Ses mains squelettiques se posent sur mon cou, effleurent mes clavicules.

La porte de la chambre s'ouvre brusquement derrière moi. Je ne me retourne pas. Je garde les yeux braqués sur le crâne grimaçant de Vero. Parce que je sais qui vient d'entrer. Et je ne veux surtout pas le voir.

« Qu'as-tu fait, Nicky? me chuchote Vero. De qui as-tu si peur ? »

Je me réveille en étouffant un cri. Ma tête explose; j'ai mal partout. L'espace d'une seconde, je bloque tous mes muscles. Je m'astreins à rester immobile. Par instinct, par réflexe. Une vieille habitude qui date de l'époque où je ne savais jamais qui était étendu à côté de moi, qui s'apprêtait à m'infliger une nouvelle souffrance.

Pour commencer, j'inspire prudemment; puis j'y vais plus franchement. J'écoute, je tente d'identifier les voix qui résonnent derrière la cloison. J'essaie de percevoir une présence. Et quand je suis sûre à cent pour cent qu'il n'y a personne d'autre que moi dans la pièce, j'ouvre les yeux et je décontracte mes muscles.

Il fait sombre. Un rai de lumière barre le mur d'en face. La porte qui sépare les deux chambres mitoyennes est entrebâillée. Les derniers événements me reviennent par bribes. Je me cache dans un hôtel du New Hampshire, un établissement parfaitement banal. J'ai parlé avec Marlene Bilek et notre rencontre s'est mal passée. Finalement, cette femme n'est pas ma mère. Normal, puisque ma vraie mère est morte d'overdose longtemps avant que je m'échappe de la maison de poupée. Cette femme, je la respectais autrefois, mais à quoi bon ? Je n'ai jamais été la fille de la reine magicienne. Toute ma vie, je l'ai passée au service d'une méchante sorcière.

Mes yeux brûlent. Cesse de chialer, me dis-je en me tournant sur le côté. Il n'y a personne dans l'autre lit. C'est bien ce que je pensais. Tessa doit être en train de discuter avec Wyatt dans la deuxième chambre.

J'imagine qu'ils reprennent tout de zéro. Ils tentent de comprendre pourquoi je voulais à tout prix retrouver Marlene Bilek, alors qu'elle n'est pas ma mère. Pourquoi j'attache tant de prix à un édredon confectionné par une femme que je n'ai jamais vue.

Que font les empreintes digitales de Vero dans mon Audi ?

Pour les empreintes, je n'ai pas la solution. Je suis aussi surprise qu'eux. Pour le reste… je voulais seulement que Vero continue à vivre un tant soit peu, que son souvenir persiste. Et comme nos rencontres imaginaires ne suffisaient plus, j'ai franchi un autre stade et j'ai tenté d'instaurer un contact plus tangible, via sa mère.

Je devais croire qu'en agissant ainsi, j'arriverais à transposer Vero et sa famille dans le monde réel et qu'ensuite, je n'aurais plus à me reprocher sa disparition.

Parce que vingt-deux ans plus tard, j'ignore toujours ce que vivre signifie. Je survis. J'existe. Je me suis même mariée et j'ai habité un peu partout dans ce pays. Mais ces choses-là ont-elles un rapport avec ce que les gens appellent la vie ou sont-elles juste une autre manière de fuir ? Toutes ces nuits où je me suis réveillée en hurlant. Tous ces souvenirs que je n'ai cessé de refouler jusqu'à ce que ma mémoire devienne un vrai capharnaüm. Et encore, je parle d'un temps où je n'avais pas encore reçu de chocs à la tête.

J'ai quitté la maison de poupée mais je n'ai pas pu échapper au passé. Faire une croix sur ses remords, c'est tout un art. Moi, je n'ai jamais su. Je sens en moi la volonté d'être plus, de faire plus. Malheureusement, j'ai perdu le mode d'emploi.

Je pourrais repartir en cavale, me dis-je, lovée sur mon lit. Changer d'État, de ville, d'identité. Je l'ai déjà fait. Surtout au cours des deux années qui ont suivi mon évasion. J'ai traîné Thomas de place en place. Je l'ai obligé à changer de nom. D'une semaine sur l'autre, parfois. Il s'agissait moins d'un combat pour la liberté que d'une crise d'hystérie permanente. Thomas m'a suppliée de ralentir le rythme. Au moins de tester un nouveau lieu avant de tout envoyer balader. Il m'a demandé de choisir un nom, un passé, et de m'y tenir, pour que nous ayons une chance de bâtir une vie normale.

J'ai fini par accepter. Après une dernière reconversion professionnelle, avec papiers d'identité et CV achetés à prix d'or, nous sommes devenus Thomas et Nicole Frank. Il disait que ces noms-là nous garantiraient une parfaite tranquillité. Mais je ne tenais toujours pas en place. Tous les deux ans, il fallait que je déménage. Parce que le mois de novembre m'était insupportable.

Je devrais peut-être me remettre à boire, me dis-je. Tant pis pour mon traumatisme crânien. Je vais m'envoyer un verre de scotch derrière la cravate et tous ces horribles souvenirs seront cramés par l'alcool, une bonne fois pour toutes. Je me raconterai que je suis libre, heureuse et indépendante. Thomas n'aura qu'à aller se faire foutre ; et Vero aussi, par la même occasion. Je leur échapperai à tous les deux. Je serai une femme comblée.

Une femme sans passé, sans identité.

Mais ce n'est pas gagné, me dis-je tout à coup, alors que d'autres fantômes s'agitent au fond de ma tête. Le goût de la terre sur mes lèvres. Mes doigts qui creusent le sol. Et cet instant unique entre tous, celui où je comprends que j'ai gagné. Que j'en suis sortie vivante. Que j'ai vaincu la maison de poupée.

Cet instant très bref, juste avant de…

Sentir la fumée. La chaleur. Ma maison a été ravagée par les flammes. Pourquoi Thomas a-t-il mis le feu chez nous ? Qu'il brûle son atelier, passe encore, mais notre maison ? Quel besoin avait-il de la détruire ?

D'où tient-il ses talents de pyromane ?

Vero éclate de rire. *« Est-ce ton passé que tu essaies de fuir ou bien l'homme que tu as épousé ? »*

Ça suffit. Je me concentre, je suis ici et maintenant. Une chambre d'hôtel obscure. Un lit inoccupé à côté du mien. J'en ai assez de me sentir démunie. Ou paumée, ou confuse, ou dépassée.

C'est le moment ou jamais.

J'en ai assez d'être l'amie d'une fille morte ou l'épouse d'un homme en fuite.

Et, une seconde après.

Non. Je ne suis ni l'une ni l'autre. Je vaux mieux que cela. C'est moi qui ai voulu m'installer dans le New Hampshire, alors que Thomas essayait de m'en dissuader. C'est moi qui ai engagé un détective privé, alors que Thomas me disait de laisser tomber.

Je suis une femme revenue par deux fois d'entre les morts.

Et je n'ai pas dit mon dernier mot.

32

Pendant que Wyatt, au téléphone avec Kevin, tentait de résoudre l'énigme des empreintes digitales, Tessa appela D.D. Warren.

La Bostonienne l'accueillit avec son amabilité coutumière. « Vous savez l'heure qu'il est ?

— Ma montre indique minuit.

— Qu'est-ce que ça sera si jamais j'accepte de travailler pour votre boîte de snobinards…

— Mais vous avez accepté une mission free-lance.

— J'ai déjà atteint le score maximum sur Angry Birds.

— Vous, un oiseau en colère ? Qui l'eût cru ?

— La ferme », répondit D.D.

Tessa ne put s'empêcher de sourire. Étant donné le tempérament de son interlocutrice, cet échange de gracieusetés ne portait pas à conséquence. En plus, c'était sa conversation la plus normale de la soirée, jusqu'à présent.

« Je suis désolée de vous déranger si tard, s'excusa Tessa. Pourtant je crois me souvenir que vous faites partie de ces gens qui bossent nuit et jour. Genre, j'aurai bien le temps de dormir quand je prendrai ma retraite. Ou quand je passerai l'arme à gauche.

— Ça revient au même, répliqua D.D.

— Tant mieux, vu que cette enquête commence à partir en vrille. On a sacrément besoin d'un coup de main, et ça urge.»

Comme Wyatt venait de raccrocher de son côté, Tessa lui fit signe de venir et alluma le haut-parleur. Wyatt et D.D. ayant collaboré sur l'affaire Denbe, elle n'eut pas besoin de faire les présentations.

«Comment va votre bras? demanda Wyatt.

— Ça va, merci.

— Vous avez une date pour l'examen d'aptitude?

— Oui, répondit D.D. sur un ton signifiant que le sujet était clos. Bon, venons-en à l'affaire Veronica Sellers. Si l'on en croit les chaînes d'info qui ne se trompent jamais et disent toujours la vérité, vous avez retrouvé la fille disparue. Bien qu'avec trente ans de retard.

— Hum... nous n'en sommes pas si sûrs», dit Tessa.

Une seconde de silence, puis : «Merde alors! Finalement, je suis bien contente d'avoir décroché.»

Wyatt lui expliqua qu'il y avait eu confusion au niveau des empreintes digitales puis il ajouta : «Kevin vient d'examiner les gants sous une loupe. Et de fait, il a constaté la présence de stries au bout de chaque doigt. Conclusion, Thomas Frank a fabriqué une paire de gants dotés d'empreintes digitales copiées sur celles de Veronica Sellers et a disséminé ces empreintes un peu partout dans la voiture de sa femme.

— Pour faire croire que sa femme était une personne disparue ayant fait l'objet d'une enquête classée sans suite voilà trente ans ? compléta D.D. Mais dans quel but ?

— C'est la question à un million de dollars. À votre avis ?

— J'ai épluché les documents tournant autour de cette regrettable affaire. Sur votre demande, j'ai passé en revue tous les cas de disparition et de fugue de mineurs répertoriés depuis trente ans en Nouvelle-Angleterre… Eh bien, je peux vous dire que c'est un boulot de forçat.

— On appelle ça une enquête approfondie, l'informa Tessa. Vous connaissez d'autres méthodes ?

— Touché. J'y ai mis toute mon énergie mais quand on essaie de remonter la piste d'un réseau de traite des Blanches créé au siècle dernier, on butte sur deux problèmes.

— Lesquels ? s'impatienta Wyatt.

— D'abord, le Centre national de recherche des enfants disparus et maltraités n'en était qu'à ses balbutiements. Du coup, on n'a pas de données centralisées. Enfin quasiment pas. Les grosses brigades, comme celles de Boston, ont pris le temps de numériser leurs documents. Mais les centaines de bureaux disséminés dans les petites villes, les antennes de police perdues au fond des campagnes étaient déjà à court d'effectifs. Alors, au début, et surtout sur la période qui vous intéresse, ils ont fait ça par-dessus la jambe.

— Donc il faut avancer service par service», conclut Tessa. En effet, c'était un boulot de forçat mais il n'y avait pas d'autre façon de procéder, et ils le savaient tous les trois.

« Eh ouais. Ce qui nous amène au problème numéro deux. Quand ça déconne à l'entrée, ça déconne à la sortie. »

Tessa était encore en train de décrypter cette sentence, alors que Wyatt avait compris.

« Vous voulez parler des enfants effectivement disparus mais qui n'ont jamais été classés dans cette catégorie ?

— Ding dong, monsieur remporte la première manche. Demandez à n'importe quel flic de la brigade des mœurs. La plupart des mineures qui font le trottoir sont des fugueuses. Certaines ont été déclarées disparues mais la grande majorité…

— … ne figurent même pas dans les registres, compléta Tessa.

— Tout juste. Donc oui, je pouvais passer ma semaine à faire le tour des postes de police perdus dans la cambrousse en les suppliant à genoux de chercher dans leurs archives les personnes portées disparues il y a trente ans, voire plus. Ou alors je pouvais me consacrer à quelque chose d'utile.

— Je suppose que vous allez nous en mettre plein la vue ? intervint Wyatt avec optimisme.

— Je me suis cassé le bras, pas la tête. Commençons par le commencement. Pour que nous partions sur une base solide, j'ai rassemblé quelques statistiques, de quoi vous empêcher de dormir la nuit. Au cours des vingt-cinq dernières années, le nombre de personnes disparues a quasiment été multiplié par six, passant de 150 000 à près de 900 000. Bon, il faut

tenir compte du fait qu'aujourd'hui la police s'intéresse davantage à ces affaires et qu'il existe des bases
de données nationales. C'est pareil pour le cancer :
l'amélioration des techniques de diagnostic entraîne
un accroissement des cas répertoriés. Donc, il y a
bien augmentation mais pas au point de crier à la
catastrophe.

« Et pour relativiser encore un peu, j'ajouterai que
seule une partie de ces affaires concerne des mineurs
parmi lesquels 200 000 sont des enfants de parents
divorcés qui se disputent la garde. Donc, une fois
tous ces cas éliminés, on obtient chaque année une
centaine de disparitions entrant dans la catégorie
enlèvement. Si je devais parler en mère de famille, je
dirais que c'est une centaine de trop. Et pourtant…
ça reste en dessous de ce que j'aurais pu craindre. »

Tessa soupesa la question et finit par acquiescer.
Wyatt et elle échangèrent un signe de tête.

« Mais ces chiffres concernent l'ensemble des
États-Unis, intervint Wyatt. Or, il est rare qu'un
réseau de proxénétisme couvre un territoire aussi
large.

— Exact. Donc, si l'on s'en tenait à la Nouvelle-
Angleterre, j'ai supposé que les enlèvements purs
et durs ne dépasseraient pas la quinzaine, vingt à
tout casser. Et je parle des chiffres actuels, parce que
dans les années 1980, encore une fois, les services
de police étaient moins avertis. Je me suis dit que si
je trouvais une dizaine de dossiers, nous pourrions
peut-être établir l'existence d'un réseau de proxénétisme sur cette période. J'ai étendu mes recherches
aux fugueurs, bien évidemment. »

Tessa se sentit hocher la tête ; Wyatt aussi. Aucun des deux ne prit la parole. Ils attendaient la suite.

« Au bout du compte, il n'y avait que trois affaires, annonça D.D., dont celle de Veronica Sellers. C'est tout. Trois gosses seulement ont été portés disparus au cours de ces années-là. Veronica Sellers, six ans, était la plus jeune. À part elle, il y avait une fille de douze ans et un garçon de quatorze. »

Tessa fronça les sourcils et planta ses yeux dans ceux de Wyatt.

« À supposer que cette maison de poupée ait existé, elle a dû voir défiler des dizaines de prostituées, dit Tessa en réfléchissant tout haut.

— Des fugueuses, forcément, répondit D.D. Ramassées dans la rue, achetées à d'autres proxénètes. Cela dit, vous avez décrit un établissement plutôt classe. Un petit manoir victorien, des tapis d'Orient, des verres en cristal, une clientèle d'élite. J'aurais tendance à penser que les habitués ne consommaient pas n'importe quelle marchandise, si je peux m'exprimer ainsi. Ils devaient aimer la chair fraîche, malheureusement. Or, les fugueuses en général…

— … ne correspondent pas à ce critère, fit Tessa avant d'ajouter après une seconde de réflexion : Nicky dit avoir passé les premières années enfermée dans une tour, à suivre des cours. Madame Sade venait chaque jour lui enseigner les matières de base et d'autres, moins courantes. Peut-être formait-elle les fugueuses pour les adapter aux attentes de ses clients ?

— Peut-être, concéda D.D. Mais il faut du temps pour cela. Un temps qu'elle aurait pu employer à recruter d'autres pensionnaires. »

Tessa et Wyatt ne trouvèrent rien à répondre.

« J'ai une autre hypothèse à vous soumettre.

— Ne vous gênez pas, dit Wyatt.

— Vous voulez savoir comment on procède à la brigade criminelle ? On mise sur les probabilités. Une épouse meurt assassinée. On arrête le mari. Ou, si on sent qu'il y a une histoire de cul dans l'air, on arrête le garçon de piscine qu'elle venait de larguer parce que, malgré ses performances au lit, elle n'allait pas tout abandonner pour lui. Dans un cas comme dans l'autre, quand on a un cadavre, on peut parier que le coupable se trouve dans la même pièce.

— Vous voulez parler de Thomas Frank ? demanda Wyatt. Personnellement, c'est le mari que je soupçonne.

— Qui est Thomas Frank ? demanda D.D. Écoutez, j'ai reçu pour mission d'enquêter sur Veronica Sellers et les autres enfants disparus voilà trente ans. J'ai trouvé trois affaires, en tout et pour tout. Alors de deux choses l'une : soit il n'y avait *pas* de réseau de prostitution spécialisé dans l'enlèvement des petites filles fraîches et innocentes, soit… » Longue pause. « Les autres disparues n'ont jamais fait l'objet d'une enquête de police parce que les parents n'ont jamais *signalé* leur disparition. »

Tessa mit un moment à comprendre. Après quoi, elle ferma les yeux et se pencha vers Wyatt. Juste parce qu'elle en ressentait le besoin.

« S'il s'agissait d'une entreprise criminelle très rentable, poursuivit D.D., disposant d'un emplacement discret, d'une clientèle fortunée, de filles triées sur le volet, peut-être que la tenancière a décidé de la jouer finement : pourquoi prendre le risque de voler la marchandise quand on peut payer pour l'avoir ?

— Des enfants, dit Wyatt. Vous voulez dire que non seulement madame Sade enlevait des gosses mais aussi qu'elle en achetait ?

— Évidemment. Ce genre de chose arrive quasiment tous les jours, un peu partout dans ce pays.

— Et bien entendu, reprit Wyatt pour compléter son raisonnement, des parents qui échangent leur propre enfant contre de l'argent n'ont pas intérêt à signaler sa disparition aux autorités.

— Absolument. Ils ont trop peur d'attirer l'attention. Surtout que parfois, personne n'a même l'idée de les interroger. Prenez par exemple une famille qui vit dans la misère, ou un parent isolé, dépourvu de tout soutien. Il suffit de raconter aux voisins que la petite Sally est partie habiter chez votre ex-conjoint, ou qu'elle rend visite à vos grands-parents ou alors, pourquoi pas, qu'elle est tombée subitement malade et qu'elle est morte. La plupart des gens ne vont pas chercher plus loin. C'est effarant de voir le nombre de personnes qui préfèrent ne rien savoir.

— Le kidnapping de Vero était donc l'exception, pas la règle ? demanda Tessa. Madame Sade l'a choisie parce qu'elle correspondait à un type physique particulier, cheveux bruns, yeux bleus, mais avant tout parce que sa mère était ivre morte et qu'elle l'avait laissée jouer sans surveillance dans le parc. Il s'agirait d'un crime non prémédité alors que, d'habitude, la tenancière adoptait une approche plus directe?

— Eh bien, pour pimenter un peu la sauce, répondit D.D., sachez que ce n'est pas la mère de Vero qui a signalé sa disparition.

— Quoi?» Tessa se redressa. D.D. avait réussi à capter toute son attention, et celle de Wyatt.

«J'ai sorti le dossier papier. Parce que c'était franchement bizarre. Je veux dire, il y avait tellement peu de cas répertoriés et, tout à coup, une victime réapparaît mais ne se donne pas la peine de rechercher sa mère. Ça ne vous a pas interpellés? Moi si. Bon, c'est vrai, comme je bosse à la Crim, je suis devenue complètement parano.

— Elle nous a dit qu'elle n'était pas prête. Elle semblait nerveuse, comme si elle avait peur…» Tessa se tut. C'était absurde puisque Nicky Frank n'était pas Veronica Sellers.

«D'après le rapport, Vero et sa mère Marlene sont allées au parc. Maman s'assoupit sur un banc. Quand elle se réveille, Vero n'est plus là. Grand remue-ménage, on appelle les flics… Mais il y a un hic. Selon les déclarations des témoins, Marlene ne courait pas dans tous les sens en criant le nom de sa fille. Non, elle faisait tranquillement le tour du parc. Il a fallu qu'une femme s'approche d'elle, lui dise qu'elle avait vu Vero s'éloigner et lui demande ce qui se passait… Ce n'est qu'après cela que l'alerte a été donnée. La police est arrivée, Marlene a fait sa déposition, un avis de recherche a été pondu à la hâte. C'est devenu une affaire locale. Mais de vous à moi, entre mères – elle s'adressait à Tessa –, si votre fille venait de s'évanouir dans la nature, qu'est-ce que vous feriez? Vous arpenteriez le terrain de jeu sans même prononcer son nom?»

Tessa resta sans voix, tant la chose lui semblait inconcevable.

«Attendez un peu, intervint Wyatt. Ça remonte à trente ans. Les enlèvements d'enfants ne suscitaient pas le même battage médiatique qu'aujourd'hui. Marlene n'a peut-être pas réalisé qu'il fallait s'attendre au pire.

— Certes. Et apparemment les policiers de l'époque ont raisonné comme vous. Ils ont enquêté et, comme ça ne donnait rien, ils ont classé l'affaire. Quelque temps plus tard, ils l'ont ressortie des cartons, avec le même résultat. Et voilà dix ans, ils ont remis ça, parce qu'on ne sait jamais, n'est-ce pas?

— Bien sûr, acquiescèrent en chœur Tessa et Wyatt.

— Dans ses notes, le dernier enquêteur soulève certaines questions d'entrée de jeu. Il s'étonne de l'attitude étrangement passive de Marlene, dans le parc. Mais ce n'est pas tout. Une autre chose le fait sourciller : six mois après l'événement, Marlene a ouvert le premier compte d'épargne de sa vie et y a déposé 5 000 dollars en espèces.

— Quoi?

— Oui. Bon, entre-temps, Marlene s'était acoquinée avec un flic, Hank Bilek, lequel a juré que cet argent venait de l'ex-mari, Ronnie. Marlene s'était fait tabasser une fois de trop. Hank avait voulu jouer au chevalier servant, il était allé voir Ronnie pour lui dire que s'il portait de nouveau la main sur Marlene, il lui ferait passer un sale quart d'heure. Comme gage de sa bonne volonté, Ronnie était censé remettre 5 000 dollars à son ex pour qu'elle puisse déménager et s'installer ailleurs.

— OK, intervint Tessa, c'est tout à fait dans le style de Hank.

— Que ne ferait-on pas par amour ? Seulement, il y a un problème… Ronnie n'a jamais déboursé les fameux 5 000 dollars. Pourtant, il en avait les moyens. Il venait de terminer un gros chantier de plomberie. On a une entrée d'argent sur le compte de Marlene et pas de sortie sur celui de Ronnie. Alors, d'où vient le pognon ?

— Vous pensez que Marlene a vendu sa petite fille pour la somme de 5 000 dollars, articula Wyatt.

— C'est une question qui mérite réflexion.

— Pourtant Marlene n'a touché l'argent que six mois plus tard, protesta Tessa.

— L'affaire faisait la une des journaux. Vous imaginez si ce fric était passé sur son compte moins de vingt-quatre heures après l'enlèvement de sa fille ? Là, pour le coup, elle se serait retrouvée en taule avant de pouvoir dire ouf. Mais six mois plus tard, alors qu'on avait toujours aucune piste, aucun suspect, aucune hypothèse… La presse est passée à autre chose. La police aussi.

— Avez-vous la preuve que cet argent est lié à la disparition de Vero ? demanda Wyatt. Autrement dit, peut-on remonter la piste jusqu'à un suspect potentiel ?

— Ce serait trop beau. Hélas, comment voulez-vous trouver l'origine d'un dépôt en espèces ? Par ailleurs, le casier de Marlene est vierge. Malgré son passé d'alcoolique, elle n'a rien à se reprocher. Donc…» Tessa perçut un léger agacement dans la voix de D.D. «Marlene n'a pas un profil de coupable. Surtout que la télé l'a présentée sous les traits d'une mère éplorée.

— Et sa nouvelle vie, sa nouvelle famille, sa nouvelle fille? rebondit Tessa.

— Rien qui sorte de l'ordinaire. Tout le monde s'accorde à dire que Marlene est une citoyenne exemplaire. Elle a vécu l'enfer trente ans auparavant mais depuis, sa vie a changé du tout au tout.

— Cette mystérieuse rentrée d'argent est arrivée à point nommé, marmonna Wyatt.

— Bon, rembraya D.D., maintenant, vous me dites que Nicky Frank n'est pas Veronica Sellers. Alors qui est-ce?

— Ses empreintes sont en cours d'analyse, l'informa Wyatt. Nous croyons que Nicky était la compagne de chambre de Vero, dans la maison de poupée. Une fille prénommée Chelsea. Pour l'instant, nous n'avons ni son nom de famille ni aucun autre renseignement à son sujet.

— Elle ressemble à Vero, n'est-ce pas? La même silhouette, des cheveux bruns, des yeux bleus? Le même âge?

— Il semble qu'elle ait intégré la maison de poupée quelque temps avant Vero. Donc il se peut qu'elle soit un peu plus vieille.

— Entendu. Je vais me replonger dans les dossiers des fugueuses. Je trouverai peut-être des Chelsea correspondant à la description. Ça ne coûte rien d'essayer.

— Je vous remercie beaucoup», dit Wyatt. Après les salutations d'usage, Tessa raccrocha.

Elle connaissait l'expression qui s'affichait sur le visage de Wyatt. Il était crevé, prodigieusement emmerdé mais il continuait à se creuser la cervelle.

«Franchement, je crois qu'on nous mène en bateau, déclara-t-il brusquement. Entre Nicky, alias Vero, alias Chelsea, Marlene dans le rôle de la mère éplorée mais parfaitement capable d'avoir vendu son propre enfant et Thomas le brave mari, pyromane à ses heures et génie du mal le reste du temps… Il est clair qu'ils sont tous mouillés d'une façon ou d'une autre. Mais comment savoir qui a fait quoi?

— Il faut qu'on mette la main sur Thomas Frank, murmura Tessa.

— Tu ne m'apprends rien. J'ai envoyé des patrouilles dans tous les motels et les hôtels dans un rayon de soixante-dix kilomètres. Nous surveillons son portable, ses cartes de crédit. Malheureusement, il est introuvable. Nous ne savons même pas quel véhicule il conduit. Celui qu'il a volé près de l'hôtel a été retrouvé quinze kilomètres plus loin, abandonné. C'est là que la piste s'arrête. On dirait qu'il n'en est pas à son coup d'essai.»

Wyatt se passa la main dans les cheveux. «J'ai une question, dit-il soudain. Si Nicky n'est pas Vero, comment a-t-elle pu reconnaître Marlene Bilek mercredi soir?

— Qu'est-ce que tu veux dire?

— Tu as appelé Nicky pour lui dire que Marlene travaillait dans un magasin d'alcool géré par l'État du New Hampshire. Nicky prétend avoir repéré la mère de Vero, alias Marlene, dès qu'elle a mis le pied dans la boutique. Comment a-t-elle pu la reconnaître? Elle a juste entendu parler d'elle par Vero, et ces récits remontent à plus de vingt ans.

— Nicky dit qu'elle a cherché sa photo sur le Net.

— Je veux bien, mais rappelle-toi le ton sur lequel elle lui a parlé. Elle semblait lui en vouloir personnellement.

— Tu crois qu'elle l'avait déjà croisée?

— Pourquoi pas?» Wyatt s'était levé. Il faisait les cent pas. «Les 5 000 dollars ont dû lui être payés de la main à la main. On n'envoie pas une telle somme par la poste. Bon Dieu! Je lui ai montré les dessins de Nicky. La maison, madame Sade. Elle m'a regardé droit dans les yeux et elle m'a dit qu'elle ne reconnaissait ni l'une ni l'autre. Mais je te parie qu'elle est entrée dans cette maison. Elle s'est déplacée en personne et c'est là que Nicky l'a vue. Voilà pourquoi elle tenait tant à retrouver sa trace. Marlene n'est pas qu'un lien entre elle et Vero. Elle a déclenché quelque chose chez Nicky. Et leurs retrouvailles ont fait surgir des souvenirs enfouis. Allez, on va la chercher.

— Marlene Bilek?

— Parfaitement.» Déjà, Wyatt se dirigeait vers la table ronde où étaient posées ses clés de voiture. «Et pendant qu'on y est, réveille donc Nicky. On va les emmener faire une petite balade toutes les deux ensemble.

— Tu penses que Marlene peut nous conduire jusqu'à la maison de poupée?» Tessa s'était levée, elle aussi.

«La maison de poupée, madame Sade, etc. Je veux tout savoir. Je te parie ce que tu veux» – Wyatt tourna vers elle ses yeux brillants – «que nous retrouverons Thomas Frank dans la foulée. Et nous irons au fond des choses, une bonne fois pour toutes.»

Une telle perspective n'était pas pour déplaire à Tessa. Elle passa dans la chambre communicante pour réveiller Nicky.

Sauf que…

«Wyatt», cria-t-elle, alarmée.

Tessa vérifia une nouvelle fois le premier lit, le deuxième, entra dans la salle de bains, inspecta le petit placard. Mais la chambre était trop petite pour que quelqu'un s'y cache.

«Que se passe-t-il?» Wyatt se précipita vers elle en agitant ses clés.

«Elle n'est pas là. Wyatt, Nicky Frank a disparu.»

33

Quitter l'hôtel sans se faire repérer n'est pas bien difficile. On est en pleine nuit, c'est la saison creuse. En été, dans le North Country, un établissement comme celui-là déborderait d'activité. On y trouverait des dizaines de touristes venus en famille profiter de la piscine, des randonnées en montagne, des descentes en rafting. Au début de l'automne, des bus déverseraient sur le parking des ribambelles de seniors amateurs de feuillages roussis, équipés d'appareils photo et vêtus de gros pulls tricotés main. Et bien entendu, les premières neiges de décembre apporteraient leur lot de skieurs, ados férus de glisse et autres minettes en doudoune tirées à quatre épingles. Mais à la mi-novembre, comme les arbres sont dénudés et les montagnes grises...

Même les gens du coin n'appréciaient pas le mois de novembre. Ils le considéraient comme une période de transition, d'attente. Moi aussi, j'ai ressenti cela. L'air était comme suspendu et juste assez frisquet pour me donner la chair de poule.

Je me suis glissée hors de la chambre sans trop de problèmes. Au préalable, malgré l'obscurité, j'ai trouvé près de la table la sacoche où Tessa range son ordinateur portable. J'ai fouillé dedans jusqu'à ce que mes doigts reconnaissent la forme de son porte-clés. Puis il m'a suffi d'attendre que, dans la chambre voisine, sa voix et celle de Wyatt gagnent en volume. Quand j'ai compris qu'ils discutaient avec animation au téléphone, j'ai marché discrètement jusqu'à la porte. Six enjambées. Stop.

Tessa pose une question d'un ton brusque. J'ouvre la porte. Léger déclic. Nouvel éclat de voix provenant de la pièce d'à côté. Je me glisse dans le couloir. Je ferme la porte. Deuxième déclic.

Après cela, je fonce vers l'escalier. Une volée de marches. En bas, n'écoutant que ma détermination, je me rue sur le parking obscur, le trousseau de clés dans la main.

Pour aller où, faire quoi… ?

Y a-t-il une différence entre savoir qui on n'est pas et savoir qui on est ? Y a-t-il une différence entre en avoir marre de fuir et savoir comment affronter la réalité ?

Entre cesser d'oublier et se souvenir ?

Je traverse le parking d'un bon pas à la recherche du Lexus noir de Tessa. Dans le ciel sans nuages luisent un croissant de lune et des myriades d'étoiles. Je m'arrête pour les regarder. J'ai habité des tas d'endroits, villes, bords de mer, déserts, mais le ciel nocturne dans les montagnes du New Hampshire n'a d'équivalent nulle part.

Je devrais compter les étoiles, me dis-je. Il y en a tant, la voûte céleste est si vaste. Je les compte-rais et chacune d'elles me renverrait à ma propre insignifiance, si bien qu'à la fin, je disparaîtrais purement et simplement, au milieu de ce parking d'hôtel. Je n'aurais plus de décisions à prendre, plus de passé à fuir.

Et tout à coup, je sens une odeur de brûlé.

Il est là.

C'est plus fort que moi. Je fais un pas. Puis un autre. Il n'y a que six voitures sur ce parking mal éclairé. Je sais d'avance qu'il n'est dans aucune d'entre elles. Il est l'ombre, là-bas, appuyée contre un arbre. L'homme se redresse lentement, se détache de la masse noire des branches.

Mon mari vient vers moi.

C'est drôle tout ce qu'on devine chez l'autre quand on a passé deux décennies ensemble. Je ne discerne pas son visage. Il est trop loin, il fait trop sombre. Mais à quoi me servirait de voir ses yeux, son nez, sa bouche ou la ligne de sa mâchoire puisque je reconnais mon mari rien qu'à sa démarche.

Et à ce nœud qui se forme dans ma poitrine.

Il avance, mains dans les poches. Son attitude n'a rien de menaçant, me dis-je, et pourtant j'ai les nerfs à fleur de peau. Je serre dans mon poing le trousseau de clés de Tessa, au cas où.

Il s'arrête à deux mètres de moi. Son regard survole mon visage, il me jauge et moi, je fais de même, j'essaie de savoir dans quelles dispositions il est.

Soudain, je n'en peux plus. J'ai tellement envie de me jeter dans ses bras. Parce que je suis seule et blessée, que je voulais une famille, et que je n'ai plus de famille. Je n'ai que lui. Je n'ai jamais eu que lui. Oh, mon Dieu, comme il m'a manqué. Le réconfort de sa voix, la douceur de ses doigts sur mes tempes, sa solidité, sa constance, jour après jour, semaine après semaine, mois après mois.

Je t'aime, m'a-t-il dit voilà de nombreuses années. *Je te suivrai n'importe où, je serai qui tu voudras que je sois, je ferai ce que tu me diras de faire, je resterai toujours auprès de toi.*

Maintenant je dévisage l'homme qui partage ma vie depuis vingt-deux ans, et je réalise que, pour la première fois, j'ai peur de lui.

«Où vas-tu?» me demande-t-il. Sous la lueur de la lune, je le vois froncer les sourcils. «Et d'abord, qu'est-ce que tu fais ici?

— C'est justement la question que j'allais te poser.»

Il fronce encore les sourcils, fait un autre pas vers moi. Puis quelque chose sur mon visage l'oblige à s'arrêter net. Il a l'air stupéfait. Nerveux, me dis-je. Hésitant. Je ne vois pas pourquoi.

«Tu l'as rencontrée, n'est-ce pas? Marlene Bilek. Je l'ai vue arriver avec les flics.

— Tu m'espionnes.

— Bien sûr. Qu'est-ce que tu crois?»

Je secoue la tête. Si je ne me retenais pas, je me frotterais le front. «Tu as mis le feu chez nous.» Puis, plus grave peut-être : «Tu étais avec moi mercredi soir. Tu m'as demandé si je te faisais confiance. Puis tu m'as fait asseoir au volant, tu m'as attachée et tu as poussé ma voiture dans le ravin.»

Thomas ne dit rien. Il me regarde attentivement. Attend-il que je parle davantage? Ou que je me souvienne davantage?

Le brigadier Wyatt avait tort. Je le comprends tout à coup. Ce n'est pas Vero la cause de tout. Ce n'est pas moi non plus. C'est nous. Thomas et moi. C'est ça le mariage, n'est-ce pas? Les individualités s'effacent pour laisser place à la dynamique qui s'exerce entre les deux membres du couple.

En plus, Thomas et moi, ça remonte à loin. La plus longue relation que j'aie jamais eue. Tout a commencé avec l'odeur de l'herbe tondue et le spectacle qui s'offre au regard d'une fille solitaire enfermée dans une tour.

Pendant toutes ces années, mon mari n'attendait pas que je lui avoue la vérité mais que je m'en souvienne.

Je fais un pas. Pour tester mon hypothèse, je tends le bras gauche, je retrousse ma manche sur ma peau lisse. « Vero avait une cicatrice », dis-je.

L'espace d'une demi-seconde, ses yeux s'illuminent.

« Elle avait une cicatrice au bras gauche, poursuis-je sans le quitter des yeux. Pas moi. »

Il sait. Il sait pertinemment ce dont je parle.

« Mais les empreintes digitales retrouvées dans ta voiture, réplique-t-il. La police t'a identifiée comme Veronica Sellers. Je l'ai vu aux informations.

— Je ne suis pas Vero. Marlene Bilek le sait et moi aussi je le sais. »

Il fronce les sourcils. Est-il déçu? Vexé? Ennuyé? Je n'arrive pas à me décider et ça m'agace.

« C'est toi qui les as mises là. » Ma conviction grandit et, avec elle, mon impression de dominer la situation. « Tu m'as donné ces gants. Tu les avais

trafiqués? Tu avais collé au bout les empreintes digitales de Vero? Mais oui, bien sûr. Tu m'as ordonné
de les enfiler. Et ensuite…»

*La pluie, la boue. J'ai froid; j'ai chaud. Je pleure,
mais sans faire de bruit. J'ai bu trop de scotch. J'ai
suivi la femme, la reine magicienne qui hante toutes
les histoires. Et j'ai vu Vero vivante, alors qu'elle était
morte, et mon univers s'écroule en mille morceaux
impossibles à recoller.*

*J'appelle Thomas à la rescousse; il s'élance, tou-
jours prêt à voler à mon secours.*

«*Tu me fais confiance? me demande-t-il, devant
la portière ouverte de ma voiture. Tu me fais
confiance?*»

*Il se penche. Presse ses lèvres sur ma joue. Un bai-
ser léger comme une plume. Une promesse déjà teintée
de regret.*

*Soudain, au milieu de la tempête, de la pluie, de la
boue, des odeurs de terre retournée.*

L'odeur de la fumée. La chaleur du feu.

*Je suis assise au volant de mon Audi, ma ceinture
est mise, la route dégagée, détrempée. Je regarde mon
mari et j'ai l'impression de voir des flammes danser
autour de lui.*

Je me souviens.

À cet instant, je me souviens de tout.

Et il s'en aperçoit.

*Mon mari tend la main vers le levier de vitesse, le
met sur point mort. Mon mari recule, claque la portière, m'enferme à l'intérieur. Et je réalise, trop tard,
ce qu'il a l'intention de faire.*

Ses lèvres bougent sous la pluie.

«Tu me fais confiance?» répète Thomas. Il est face à moi. Si près que je peux sentir la chaleur dégagée par son corps, la masse moelleuse de sa parka.

«Tu as essayé de me tuer.

— Je t'aime.»

Je secoue la tête. Je refuse d'écouter ses paroles, je dois me concentrer sur ses actes. «Une chose est arrivée autrefois. Pire que l'overdose de Vero, pire qu'être enterrée vivante. Qu'y a-t-il de pire qu'être enterrée vivante, Thomas? Qu'as-tu fait?

— Je t'aime», redit-il.

Je réalise que je suis maudite car, sous son je t'aime, une autre phrase retentit déjà. *L'amour seul ne suffira pas à nous sauver.* Vero a tenté de me mettre en garde. Et si ce n'était pas mon passé que j'essayais de fuir, mais l'homme que j'ai épousé.

«Je ne suis pas Veronica Sellers», m'entends-je articuler. J'avais besoin que ça sorte. Le truc des empreintes m'a perturbée un bref instant. Je me suis sentie coupable, à côté de mes pompes, donc vulnérable. Mais Vero est Vero, et je suis moi. Il faut que je rétablisse la vérité, je lui dois bien cela.

«Je suis au courant.

— Je m'appelle Chelsea Robbins. Ma mère m'a vendue à madame Sade alors que j'avais dix ans. Je lui en ai voulu et en même temps, je l'ai remerciée car ma nouvelle maison était plus belle, la nourriture meilleure et madame Sade disait que nous formions une famille. Puis Vero a débarqué et j'ai dû lui laisser la chambre de la tour. Je lui en ai voulu et en même temps je l'ai aimée parce qu'elle est devenue la sœur que je n'avais jamais eue, parce qu'elle a transformé notre petit monde en un conte de fées. »

Je le regarde. « Tu étais le garçon que j'observais de loin, l'enfant qui se baladait librement sur la propriété. Je t'en ai voulu à cause de cela et en même temps… » Ma voix se brise. « Je t'ai aimé. Depuis le début, je t'ai aimé et je me le suis toujours reproché. »

Thomas sourit. Je crois n'avoir jamais vu d'expression plus triste sur le visage d'un homme.

« Il est temps, dit-il simplement. Elle a déjà trop attendu. »

Il tend la main. Cette fois, je la saisis et me laisse entraîner. Parce qu'il n'y a rien d'autre à faire. Rien d'autre à dire.

Thomas avait raison : je n'aurais jamais dû retourner dans le New Hampshire ; je n'aurais jamais dû recourir à une agence de détectives ; je n'aurais jamais dû faire tous ces efforts pour retrouver des souvenirs que j'avais effacés au prix d'efforts encore plus grands.

Mais ce qui est fait est fait.

Et maintenant, vingt-deux ans plus tard, il n'y a pas de retour en arrière, ni pour nous deux, ni pour personne.

34

«Mes clés ont disparu», annonça Tessa. Dix minutes plus tôt, ils avaient allumé les lumières, donné un rapide coup d'œil autour d'eux, puis s'étaient précipités sur le parking. Comme Nicky n'était visible nulle part, ils avaient regagné la chambre pour la fouiller sommairement. Geste parfaitement absurde puisque Nicky aurait eu du mal à se cacher sous les coussins du canapé.

«Donc elle a piqué ta bagnole, commenta Wyatt.

— Mais pour aller où ? Elle n'a même plus de maison.»

Wyatt hocha la tête, se redressa, regarda encore une fois le désordre qui régnait dans la chambre d'hôtel et poussa un soupir de découragement. «Très bien. Il est temps de se ressaisir. Nous avons encore un train de retard. C'est comme ça depuis le début de cette putain d'enquête. On réagit au lieu d'agir. Et voilà où ça nous mène. Reprenons tout du début. Que savons-nous ?

— Nicky Frank s'est fait la malle», maugréa Tessa. Elle avait arraché les couvertures des deux lits et maintenant, elle regardait sous le sommier, comme si elle avait perdu une chaussure au lieu d'un témoin.

« Nicky Franck n'est *pas* Veronica Sellers, se lança Wyatt en détachant ses mots, la petite fille portée disparue voilà trente ans.

— Par conséquent, je doute qu'elle se réfugie chez Marlene Bilek, marmonna Tessa, toujours à quatre pattes. Son seul contact dans le secteur c'est son mari, Thomas.

— Lequel a très probablement mis en scène son accident et dispersé de fausses empreintes digitales dans sa voiture pour que la police l'identifie formellement comme Veronica Sellers. »

Tessa cessa de fouiller et s'assit sur ses talons. « Se pourrait-il qu'ils soient complices ? Qu'ils aient monté le coup ensemble ? Dans ce cas, ils ont pu convenir d'un lieu où se replier si jamais les choses tournaient au vinaigre. Et c'est là que serait partie Nicky. »

Wyatt fit la grimace. « Un coup monté ? Dans quel but ? Nicky a risqué sa vie dans un accident de voiture, Thomas a mis le feu à leur maison. Tout ça pour usurper l'identité de la fille de Marlene ? Je ne vois pas l'intérêt. »

Tessa prit le temps de réfléchir : « As-tu pensé à la vengeance ? Marlene a commis une grave négligence, il est même possible qu'elle ait joué un rôle actif dans l'enlèvement de Vero. Nicky veut la punir en se présentant comme sa fille.

— À mon avis, c'est Thomas qui tire les ficelles.

— OK. » Tessa reprit ses recherches. Elle glissa la main sous le matelas du premier lit.

438

Wyatt poursuivit son exposé en comptant sur ses doigts. «Nicky a bel et bien reçu des chocs à la tête. Elle est bel et bien amnésique. Si on rajoute l'incendie, on arrive à une évidence : Nicky n'est qu'une victime dans cette histoire. Comme ces accidents en chaîne n'ont démarré qu'après leur installation dans le New Hampshire où elle espérait trouver des réponses, je pense que sa recherche de la vérité est la cause de tout. Conclusion : des deux, c'est Thomas qui a quelque chose à cacher.

— Attends un peu.» Tessa marqua une pause. «Qu'y a-t-il là-dessous?» Elle fourragea un peu plus loin puis, avec moult précautions, sortit une grande feuille à dessin arrachée du carnet à spirale, comme le prouvait son bord dentelé.

Wyatt s'avança pour examiner le croquis. «C'est Thomas Frank.

— Un peu jeunot, tu ne trouves pas?

— Elle a dû le dessiner tout à l'heure, quand tu la faisais travailler. Tu as raison, ce n'est pas le Thomas Frank d'aujourd'hui. Celui-ci a facilement vingt ans de moins.

— La tête qu'il avait à l'époque de la maison de poupée. Mon Dieu, regarde son expression.»

Wyatt voyait ce qu'elle voulait dire. Le Thomas qu'il avait interrogé était un homme entre deux âges. Un homme stressé, fatigué, usé par le souci que lui donnait sa femme malade. Mais rien chez lui n'attirait spécialement l'attention.

Alors que Thomas jeune – adolescent? – avait un visage surprenant, à la fois sévère et tragique.

Ce gamin-là avait déjà beaucoup de choses à cacher.

« Nicky ne te l'a pas montré ? demanda Wyatt.

— Non. À un moment, je suis sortie pour répondre au téléphone. Je parie qu'elle a profité de mon absence pour planquer ce dessin sous le matelas.

— Nicky est assise ici. La bougie répand une odeur d'herbe coupée. Elle dessine la maison. Elle dessine les pièces. Elle fait le portrait de madame Sade et ensuite : ce truc. » Wyatt retourna le problème dans sa tête avant de poursuivre : « Elle-même ne s'y attendait pas. Je parie que c'est pour ça qu'elle l'a glissé sous le matelas. De tous les détails qui lui reviennent en mémoire, c'est le plus déstabilisant. Thomas faisait partie de la maison de poupée. Donc elle le connaissait d'avant. Pire encore, il la connaissait d'avant.

— Il en faisait partie, murmura Tessa. Et avec une tête pareille, ce n'était certainement pas un rigolo. Tu crois qu'elle lui a donné rendez-vous ? Mais c'est impossible. Elle n'a même pas de téléphone. »

Wyatt haussa les épaules. « Si vraiment elle cherche la vérité, elle doit commencer par interroger Thomas.

— Sauf que… » La voix de Tessa se brisa. « Je crains que ce garçon » – elle tapota le croquis – « n'ait rien de bon à lui apprendre. »

Wyatt hocha la tête. Lui aussi s'inquiétait pour Nicky. Si la moitié seulement des ignobles trafics dont elle leur avait parlé s'étaient effectivement déroulés dans cette maison, elle risquait gros. Pour empêcher la divulgation de crimes aussi graves, certaines personnes étaient capables de tuer.

«Il faut qu'on retrouve ta voiture. Immédiatement.

— Merde! Tu sais qu'on est bêtes? C'est mon véhicule, putain. Et j'ai un contrat OnStar!»

Tessa passa le coup de fil qui sauve. Quand elle eut fourni son mot de passe, l'opérateur OnStar se mit en quatre pour l'aider. En fait, il lui fallut à peine trente secondes pour localiser la Lexus. Elle n'avait pas bougé du parking.

«Non, mais c'est quoi ce truc?»

Tessa et Wyatt découvrirent le 4 × 4 garé sous un réverbère écoénergétique.

«Pourquoi voler mes clés si elle n'avait pas l'intention de partir avec ma voiture?» explosa Tessa comme si Nicky l'avait insultée.

«Pour nous ralentir, nous empêcher de la suivre? raisonna Wyatt. Tout comme elle a caché le portrait de Thomas. Visiblement, elle veut qu'on lui lâche la grappe.»

Wyatt sortit les mains de ses poches et se mit à inspecter le parking. Une heure du matin. Seuls quatre véhicules y étaient stationnés, ce qui facilita l'inventaire. À part cela, des buissons, des arbres, des arbustes. Rien.

«Elle n'est pas partie à pied, déclara-t-il. On est dans un bled paumé, loin des grandes voies de circulation. Si elle a laissé ta voiture ici c'est qu'elle avait un autre moyen de transport à sa disposition.

— Peut-être n'avait-elle pas loin à aller. Peut-être que Thomas est venu la chercher.

— Elle l'aurait appelé depuis la chambre d'hôtel? tenta Wyatt.

— Impossible. J'ai demandé au gérant de bloquer toutes les communications, dans un sens et dans l'autre. Elle était totalement coupée du monde extérieur. J'avais mon téléphone. Ça suffisait amplement. »

Wyatt était impressionné. « Tu ne lui faisais pas confiance ?

— Le fait qu'elle soit ma cliente ne m'a pas rendue subitement idiote. Des tas de gens nous demandent de l'aide et continuent à manigancer des trucs dans notre dos. Ce qui est fort contrariant, soit dit en passant. Pour contourner le problème, une seule solution : réduire drastiquement les moyens de communication. Donc, je suis formelle. Elle n'a pas pu appeler Thomas.

— Et s'il nous avait suivis depuis le poste de police ? proposa Wyatt. Peut-être m'a-t-il repéré au moment où je suis allé chercher Marlene Bilek à son domicile. On pouvait facilement se douter qu'elle souhaiterait rencontrer Nicky, puisque la nouvelle était passée au journal de la nuit. » Wyatt n'eut pas le cœur de poursuivre. Si Thomas l'avait attendue derrière l'hôtel, que s'était-il passé au moment où Nicky avait traversé le parking mal éclairé ? Ils avaient manqué à tous leurs devoirs. Non seulement ils ne l'avaient pas protégée mais ils l'avaient précipitée dans la gueule du loup.

Wyatt consulta sa montre. Il devait lancer un appel à la radio, constituer une nouvelle équipe de recherche. Mais à quoi bon ? Cela faisait déjà plus de vingt-quatre heures qu'ils couraient après Thomas. Autant traquer l'homme invisible.

«Des caméras, marmonna Tessa, comme si elle lisait dans les pensées de Wyatt. Si on était à Boston, on aurait accès aux vidéos des postes de péage, des feux de circulation, des centres commerciaux et des distributeurs de billets. Il y en a à tous les coins de rue, là-bas. Il nous suffirait d'un seul clic pour coincer Thomas.

— Attends un peu. Je te l'accorde, on n'est pas dans une grande ville mais cet hôtel est équipé d'un système de sécurité. Regarde.» Il désigna le toit du bâtiment d'où dépassait au moins une caméra. Puis il fit demi-tour et fonça vers la réception. «Qui sait, il nous reste peut-être quelques cartes à jouer.»

La veilleuse de nuit leur donna son nom : Brittany Kline. Une blonde pétillante que la perspective de participer à une enquête de police semblait ravir positivement. Oui, l'hôtel possédait un excellent système de surveillance, les informa-t-elle. Installé six mois auparavant. Des caméras géniales donnant des images géniales. Et des milliers d'heures d'enregistrement. La nuit, elle les visionnait quand elle n'avait rien d'autre à faire. Histoire d'étayer les cours de criminologie qu'elle suivait sur Internet. Elle les emmena dans un bureau discret et, faisant preuve d'une grande dextérité en la matière, sélectionna une séquence vidéo. Quand ils eurent déterminé ensemble laquelle des caméras offrait la meilleure vue sur le parking, ils firent défiler l'enregistrement par intervalles d'une minute. Avec Brittany aux commandes, quatre essais s'avérèrent suffisants.

« Là ! s'exclama Tessa en désignant l'écran. C'est Nicky. Elle s'avance vers les véhicules en stationnement.

— Et un individu numéro deux émerge de sous un arbre », compléta Wyatt.

La silhouette marchait en direction de la caméra. C'était celle d'un homme dont on ne distinguait pas le visage à cause des réverbères qui l'éclairaient par-derrière. Cela dit, on le reconnaissait sans peine.

« Thomas, annonça Wyatt.

— Elle n'a pas l'air effrayée, commenta Tessa.

— Mais elle ne se jette pas dans ses bras non plus.

— Pouvez-vous zoomer ? » demanda Tessa à Brittany. La veilleuse de nuit fit de son mieux mais les images étaient trop granuleuses. Après quelques tentatives infructueuses, ils décidèrent de repasser en plan général. Brittany remit la séquence au début.

Wyatt regarda Thomas se précipiter vers sa femme qui venait d'apparaître sur le parking puis soudain, marquer un temps d'hésitation. Pareil pour Nicky qui s'élançait spontanément vers son mari avant de s'arrêter net. L'amour et la peur, se dit-il. Dans une relation amoureuse, l'un n'allait pas sans l'autre.

C'était exactement ce qu'il ressentait entre Tessa et lui.

À présent, Thomas lui tendait la main.

Nicky, elle, ne faisait pas un geste. Pourquoi ? Indécision ? se demanda Wyatt. Hostilité ? Méfiance ? Voyait-elle toujours en Thomas l'homme qu'elle avait épousé, l'homme qui avait juré de la protéger ? Ou l'adolescent taciturne qu'elle avait connu dans la maison de poupée, un gosse visiblement dressé à obéir aux ordres, quels qu'ils soient ?

Plusieurs secondes s'égrenèrent.

Puis Thomas fit un dernier pas. Nicky pencha la tête en arrière. Faute de lumière, Wyatt ne put déchiffrer son expression mais ce qu'elle fit ensuite ne le surprit qu'à moitié.

Elle glissa sa main dans celle de son mari, montrant qu'elle s'en remettait à lui.

Brittany soupira bruyamment comme si elle assistait à l'heureux dénouement d'un film romantique.

Pour sa part, Tessa s'écria : «Oh mon Dieu, ils sont complices !

— Peut-être», murmura Wyatt. Complices, mais pas dans le sens que le Code pénal donnait à ce mot. Il songeait davantage à une complicité amoureuse.

Thomas conduisit Nicky jusqu'au dernier des véhicules alignés sur le parking. Un break Subaru vert bouteille. En quelques secondes, il fit marche arrière, quitta sa place de stationnement et roula en direction de la sortie.

Derrière le fauteuil de Brittany, Wyatt et Tessa se penchèrent ensemble vers l'écran. Ils attendaient que le hayon du break passe sous un réverbère, espérant lire le numéro minéralogique.

«Allez, s'impatienta Wyatt en sortant de sa poche un calepin et un stylo. Vas-y…»

Un chiffre. Puis deux, puis trois…

Il les prenait en note quand Tessa lui saisit le bras.

«Stop! ordonna-t-elle à Brittany. Faites un arrêt sur image. Regarde, Wyatt. Sur la droite. Une autre voiture vient de démarrer. Quelqu'un les suit.»

35

Nous roulons en silence. Thomas tient le volant à deux mains, son regard passe constamment de la route au rétroviseur. Je ne sais pas trop ce qui l'inquiète mais je le sens tendu.

La voiture file dans l'obscurité. On ne voit rien par les vitres. Pas d'éclairage public, pas de feux de circulation. Nous escaladons une route de montagne, au milieu d'une nature sauvage et immense. Il faudrait qu'il pleuve, me dis-je. S'il pleuvait, tout serait exactement comme autrefois.

Thomas finit par ouvrir la bouche. «Pendant longtemps, j'ai cru qu'il suffisait de prendre de la distance, de te laisser le temps de guérir. Tu sais, il y a eu des périodes, parfois des mois entiers, voire toute une année, où tu allais mieux. Je te surprenais à observer un oiseau, une fleur, un lever de soleil. Et tu souriais. Ton visage s'illuminait quand j'entrais dans une pièce. Tu arrivais même à dormir la nuit.»

Je ne réponds rien.

«Puis tout repartait de plus belle. Brusquement. Sans prévenir. J'ai lu des tas de livres sur le sujet. J'ai cherché à identifier les causes de tes crises. Certaines personnes souffrant de stress post-traumatique ne supportent pas le bruit ; pour d'autres, c'est une odeur, une couleur ; elles ont le sentiment que les murs se referment sur elles. Dans ton cas... c'était impossible à déterminer. L'océan, le désert, la ville, la campagne. J'ai tout essayé. Mais où que nous allions, tes cauchemars finissaient par te retrouver. »

Mon mari se tourne vers moi. Pas facile de voir son expression dans le noir. Mais je sens qu'il me regarde d'un air triste. « J'ai essayé tout ce qui était en mon pouvoir, Nicky. Longtemps j'ai cru que je pourrais te sauver. Seulement voilà... »

Il fait une pause et reporte son attention sur la route.

« Je suis tombée dans l'escalier, dis-je pour compléter sa phrase.

— Vero », dit-il. Sa voix est amère mais je réalise, quelque part au fond de mon esprit, que ses sentiments envers Vero sont aussi complexes que les miens. À cela près que lui, il a réussi à s'en sortir. C'est ce qui nous différencie.

« Tu passais des jours et des jours couchée sur le canapé, accrochée à ce putain d'édredon, à marmonner des trucs sans queue ni tête. Tu discutais avec Vero, de longues conversations alambiquées. Vero vole. Vero pleure. Vero veut juste être libre. Si je t'interrompais, tu piquais une colère. Si j'essayais de te réconforter, tu me balançais des gifles, tu hurlais que tout était de ma faute. Que tu me détestais. Que Vero me détestait. Tu me disais de ficher le camp. »

J'imagine la scène telle qu'il la décrit. Moi et mon besoin irrépressible de communier avec le passé. Thomas entre, il ose m'interrompre. Je sens sur ma paume la brûlure de la gifle que je lui donne.

Tout est de ta faute. Je sais ce que tu as fait. Elle me l'a dit. Elle me dit tout!

Thomas ne répond même pas. Il sort.

«Le jour où tu es tombée dans l'escalier... quand je suis revenu de l'atelier et que je ne t'ai pas vue, j'ai couru dans toute la maison comme un fou. Je croyais que tu m'avais quitté, Nicky. Je pensais que c'était terminé entre nous, que tu avais fini par choisir entre un avenir avec moi et un passé avec elle... que le fantôme de Vero avait gagné.»

Je ne dis rien.

«Après quoi, je t'ai trouvée évanouie dans la cave... Tu ne répondais plus à ton prénom. À aucun de tes prénoms, d'ailleurs. Fais-moi confiance, j'ai descendu toute la liste. J'ai aussi fait défiler tous les lieux où nous avions habité, les noms de famille que nous avions choisis dans les premiers temps. À la fin, j'ai dit Vero et là, tu as ouvert les yeux. Tu m'as regardé intensément. Oh mon Dieu, j'ai bien failli m'en aller et te laisser te débrouiller avec elle... Toi, Vero... J'en ai tellement marre.»

Ses paroles me font frissonner car il dit la vérité. Entre Vero et moi, la frontière est mince, et ça ne date pas d'hier. «*Je suis toi*», me répète-t-elle. Mais qu'est-ce que ça veut dire exactement? Fait-elle partie de mon inconscient? Est-elle la voix de ma conscience? Ou bien... autre chose?

J'aimerais pouvoir dire que je ne crois pas aux fantômes, mais c'est impossible.

«Je n'ai jamais voulu que ton bonheur, reprend Thomas, les mains crispées sur le volant. Je me suis démené pendant vingt-deux ans. Je croyais qu'il suffisait d'avancer encore et toujours, de laisser le temps au temps. Mais j'ai eu tort, n'est-ce pas, Nicky? Tu ne peux pas avancer. Tu ne peux que reculer. Tu avais le choix entre Vero et moi et c'est Vero qui a gagné.»

Je sais ce qu'il veut entendre mais comme je ne peux pas le lui dire, je choisis la facilité et je me tais.

Par la vitre, j'observe la nuit noire qui défile à toute vitesse derrière son profil. Je renifle l'odeur de la fumée. Je sens la chaleur des flammes. Mais je ne lui tends pas la main.

Nous sommes allés trop loin, tous les deux.

Puis je sens la présence de Vero, campée au fond de mon esprit. Elle ne parle pas, elle ne boit pas de thé, elle n'est même pas à l'intérieur de la maison de poupée. C'est une silhouette solitaire, flottant dans le vide. Je ne vois pas son visage mais je devine son humeur.

Sombre. Lasse. Morose.

Elle ne vient pas à moi. Pour la première fois en vingt-deux ans, c'est moi qui vais vers elle.

Elle ouvre la bouche. En sort une brève injonction : «*Sauve-toi.*»

Mais nous savons qu'il est trop tard.

Thomas ralentit. Un chemin de terre apparaît sur la droite. Tellement envahi par les ronces que, même en plein jour, on le remarquerait à peine. De nuit, c'est presque impossible. Sauf que, bien évidemment, Thomas connaît son existence.

«*Sauve-toi!*» chuchote encore Vero.

Mais où aller? Je suis coincée dans cette voiture, tout comme j'étais coincée dans mon Audi il y a trois nuits de cela.

Mon mari tourne le volant, les phares dessinent des rais de lumière sur les broussailles enchevêtrées.

«Je n'ai jamais voulu que ton bonheur», répète Thomas.

Et d'un coup d'accélérateur, il lance le véhicule équipé de quatre roues motrices sur le sentier creusé d'ornières.

Qui mène à la maison de poupée.

Qui mène à la maison où Thomas a passé son enfance.

36

Ils bloquaient sur la Subaru vert bouteille. Grâce aux premiers chiffres de la plaque d'immatriculation, Kevin avait découvert qu'il s'agissait d'un véhicule volé la veille. Un modèle trop ancien pour être équipé d'un GPS. Non seulement, il était impossible à repérer par satellite mais personne ne l'avait signalé sur la route.

À deux heures du matin, exaspéré, Wyatt recula sur son siège et se passa la main sur la figure. «Et c'est reparti. On s'est encore laissé prendre de court. Thomas se fait la malle, on lui court après. Nicky nous appâte en nous présentant un puzzle incomplet et nous, comme des idiots, on s'ingénie à trouver les pièces manquantes. Rien qu'une fois, une seule, j'aimerais avoir une longueur d'avance.

— Comme savoir où sont allés Nicky et Thomas? lui demanda Tessa.

— Je ne peux pas situer ce lieu sur une carte mais je sais où ils sont allés.

— La maison de poupée.

— Et le deuxième véhicule?» beugla-t-il, à bout de patience. Ils étaient toujours dans le bureau de l'hôtel avec, autour d'eux, les enregistrements vidéo qu'ils avaient visionnés à plusieurs reprises. Brittany les avait laissés seuls, à la demande de Wyatt. Il avait prétexté qu'ils n'avaient plus besoin d'elle mais en réalité, il avait honte de donner une si piètre image de la police à une admiratrice inconditionnelle. « Mais bon Dieu, qu'est-ce qui a bien pu se passer autrefois ? Et qu'est-ce qui va se passer maintenant ? Tu peux me dire ce qu'on a raté ? Parce que moi, je pige que dalle. Nicky et Thomas sont partis ensemble, mon adjoint affirme que Marlene Bilek est rentrée chez elle il y a trois heures… Alors, il reste qui ? Qui est le guguss qui s'amuse à filer le train à nos deux suspects préférés ? »

Ils avaient essayé de zoomer sur le deuxième véhicule, sans succès. Comme il était garé en arrière-plan, dans la zone la plus sombre du parking, ils n'avaient obtenu qu'une masse noire et compacte, un petit modèle visiblement. Pas moyen d'apercevoir le visage du conducteur. Sans parler d'autres détails utiles, genre plaque d'immatriculation. « Madame Sade ? » proposa Tessa.

Wyatt faillit grogner tant il était excédé. Non seulement il n'avait pas fermé l'œil depuis bientôt quarante-huit heures mais il se serait volontiers balancé des gifles tant il était en colère contre lui-même.

Il s'empara du portrait que Tessa avait réalisé de la tenancière et le leva devant la lumière. « Si nous envoyons ce dessin à la presse, il faudra leur fournir des explications.

— Tu n'as qu'à dire que la police souhaite interroger cette personne au sujet d'une petite fille disparue il y a trente ans, répliqua Tessa. Ne la présente pas comme une suspecte. Laisse entendre qu'il s'agit d'un témoin. Les bons citoyens ont moins de scrupules à dénoncer leurs voisins quand ils ne craignent pas de leur causer des ennuis.

— Excellent sujet pour les premiers bulletins de la matinée. Malheureusement, c'est maintenant qu'il nous faut des réponses. Et, que je sache, les conférences de presse à deux heures du matin ne donnent jamais grand-chose, vu que le public cible dort à poings fermés.

— Tu devrais peut-être en faire autant», suggéra Tessa.

De nouveau, il grogna presque. «Je veux cette maison de poupée. Thomas, Nicky, les réponses à nos questions. Tout ça se trouve dans cette foutue baraque.

— Nous l'avons en dessin.

— On l'a distribué à toutes les agences immobilières de la région dans l'après-midi. Pas de retour. Kevin a épluché les registres fiscaux du New Hampshire. Il y a des milliers de maisons anciennes dans ces collines. Y compris des grandes villas victoriennes.

— Et le gentil mari de Marlene ? rebondit Tessa. Marlene est peut-être au fond de son lit mais lui ? Il n'a peut-être pas très envie de voir ressurgir la fille de sa femme après trente ans d'absence.

— Sauf que Nicky n'est pas Vero. Elle ne constitue donc pas une menace pour lui ou l'avenir de sa famille. »

Tessa fronça les sourcils et se laissa choir dans le fauteuil de bureau, face à Wyatt.

«Nicky et Thomas ont tous les deux un lien avec la maison de poupée, reprend-elle. Nous n'en avons pas la preuve mais ça tombe sous le sens.

— D'accord.

— Cela signifie qu'ils ne se sont pas rencontrés à La Nouvelle-Orléans mais dans le New Hampshire et que l'un et l'autre ont des tas de choses à dire au sujet d'un ancien bordel. Des choses qui dérangeraient certaines personnes.

— Trois fois d'accord, abonda Wyatt. Mais, hélas, par où qu'on prenne l'affaire, on en revient toujours au même point. La clé du mystère se trouve dans la maison de poupée. Or nous ignorons où elle est.

— On est sûrs que Nicky est bien Chelsea? demanda Tessa.

— Pour l'instant, l'analyse des empreintes digitales n'a pas permis de l'affirmer. Si Chelsea était une ado en fugue ou si sa mère l'a vendue à madame Sade, peut-être que ses empreintes ne figurent dans aucune base. Et dans ce cas, nous n'aurons jamais la réponse.

— Et pour Thomas Frank?

— Là, c'est encore pire. On n'a rien à analyser. L'incendie a détruit tous les indices potentiels. On a pu relever des empreintes latentes dans sa voiture, sa chambre d'hôtel, etc., mais rien d'utilisable. Soit c'est un coup de chance, soit il est vraiment fort. Tu sais vers quoi je penche.» Wyatt expira tout l'air contenu dans ses poumons, posa les mains sur le bureau et croisa les doigts. «Cette affaire commence à me sortir par les yeux.

— Tu n'y es pour rien, le réconforta Tessa. Qui aurait pu deviner qu'un banal accident de voiture ferait rejaillir une vieille affaire de kidnapping et de prostitution enfantine dans une demeure victorienne transformée en bordel?

— Novembre est le mois le plus triste», murmura-t-il. Il s'arrêta puis répéta la phrase à haute et intelligible voix : «Novembre est le mois le plus triste. C'est le mois où Nicky s'est enfuie. Certainement. Novembre. Le mois le plus triste. Parce qu'elle a dû tuer Vero pour pouvoir survivre.

— Moui…»

Il leva les yeux vers Tessa. Un frisson d'excitation lui parcourut l'échine. «C'est une variable. Concentrons-nous sur les événements de ce mois de novembre au lieu d'envisager la période de manière abstraite.

— Madame Sade aurait-elle averti la police? proposa Tessa. Je veux dire, elle faisait croire à tout le monde qu'elles formaient une famille. Qu'auraient pensé les voisins si elle n'avait pas signalé la disparition d'une de ses "filles"?

— Je doute qu'elle soit allée voir les flics. Elle n'avait pas envie qu'ils viennent fourrer leur nez chez elle, surtout qu'une de ses pensionnaires venait de mourir…» Wyatt se tut, retourna le problème dans sa tête. «Mais tu as raison de soulever la question. Une nuit de novembre, deux jeunes filles vivant ensemble dans la même maison disparaissent de la circulation, l'une parce qu'elle est morte, l'autre parce qu'elle s'est enfuie, selon toute apparence.

— Tu peux même rajouter une troisième personne, renchérit Tessa. Thomas. S'il vivait sur place lui aussi, il a très bien pu se tirer avec Nicky.»

Ils se regardèrent d'un air pensif.

«Madame Sade a dû arranger les choses à sa façon, songea Wyatt à voix haute. Je suppose qu'elle a trouvé une belle histoire à raconter aux voisins, peut-être même aux autorités locales.

— Elle pouvait dire qu'ils avaient fugué.

— Trois gosses vivant sous le même toit?» Wyatt lui décocha un regard dubitatif. «Plutôt étrange. Si tu étais tombée sur un truc pareil quand tu étais flic, ça t'aurait mis la puce à l'oreille.

— C'est sûr.

— Or personne n'a bougé, renchérit Wyatt, soudain plus assuré. Si madame Sade avait déposé une plainte, D.D. en aurait trouvé la trace, n'est-ce pas? Or, elle a étudié toutes les disparitions d'enfants au cours des trente dernières années. Trois adolescents du New Hampshire n'auraient pas pu échapper à son écran radar. Surtout que les circonstances de ces disparitions sont franchement insolites.»

Tessa rattrapa la balle au bond. «Donc, madame Sade n'a jamais rien dit. Peut-être parce qu'elle avait peur. Imagine. Dans un premier temps, elle pense que Vero est morte et enterrée au fond des bois. Mais ensuite, elle a bien dû s'apercevoir que le cadavre était resté dans la maison. Du coup, elle s'est retrouvée avec une fille disparue et une fille morte. Dépassée par les événements, elle a peut-être choisi de mettre la clé sous la porte. Ça pourrait se comprendre.»

Wyatt acquiesça. Étant donné la suite d'événements tragiques qui s'étaient déroulés lors de cette nuit d'angoisse, la tenancière avait pu paniquer et décider de tout arrêter. C'est alors qu'une nouvelle variable lui vint en tête : « Et la maison ? Qu'est-elle devenue ? Les filles sont parties, madame Sade a mis les bouts. Que se passe-t-il ensuite ?

— Ça dépend. Il faut savoir si elle a continué à payer les traites, les taxes foncières, ce genre de choses. »

Wyatt leva un sourcil. « Si tu cherchais à disparaître de la circulation, tu t'inquiéterais de payer tes impôts ? » Il se redressa sur sa chaise et tapota le bureau du bout de l'index. « C'est là qu'il faut creuser. Les impôts. Un contentieux fiscal portant sur une maison victorienne. Un dossier de recouvrement remontant à vingt-deux ans environ. Pourquoi pas ?

— Je m'en occupe.

— De quoi ? »

Tessa avait déjà sorti son ordinateur. « D'après toi, quelles sont les meilleures sources de renseignement pour un détective privé ? La mort et les impôts. Les deux seuls jalons incontournables de l'existence. »

Ses doigts volaient sur le clavier. Wyatt la regarda faire sans poser de questions. Dans son job à lui, on sollicitait des mandats de perquisition. Il préférait ne pas en savoir davantage sur les méthodes employées dans le secteur privé.

« La plupart des localités laissent passer un délai d'un an avant de se fâcher, l'informa Tessa. Procéder à la saisie d'un bien immobilier engendre pas mal de frais. Donc, elles commencent par envoyer des avis d'impayé. Ce serait plus facile si on avait le nom de la ville en question. Mais on ne l'a pas. Voilà pourquoi les moteurs de recherche valent leur pesant d'or... » Elle tapa avec une vigueur renouvelée, en fronçant les sourcils. «Voilà, j'ai obtenu un certain nombre de biens immobiliers. Des baraques anciennes, cossues, hors de prix. Mais pas la moindre maison victorienne. OK. J'essaie les années n + 1, n + 2, n + 3.»

Ses doigts étaient toujours plus rapides, son visage plus crispé. «Merde.» Tessa se figea et leva les yeux. «Je ne trouve rien. Et pourtant… il doit y avoir quelque chose. Il y a vingt-deux ans, au mois de novembre, Vero meurt, Nicky disparaît, peut-être avec un jeune homme prénommé Thomas. Ces événements ont certainement eu des conséquences sur les activités de la maison de poupée. Et il a bien fallu que madame Sade réagisse d'une manière ou d'une autre.»

Wyatt haussa les épaules. «Cherche donc Novembre, Maison victorienne. Indique l'année. Bon Dieu. Quelqu'un s'est forcément penché sur la question, à un moment ou à un autre.»

Tessa se remit à taper. «Nom de… J'y crois pas. C'est une blague ou quoi?

— Hein?» Malgré l'espace exigu, Wyatt avait jailli de son fauteuil pour se pencher sur l'épaule de Tessa, laquelle désignait un point sur l'écran. Il s'agissait d'un article de journal surmonté d'un titre en gros caractères. Il n'y était pas question d'une adolescente disparue ni d'une jeune fille morte.

Mais d'un incendie.

Une demeure victorienne, parmi les dernières survivantes des grandes villas estivales construites à la fin du XIXe siècle, avait brûlé de la cave au grenier. Au mois de novembre. Vingt-deux ans auparavant.

Un corps calciné avait été retiré des décombres mais personne n'avait pu l'identifier.

« La maison de poupée, murmura Tessa. C'est elle.

— Tu vois ce que ça implique, n'est-ce pas ?

— Nous avons soixante kilomètres à parcourir, en direction du nord. »

Wyatt avait déjà empoigné ses clés de voiture. « Oui bien sûr, mais je pensais à autre chose. Voilà deux jours, un homme a mis le feu à sa propre maison. Un homme qui sait se servir d'un bidon d'essence.

— Donc, non seulement Thomas vivait effectivement dans la maison de poupée, rebondit Tessa, mais c'est lui qui l'a incendiée. » Elle hésita. « Mais pourquoi ramener Nicky sur les lieux ? Si la maison n'est plus qu'une ruine, que cherche-t-il ?

— Je n'en sais rien mais j'ai l'impression que Nicky a tout intérêt à retrouver rapidement la mémoire. »

37

Quand la voiture arrive en haut de l'allée détrempée, j'ai l'estomac à l'envers et la tête en feu. Mal des transports, me dis-je, tout en sachant qu'il s'agit d'autre chose. Un mélange d'appréhension, de trac, de tristesse et de peur. Toutes ces émotions funestes ramassées en une seule. Mes mains tremblent si fort que je n'arrive pas à ouvrir la portière. Je m'y reprends à plusieurs fois. En vain.

Une odeur de fumée m'agresse les narines. Pourtant, je sais que c'est impossible. J'ai terriblement peur qu'il se mette à pleuvoir au moment où je finirai par sortir de cette voiture. Je ne pourrais pas le supporter. Je ne peux pas le supporter.

Thomas descend, parvient à ouvrir l'une des portes arrière et prend un objet posé sur la banquette. Comme je suis toujours coincée à l'intérieur, il vient m'aider. Pour me redresser, je dois m'accrocher à son bras. Je garde les yeux baissés car je suis incapable de regarder son visage. À la place, je fixe la manche de sa parka ; je tremble de tous mes membres.

Je devine leur présence autour de moi. Ce sont les ombres qui hantent mon esprit. Des formes glissantes, des murmures glaçants. Elles sont encore plus effrayantes que Vero. J'aimerais qu'elle revienne, même sous la forme d'un squelette.

Mais elle ne se manifeste pas. Parce qu'elle m'a donné un conseil que je n'ai pas suivi.

Ou alors parce que ces lieux lui font aussi peur qu'à moi.

L'espace d'un instant, je regrette que l'amour seul ne puisse guérir toutes les blessures. Que la douceur, la tendresse de Thomas n'aient pas suffi à me redonner vie. Lui, il a trouvé la force d'aller de l'avant.

Pas moi. Mais il a raison ; j'étais déjà à côté de mes pompes avant même de tomber sur la tête.

Thomas fait le premier pas. Je m'agrippe à lui. Je m'oblige à le suivre. Lentement. Il tient quelque chose dans la main gauche. L'objet qu'il a pris sur la banquette arrière. Une pelle. Thomas transporte une pelle.

Je ne dis rien. Je marche au bras de l'homme que j'ai épousé. Je me souviens tout à coup que nous n'avons pas eu de vraie cérémonie de mariage, nous n'avons pas descendu côte à côte les marches d'une église, personne ne nous a officiellement déclarés mari et femme.

Autre chose nous unit.

Un homme. Son épouse. Un secret partagé.

Cette propriété était un vrai paradis, autrefois. Je le sais tout au fond de moi. Depuis les fenêtres de la maison, surtout celles de la tour, j'apercevais une belle herbe grasse. Depuis la tour, on avait presque une vue à trois cent soixante degrés. J'y ai passé des heures toute seule à contempler le parc immense qui s'étendait à l'arrière, et sur le devant, l'allée circulaire et la fontaine qui jaillissait au milieu. L'écarlate des rosiers en été, les bruns orangés des bosquets de sedums à l'automne. Sur la gauche, l'ancienne remise à calèches, reconvertie en garage pour trois voitures. Une autre annexe placée légèrement en retrait. La maison du gardien ou peut-être une salle de jeux destinée aux enfants de la famille fortunée qui avait construit la maison, un siècle auparavant.

J'imaginais un garçon et une fille jouant sur la pelouse, des cheveux blonds, des boucles qui rebondissaient comme des ressorts. Pour lui, une tenue coupée dans un tissu raide de couleur bleue, un pantalon court. Pour elle, une robe rose à volants. Ils couraient derrière un antique ballon de cuir. Il y avait aussi un étang dans le fond, juste assez grand pour faire trempette pendant les chaudes journées d'été.

Je n'ai jamais poussé jusque-là. Je n'ai jamais plongé un orteil dans son eau stagnante. Je me contentais de regarder sa surface ridée depuis la fenêtre du deuxième étage, en imaginant la famille qui avait séjourné chaque été dans cette demeure. Et je me demandais ce qu'ils auraient pensé s'ils avaient su ce qu'elle était devenue.

Thomas s'est muni d'une torche. Je retire mon bras pour lui permettre d'éclairer l'allée circulaire. Mais elle a disparu sous les ronces et les herbes folles. Ensuite, il cherche la fontaine centrale. Mais soit elle s'est écroulée, soit elle est enfouie sous la végétation.

La nature a tendance à reprendre ce qui lui appartient. Dans le cas présent, je lui donne mille fois raison.

«Quelque chose te revient?» me demande Thomas d'une voix douce. Nous nous frayons un chemin entre les broussailles qui encombrent l'ancienne allée.

«Le premier jour, quand je suis descendue de voiture…»

C'est le mois d'avril, le soleil se couche, il fait froid. J'ai faim, je suis fatiguée, j'ai peur. Mais je ne veux pas le montrer. Je fais bonne figure, je joue la fille courageuse. Mais dès que je sors du véhicule et que je lève les yeux…

«Elle était si grande, si belle, je murmure. Un vrai château de conte de fées. Surtout pour une gamine comme moi qui ne connaissait que la ville, les logements exigus, les HLM. Alors quand je suis arrivée et que j'ai vu ça…

— Elle était déjà en mauvais état», dit Thomas comme s'il s'excusait. Il soulève la pelle qu'il tient dans la main gauche. «Après la mort de mon père, nous n'avions plus les moyens d'assurer son entretien. Même quand ma mère a commencé à exercer son… commerce. Souvent, je me disais que les maisons avaient une âme. Il ne suffit pas de les repeindre, de les retaper. Il faut les rafraîchir avec de l'amour, des rires, de la vie. Je ne sais pas. Mais une fois mon père disparu, ce que ma mère a fait de cette maison, dans cette maison… Elle n'a plus jamais été la même.»

Nous progressons à travers la végétation.

Autrefois, il y avait un porche magnifique, une large véranda ouverte qui tenait toute la façade et une partie des côtés. Ornée de frises blanches, de corniches, de boiseries ouvragées. Quand je ferme les yeux, je la revois encore. Mais lorsque je les rouvre et que je suis du regard le faisceau de la torche, tout me paraît plus petit. C'est surprenant. Bien sûr, le porche n'est plus là, la maison non plus. Ne demeurent que les fondations, de gros blocs de granite comme les maçons en utilisaient à l'époque…

Thomas savait brûler les maisons, mais pour détruire des fondations comme celles-ci il aurait fallu de la dynamite et ça, ce n'était pas son rayon.

«Quand ma mère t'a ramenée de la ville, elle m'a dit que tu étais une enfant abandonnée. Il y en avait eu d'autres avant toi. Après la mort de mon père, elle s'était lancée dans un grand projet. La maison était immense, en grande partie inoccupée. Pourquoi ne pas la transformer en foyer d'accueil? Pour gagner de l'argent, bien sûr. Elle ne s'en est jamais cachée.

— Une voiture s'est arrêtée devant notre immeuble, dis-je. Maman m'a dit de monter. De faire tout ce que la dame me demanderait. Ce n'était pas la première fois.

— Je suis désolé.

— Je ne savais pas qu'on allait m'emmener loin de chez moi. Mais dès que j'ai vu la propriété… c'était cent fois plus beau que tous les endroits que j'avais pu connaître. On y mangeait mieux, aussi.

— Au début, je l'ai crue, dit Thomas. Il y avait de la logique dans sa démarche. Nous hébergions des enfants abandonnés et pour cela, l'État nous accordait des aides financières. Je savais que nous manquions d'argent. Ma mère n'a jamais varié dans son discours. Mon bon à rien de père lui avait promis monts et merveilles. En fait, ce n'était qu'un pauvre minable et, par-dessus le marché, il était mort subitement en la laissant sans le sou… »

Thomas me regarde ; il fait trop sombre pour que je déchiffre son expression mais quand il reprend la parole, il s'exprime calmement avec, dans la voix, un accent de sincérité. « Je la haïssais. Tu as dû t'en rendre compte. Elle n'a jamais agi que par cupidité. Comme mon père n'avait pu lui offrir la vie de rêve qu'elle croyait mériter, elle a opté pour la solution la plus évidente. Sauf que dans notre "famille d'accueil", il n'y avait que des filles, et plus jolies les unes que les autres. Après quoi, elle a commencé à organiser des réceptions somptueuses. Pour connaître les voisins, me disait-elle. J'étais très jeune. Il m'a fallu des années pour comprendre pourquoi elle n'invitait que des messieurs riches d'un certain âge qui ne rentraient jamais chez eux après dîner. »

Nous sommes tout proches maintenant. Nous grimpons sur le premier bloc de granite. Je ne veux pas voir le trou béant sous mes pieds. Le sous-sol de la maison. Mais je regarde quand même. Je jurerais que ça sent le brûlé mais c'est impossible. Il ne reste plus un seul bout de bois calciné. Les broussailles, le lierre, les ronces ont recouvert jusqu'aux moindres ossements de cette demeure autrefois grandiose.

La chaleur, me dis-je. Si je ferme les yeux, je la sentirai sur mes joues.

J'entendrai ses cris.

Je recule brusquement, je dérape sur le granite, je perds l'équilibre. Thomas essaie de me retenir mais c'est trop tard. Je tombe de tout mon poids, mon menton heurte la pierre taillée. Sang. Douleur.

Fumée. Feu.

Cris.

Je ne me contrôle plus. Je lève la main. Je supplie, j'implore.

« Je t'en prie. Pour l'amour du Ciel. Sauve-la ! »

Thomas ne bouge pas. Il reste planté là, une expression sinistre collée sur le visage, la torche dans une main, la pelle dans l'autre. Il sait de quoi je veux parler. Et moi aussi. Enfin.

Je pleure mais pas lui.

« Désolé », dit-il. Je ne vois pas très bien ce qu'il entend par là. Désolé pour ce qui s'est passé autrefois, ou pour ce qui va se passer maintenant ?

« Pour commencer, elle a ramené deux filles, reprend-il en sautant du bloc de granite. Elles avaient dans les quinze ou seize ans. Moi, je devais en avoir cinq. Ça me passait au-dessus de la tête. Mère a dit qu'elles n'avaient pas de famille, qu'elles allaient vivre chez nous. C'est ce qui s'est passé.

« Quand j'y repense, je crois bien que tout a commencé avec ces deux-là. C'était peut-être des prostituées. Ou juste des gamines venant... d'une institution. » Il me jette un coup d'œil. « Mon père n'était peut-être pas à la hauteur des attentes de ma mère mais il descendait quand même d'une longue lignée de gens influents qui connaissaient du monde. Ma mère a pioché allègrement dans son carnet d'adresses. Elle a commencé par organiser des petits dîners intimes auxquels elle conviait des voisins, des amis de la famille. Des apéros à la bonne franquette, des soirées barbecue, histoire de faire visiter sa belle maison, de présenter ses "filles".

« Peut-être qu'elle voulait s'intégrer, nous intégrer, à la société. Mais j'ai tendance à croire qu'elle suivait un plan précis. Elle avait tout prévu depuis le départ. Elle savait exactement ce que désiraient les vieux messieurs riches et blasés qu'elle fréquentait. Alors, elle a commencé à inviter des couples puis, avec le temps, les maris ont pris l'habitude de faire un "petit détour" par chez nous, pour voir si ma mère n'avait besoin de rien. Parfois, ils s'attardaient. Je ne pouvais pas comprendre toutes les implications mais je remarquais certains changements au quotidien. Il y avait toujours plus d'hommes à la maison. Les deux jeunes "pensionnaires" passaient le plus clair de leur temps à faire visiter la propriété, elles s'enfermaient pendant des heures dans leurs chambres avec ces types. Je ne sais plus comment elles s'appelaient mais c'est avec elles que tout a commencé. »

Des images défilent dans ma tête. Une femme entre deux âges, vêtue d'un élégant pantalon en lin, me fait sortir de sa voiture, me conduit jusqu'à une demeure magnifique quoiqu'un peu délabrée, me précède dans un escalier qui donne sur une chambre au sommet d'une tourelle orientée au sud.

Ce sera ta chambre. La chambre de la tour. *Installe-toi tranquillement. Je vais t'apporter des vêtements.*

Elle ferme la porte. À clé ? Je ne sais plus trop. Peut-être m'enfermait-elle, au début. Quelle importance puisque j'étais prisonnière, de toute façon. Dans un manoir perché sur le flanc d'une colline, à cinquante ou soixante kilomètres de toute civilisation. Où serais-je allée ? Où aurions-nous pu nous réfugier ?

Madame Sade n'avait pas besoin de vigiles, de caméras de surveillance. Son sourire cruel, sa volonté inébranlable suffisaient.

Je lève les yeux. La tourelle en bardeaux n'existe plus mais j'ai l'impression que ses deux étages se découpent encore sur le ciel de nuit.

« J'aimais cette chambre, je murmure.

— Je t'ai vue à la fenêtre, dit Thomas. Tu avais dix ans. C'était la première fois qu'elle amenait une petite fille… »

Je le reprends sur un ton amer : « Achetait une petite fille. »

Il ne me corrige pas. « … de mon âge ou presque. J'étais dans le parc, je tondais la pelouse parce que tout le monde, moi compris, devait payer son écot, d'une façon ou d'une autre. J'ai vu ton visage collé contre la vitre. Ton air sérieux. Puis tu as tendu la main, comme pour me toucher…

« Et je… je ne sais comment dire. Je n'avais que douze ans mais j'ai succombé au premier regard. J'avais envie de te parler, de devenir ton ami. Je voulais te *connaître*. Même si ce n'était pas permis. Les règles étaient strictes. Les pensionnaires vivaient à l'écart. Mère s'occupait de vous. Les invités vous rendaient visite. Je ne devais pas m'immiscer.

— Tu m'as fait signe. » Un instant, je me retrouve à l'âge de dix ans. Seule, terriblement intimidée par cette grande maison et cette femme élégante qui déjà me terrifie. La chambre que j'occupe est jolie à ravir, au sommet d'une tour comme on en voit dans les livres d'images. Malgré mon jeune âge, je sais que rien n'est jamais gratuit dans la vie. Cette maison, cette chambre, je vais devoir les payer.

Puis je baisse les yeux et je vois le petit garçon. Un bref sourire. Un geste amical. Vite, il cache sa main dans son dos en regardant autour de lui d'un air inquiet. Moi, je garde la mienne levée, plaquée sur la vitre. Je m'imagine à côté de lui sur la pelouse, il me sourit toujours, je n'ai plus peur, je ne suis plus seule.

Thomas avait raison : il lui était interdit de frayer avec nous. Mais à sa manière, il était devenu ma bouée de sauvetage, mon unique point d'intérêt dans une existence par ailleurs monotone, confinée entre les barreaux d'une cage dorée qui ne s'ouvrait que la nuit. Madame Sade régissait tout : d'abord, elle nous isolait puis elle tentait de nous convaincre de sa grande bonté. *Regarde cette belle maison où tu vis grâce à moi ; regarde cette robe neuve que j'ai trouvée rien que pour toi. Tu as beaucoup de chance que je prenne soin de toi, beaucoup de chance d'avoir une telle occasion de faire ton chemin dans la vie.*

Elle se fendait de ce sourire glacé qui n'éclairait pas ses yeux, et la petite fille sage faisait tout ce qu'on lui disait de faire, la petite fille sage ne rêvait pas d'une vie en dehors de ces quatre murs.

Sinon, madame Sade te privait de repas, déchirait tes vêtements, cassait l'un de tes jouets, parfois celui qu'elle t'avait offert la veille. Elle t'avait déjà tordu le bras si fort que tu en avais eu le souffle coupé ;

elle t'avait énuméré tout ce qu'elle avait dû dépenser. Pour t'acheter des affaires, mais aussi pour t'acheter, toi. Alors, il valait mieux que tu la mettes en veilleuse et que tu ailles t'occuper du monsieur là-bas, vu que tu ne manquerais à personne si jamais, un beau matin, on ne te voyait pas apparaître à la table du petit déjeuner. Dans ces forêts profondes, on se perdait facilement. Surtout quand on était une petite fille ingrate.

Je la mettais en veilleuse et j'allais m'occuper du monsieur là-bas.

Sans pour autant me dispenser de regarder le jeune garçon tondre les pelouses. Quand il traversait le parc, je l'observais entre mes cils. Parfois, dans le couloir, nos regards se croisaient.

Vero avait la reine magicienne et la princesse du royaume secret.

J'avais mes longs conciliabules avec un garçon auquel je n'avais jamais adressé la parole et dont je ne savais quasiment rien. Jusqu'au jour où j'ai dû quitter la chambre en haut de la tour.

De nouveau, je la cherche du regard mais je ne vois que le vide, le ciel. Je sens que Vero n'est plus très loin. Elle n'habite plus seulement mon esprit, elle est tout autour de nous, elle a investi les ruines envahies par la végétation.

« Vero a pris ma chambre, m'entends-je dire. Dès qu'elle est arrivée, on m'a expédiée en bas. »

Thomas ne dit rien.

« Je lui en ai voulu. Mais je n'aurais pas dû. J'aurais dû la plaindre, au contraire. Elle était si jeune, une malheureuse gamine arrachée à sa famille. Je l'entendais pleurer toutes les nuits, tu sais. Mais je ne ressentais aucune pitié. Je la détestais.

— Diviser pour mieux régner, murmure Thomas. Ma mère savait s'y prendre. »

Je ne peux plus lever les yeux. Je sens l'odeur de la fumée. Je sais ce qui va se passer... la raison pour laquelle Thomas m'a conduite jusqu'ici.

« Je voulais juste récupérer ma chambre », dis-je dans un souffle. Est-ce une manière de m'excuser ? Auprès de lui, auprès d'elle ? « Je voulais qu'on me prenne pour une princesse. Alors que je n'étais qu'une pute. »

Thomas se tourne vers moi.

« Ce n'est pas de ta faute. Tu ne saisis donc pas ? Il faut absolument que tu retrouves la mémoire, Nicky. Parce que en te rappelant ce qui s'est passé, tu comprendras aussi pourquoi tu n'as rien à te reprocher.

— Non. » Je secoue la tête puis je m'efforce de le regarder, de respirer. « C'est toi qui ne comprends pas. Vero est morte à cause de moi. Je l'ai tuée. Dès que j'ai commencé à planquer mes doses, j'ai su qu'elle finirait par les trouver. Et qu'elle se les injecterait. Je suis deux fois plus coupable, parce que je l'aimais. Elle était devenue la petite sœur que je n'avais jamais eue, ma meilleure amie. Ma seule famille. Et je l'ai tuée. Je savais très bien ce qui allait se passer. J'ai fait en sorte qu'elle meure pour que moi je puisse vivre. »

Thomas m'observe, me fixe interminablement. Puis il dit une chose très étonnante : « Bon, d'accord, Vero s'est injecté la drogue. Mais après cela, que s'est-il passé ? »

38

«Je n'ai pas de réseau, annonça Tessa en approchant son portable de la vitre, comme si cela pouvait faire une différence. Montagnes de merde.

— Tu sais où nous sommes?» lui demanda Wyatt. Il avait l'impression d'avoir parcouru des centaines de kilomètres sans voir une seule lumière. Tessa avait raison, ici, il n'y avait rien d'autre que des montagnes, et encore des montagnes.

«Non. Mais je sais par où nous sommes passés.

— Je suppose qu'on s'approche.

— Si je puis me permettre, cette route à elle seule corrobore l'une de nos théories. Nous n'avons croisé personne en chemin, même pas un ours. Si l'infâme maison de poupée se trouve effectivement dans les parages, je ne vois pas comment Nicky Frank aurait pu s'enfuir à pied jusqu'à La Nouvelle-Orléans. Soit elle a fait du stop, soit il y avait quelqu'un avec elle.

— Thomas n'est pas seulement son mari; c'est son compagnon de cavale, admit Wyatt.

— Une base solide pour un couple.

— Qui a tenu bon pendant vingt-deux ans.

— Jusqu'à ces six derniers mois, grommela Tessa, quand Nicky a décidé de retrouver son passé. Depuis, Thomas semble la trouver moins indispensable. »

Wyatt resta sur son quant-à-soi. Il avait été le premier à soupçonner Thomas. Un homme dont la femme subit trois mystérieuses commotions cérébrales coup sur coup suscite quelque méfiance, c'est normal. Sans compter que Nicky avait déclaré que son mari était présent sur les lieux du dernier accident. Et pourtant, les images de l'enregistrement vidéo n'en finissaient pas de l'intriguer. La manière dont Nicky se dirigeait vers Thomas, glissait sa main dans la sienne…

La peur et l'amour.

Wyatt savait qu'un enquêteur digne de ce nom devait à tout prix éviter de s'identifier et pourtant, quand il pensait à Nicky et Thomas Frank, il voyait Tessa et lui-même.

« Mais enfin, s'exclama Tessa, étonnée par son silence, tu ne vas quand même pas prendre la défense du mari ! Avec ce que nous savons sur son compte ! Il a rejoint sa femme mercredi dans la nuit, il lui a ordonné d'enfiler une paire de gants avec de fausses empreintes digitales puis il l'a attachée sur son siège avant de pousser le véhicule dans un ravin. Ne me dis pas qu'un innocent peut faire ce genre de choses.

— Prendre sa défense, c'est beaucoup dire. Je veux juste signaler pour mémoire que le véhicule en question est une Audi Q5 flambant neuve équipée d'airbags et de tous les dispositifs de sécurité possibles et imaginables. Il y a pire comme piège mortel. En plus, il a pris soin de boucler sa ceinture de sécurité.

— Pour mieux dissiper les soupçons, pour que ça ressemble davantage à un accident.

— Nicky était ivre. Elle s'était saoulée sans l'aide de personne. Un enquêteur aurait considéré l'absence de ceinture comme un oubli parfaitement normal étant donné son état.

— Thomas n'est pas un enquêteur.

— Exact. C'est juste que… »

Elle le regarda fixement. « Allez, accouche.

— Je ne sais pas. Si je raisonne comme un flic, je suis d'accord avec toi : ce type a visiblement beaucoup de choses à cacher. Pourtant, après vingt-deux ans de mariage… Tu l'as dit toi-même. Il l'a peut-être aidée à s'enfuir de la maison cette nuit-là mais il n'était pas obligé de l'épouser pour autant. Même s'il avait reçu pour mission de la surveiller pour le compte de madame Sade. On ne peut pas faire semblant pendant vingt-deux longues années. Quand j'ai visionné cet enregistrement tout à l'heure… je ne sais pas, il y a quelque chose entre eux, un truc qui nous échappe.

— Tu es romantique, l'informa Tessa.

— *Subtil* me conviendrait davantage.

— Le portrait qu'elle a fait de lui. Thomas vivait dans la maison de poupée. L'expression de son visage sur le dessin. Thomas n'était pas un gosse épanoui. Je suis prête à parier qu'il trempait dans les activités malsaines de madame Sade. Nicky retrouve peu à peu la mémoire, Thomas craint qu'elle ne découvre *tout*.

— Il devait être très jeune, lui aussi. Une victime comme elle.

— Son regard est tellement dur.

— Moi, je lui trouve un air volontaire.

— Wyatt !

— Tessa ! Tu sais que je t'aime, n'est-ce pas ?»
dit-il brusquement.

Tessa se figea. Wyatt voyait que ses paroles
l'avaient désarçonnée, mais pas tant que cela.
L'amour et la peur, songea-t-il encore. Sauf qu'en
l'occurrence, il ne s'agissait pas de Nicky et Thomas
mais de ce qu'il vivait avec Tessa.

«C'est pas trop mon truc, murmura Tessa.

— Tessa, qu'y a-t-il ?

— On ne pourrait pas se contenter de… résoudre
cette affaire ? Tu aimes arrêter les gens ; j'aime arrêter les gens. On s'en tient là.

— C'est à cause de Sophie ? répliqua-t-il d'un ton
ferme. Je peux patienter, Tessa. Je sais qu'elle ne
m'a pas encore accepté. Mais tant pis. Ça prendra le
temps que ça prendra.»

Elle ne répondit pas.

Un virage en épingle à cheveux. Il dut se taire
pour pouvoir se concentrer.

«John Stephen Purcell, lâcha-t-elle tout à coup.
La police vient de retrouver l'arme qui l'a tué. Il
paraît qu'ils ont relevé une empreinte latente dessus.»

Wyatt relâcha tout l'air contenu dans ses poumons. «C'est ça le problème ? Une arme ? Une arme
qu'on vient de retrouver ? C'est pour ça que tu es si
distante ?

— Tu ne comprends donc pas. John Stephen Purcell, l'homme qui a abattu Brian, mon mari…» Elle
appuyait sur chaque mot.

«Mais si, bien sûr que si, s'écria-t-il, les mains crispées sur le volant. Je comprends parfaitement. Et comme nous ne sommes pas mariés, cette info ne relève pas du secret professionnel. Bon Dieu, Tessa. Je croyais que tu voulais rompre.»

Elle fronça les sourcils. «Ça ne te perturbe pas? Qui sait ce que la police va découvrir? Je veux parler de ce que j'ai fait autrefois.»

Il répondit spontanément. «Écoute, tu as sauvé Sophie. Je sais parfaitement qui tu es, Tessa. C'est pour cela que je t'aime tellement.»

Elle s'abîma dans le silence. Mais un silence plus léger, à présent. Comme si elle réfléchissait.

Il lui prit la main. À son tour, elle relâcha la tension en expulsant l'air de ses poumons.

«Tessa, dit-il sur un ton badin, tu ne te débarrasseras pas de moi aussi facilement.

— Et si je n'avais pas le choix? Ma vie tient à une empreinte.

— Nous trouverons une solution. Nous ne sommes pas les derniers des idiots, nous avons des relations dans la police, la magistrature. Aie confiance en nous.

— Je ne veux pas perdre Sophie.

— Je sais.

— Mille quatre-vingt-seize jours. Je croyais en avoir assez bavé. Mais non.

— Je comprends.

— En plus, ce chiot, je ne l'ai pas encore vu mais j'y tiens. Les choses sont en train de changer, tu sais. C'est Sophie elle-même qui l'a dit. Je ne veux pas vous perdre, Wyatt. Je ne le supporterai pas.

— Nous trouverons une solution. Ensemble. C'est comme ça que les familles fonctionnent. La nôtre, en tout cas. »

Soudain, il comprit jusqu'où un homme pouvait aller pour sauver la femme qu'il aimait. Et il repensa au gant en latex que Thomas Frank avait apporté cette nuit-là, sur le lieu de l'accident. Un gant sur lequel il avait imprimé de fausses empreintes digitales.

Un mari désespéré, prêt à tout...

« Stop ! » hurla Tessa. Elle se tourna en désignant le bas-côté plongé dans la pénombre. Une demi-seconde plus tard, les phares éclairèrent le début d'un sentier. « La maison de poupée est au bout de ce chemin. Wyatt, nous y sommes ! »

39

Je ne peux plus rester plantée là, il faut que je bouge. Thomas possède la lumière mais je refuse de voir. Je m'éloigne. Ça cogne dans ma tête. Dans ma poitrine. Bêtement, je me bouche les oreilles. C'est inutile. J'entends toujours ses cris.

Elle est ici. Je la sens. Elle est dans le vent, le lierre, les broussailles, les blocs de granite. Je frémis d'effroi. Quand Vero était confinée à l'intérieur de ma tête, je pouvais la contrôler. C'était ma visiteuse, le squelette qui venait prendre le thé. Mais cette autre Vero…

Cette autre Vero peut me faire du mal.

« Pendant cinq ans, reprend Thomas, toujours perché sur les pierres des fondations, Mère est restée modeste dans ses ambitions. Nous hébergions deux filles à la fois. Des adolescentes. Elles restaient un an ou deux puis elles s'en allaient. Elles avaient passé l'âge, tu comprends ? Après quoi, sa cupidité a pris le dessus. Il faut dire qu'à ce moment-là, elle s'était fait des… relations dans le métier. Fini le foyer d'accueil. Elle a commencé à embaucher des prostituées qu'elle achetait à leurs souteneurs. Ou à leur propre famille, comme ce qui s'est passé pour toi. Pas de témoins, pas de problèmes. Personne n'avait intérêt à parler.

« Je crois aussi qu'elle répondait à des demandes particulières. Venant de plusieurs clients, ou seulement des plus riches, je ne sais pas trop. En tout cas, les filles étaient de plus en plus jeunes. Toi, par exemple, tu n'avais que dix ans à ton arrivée. Cela ne facilitait pas les choses, au contraire. On aurait pu croire que des petites filles seraient plus dociles mais certaines d'entre elles avaient… vécu des choses terribles. Pour survivre, elles avaient dû mentir, voler, se battre. Un jour, j'ai vu ma mère gifler une petite nouvelle. Je venais d'entrer dans la pièce ; j'avais dans les treize ou quatorze ans. Je me suis arrêté net, sidéré. Mais juste après, la gamine a répliqué, elle a cogné sur ma mère, alors qu'elle faisait la moitié de sa taille.

« Voyant cela, ma mère est encore montée d'un cran dans l'ignominie. Elle a commencé à leur injecter de la drogue. Au prétexte que ces filles étaient des toxicomanes et qu'elle voulait leur épargner les souffrances de l'état de manque. »

Thomas s'interrompit et se mit à sourire d'un air pensif. « L'esprit fonctionne bizarrement, parfois. On assiste à des choses, on sait qu'elles ne sont pas justes mais on ne va pas jusqu'à s'avouer qu'elles sont répréhensibles. Par exemple, j'avais conscience que ma mère commettait un crime en fournissant de la drogue à des toxicos. En revanche, je ne réalisais pas à quel point elle avait tort de retenir prisonnière une gamine de dix ans dans la chambre de la tour.

Sans parler de la petite Vero qui n'en avait que six le jour où elle est arrivée chez nous.

« Je ne pouvais pas… C'était ma mère. Je n'étais qu'un enfant. Moi non plus, je n'avais nulle part où aller. »

Thomas descend du bloc de granite, se tient en face à moi, m'oblige à le regarder. Je ne peux pas m'y résoudre. Trop de souvenirs explosent dans ma tête, des souvenirs qui m'étonnent à la fois par leur évidence et par la terreur qu'ils m'inspirent.

Les nouvelles recrues étaient vicieuses et cruelles. Avant, nous prenions soin les unes des autres. Désormais, il fallait se méfier de tout. En plus de haïr les hommes, je devais cacher ma brosse à cheveux, ranger mes robes, surveiller ma réserve de bonbons.

Elles étaient plus âgées, plus averties. Surtout comparées à Vero et moi. Madame Sade a fini par nous mettre ensemble dans la même chambre.

Sinon, elles vous boufferont toutes crues, nous a-t-elle informées. *Je ne plaisante pas. Faites gaffe.*

Je détestais Vero. Chaque fois que les autres filles me faisaient des misères, je me vengeais sur elle. La théorie du ruissellement dans sa version sadique. C'était peut-être cela qui nous liait toutes, nous étions une grande famille de tordues dont chacune rivalisait de méchanceté.

Vero a commencé à raconter des histoires à mi-voix. Des histoires qui parlaient de royaumes secrets, d'une reine magicienne, d'une princesse kidnappée.

Au début, je crois qu'elle essayait juste de se rassurer. Mais en fin de compte…

Je lui ai dit de continuer. *Parle-moi encore de cette mère qui aimait sa fille. Parle-moi encore de cette fille qui sait qu'elle rentrera chez elle un jour.*

Lentement mais sûrement, nous sommes devenues amies. Pendant ce temps, tout se délitait autour de nous.

«Tout partait à vau-l'eau, renchérit Thomas comme s'il lisait dans mes pensées. Je ne pouvais plus faire semblant de ne rien remarquer. Même moi, je comprenais que les familles d'accueil n'enfermaient pas leurs pensionnaires dans des tours, que les livreurs normaux n'avaient pas des mines aussi patibulaires, qu'ils ne se léchaient pas les lèvres chaque fois qu'une fille passait devant eux.

«Je me suis rebellé. Enfin, j'ai essayé. J'ai dit à ma mère que j'en avais assez. Que je m'inquiétais pour les filles. Que je voulais juste qu'on reprenne notre vie d'avant.

«"Quoi? elle a ricané, Tu veux être pauvre? Si tu veux aider ces filles, tu n'as qu'à t'occuper de l'approvisionnement." C'est ainsi qu'à l'âge de quatorze ans, j'ai appris à conduire une voiture. Je me rendais en ville, je rencontrais les "fournisseurs", ils me remettaient la drogue et je rentrais à la maison. Je faisais très attention sur la route. J'étais mort de peur à l'idée de me faire arrêter par la police. Ma mère n'avait aucune pitié pour les maladroits, même quand il s'agissait de son propre fils.»

Je le regarde. «Tu es devenu dealer. Tu achetais les doses. C'est à cause de toi que nous étions constamment abruties!»

Thomas ne me contredit pas. «Je n'avais nulle part où aller, Nicky. Que serais-je devenu si ma mère m'avait jeté dehors? Elle était très douée pour compromettre les personnes de son entourage. Une fois qu'on avait trempé dans ses trafics, on ne pouvait plus s'en aller. C'est comme ça qu'elle nous tenait.»

Je veux répliquer, je veux l'insulter. C'est tellement facile de lui faire porter le chapeau. Autrefois, je crois que je l'ai fait. Aujourd'hui, c'est différent. Une image me vient en tête. Celle d'un adolescent aux cheveux bruns et drus, un gamin dégingandé qui descend les marches du perron d'un pas déterminé. Soudain, il se retourne, regarde derrière lui. Sur son visage, je lis l'exaspération, le désir, la rage. Puis il repart en direction de la voiture.

Lui aussi était prisonnier. Je l'avais compris, à l'époque. L'ironie voulait qu'il soit son fils, la chair de sa chair, et en même temps une victime comme nous toutes.

Vero disait que c'était lui le plus à plaindre. Nous autres n'étions pas chez nous. Lui si. Où aurait-il pu se réfugier? En cela, Thomas avait raison. Madame Sade était sa seule famille. Cette maison était la sienne. Il n'avait aucune échappatoire.

Nous avons duré plus longtemps que les autres, Vero et moi. Mais après toutes ces années de tristesse et de désespoir, Vero ne parlait presque plus de la reine magicienne. Et moi, je n'avais plus le courage d'inventer de longues conversations avec le garçon qui tondait la pelouse. La dépression, la peur, l'anxiété avaient eu raison de nous.

Puis, un soir, nous avons refusé de descendre au salon, d'obéir aux ordres – tout nous était égal, désormais. Alors, madame Sade a commencé à nous droguer. D'abord moi. Puis Vero.

J'aurais dû protester. J'aurais dû me débattre, je ne sais pas. Je regrette de n'avoir pas été la rebelle du groupe.

Hélas, je n'ai rien fait de tout cela. Je suis restée bien sage, j'ai tendu mon bras. Et quand, pour la première fois, j'ai senti la meth fuser dans mes veines, je me suis réveillée brusquement. Comme si je ressuscitais.

Madame Sade me regardait en souriant, sa seringue à la main.

Elle ne se contentait pas de nous torturer. Elle nous transformait en victimes consentantes. Surtout, ne jamais faire de vagues. Jamais, au grand jamais.

Jusqu'au jour où j'ai cessé de me droguer et où j'ai commencé à stocker mes doses.

« J'avais compris ton manège, dit Thomas avec cette étrange faculté qu'il a de lire dans mes pensées. Au bout de quelques jours, j'avais remarqué que tes yeux étaient moins troubles, ton regard plus vif, tes gestes plus rapides. Je continuais à te livrer tes doses, tu les acceptais, mais de toute évidence… Je n'ai rien dit. Si tu voulais arrêter la drogue, libre à toi. J'étais la dernière personne susceptible de te dénoncer. Je t'admirais, Nicky. Tu avais un objectif. Et j'estimais qu'il était grand temps que quelqu'un se décide à faire quelque chose.

— J'en avais ma claque, dis-je simplement. Pas de la drogue. De la vie en général. Au début, je n'avais pas l'intention de m'enfuir. J'avoue que j'y ai pensé une fois mais après, je me suis dit que je n'y arriverais jamais. Même si je parvenais à me désintoxiquer, rien qu'à l'idée de descendre le perron, de me retrouver dans la nature… Je n'avais aucune chance, la forêt était trop épaisse, le relief trop escarpé. J'aurais pu sortir par la grande allée, mais elle t'aurait envoyé à mes trousses. »

Thomas ne répond pas. Il sait que j'ai raison.

« Je ne voulais pas m'échapper ; je voulais me tuer. Voilà pourquoi je stockais ma drogue. J'avais l'intention de tout m'injecter en une seule fois. Vero me surveillait. Elle savait ce que j'avais en tête. Alors, un jour…

« C'est elle qui m'a expliqué comment faire. Tu veux que je te dise un truc drôle ? » Je le regarde en souriant et, malgré les années, j'ai les larmes aux yeux. « J'ai d'abord cru qu'elle essayait de m'endormir pour mieux me voler. Je l'ai envoyée balader, bien sûr. C'était n'importe quoi ! Se suicider en s'injectant *mes* doses ? Et après, je n'aurais plus eu qu'à prendre sa place dans le sac mortuaire ? Il n'en était pas question !

« Mais Vero… savait manier les mots. Elle avait un don pour raconter les histoires. "Vero veut voler." Vero voulait s'envoler parce qu'elle avait compris qu'elle ne rentrerait jamais chez elle.

« Elle souffrait, tu sais. Comme nous tous. Mais pour elle, c'était différent. Quelque chose était en train de mourir en elle. Elle a insisté, elle me répétait qu'il n'y avait pas d'autre solution. C'était la seule façon de quitter la maison de poupée. » Je regarde

Thomas. «Nous étions là depuis si longtemps, dis-je à mi-voix. Les autres filles passaient, nous restions. Tu crois que ta mère aurait fini par nous libérer un jour?»

Thomas ne répond pas.

Le vent souffle. À moins que ce ne soit la respiration de Vero, son murmure sur ma joue. Elle est ici. Je sais qu'elle est restée ici. Vero n'avait qu'à moitié raison. Elle est morte mais elle n'a jamais quitté la maison de poupée.

«J'ai réussi à me désintoxiquer. Les doses s'accumulaient dans ma réserve. Lors d'une nuit particulièrement pénible, Vero a tout pris. Je l'ai regardée marcher vers mon lit, plonger la main dans le trou du matelas. Je l'ai vue faire. Je l'ai vue s'injecter la totalité du stock.

«Réagis. Interviens. Arrache-lui cette saloperie. Jette-la. J'aurais pu faire toutes ces choses mais je n'ai pas bougé. "Vero veut voler." Je l'ai regardée prendre son envol.

«Aucune des filles n'avait jamais fait d'overdose, murmure Thomas. Mère ne savait pas comment s'y prendre. Elle m'a envoyé vérifier qu'elle était bien morte. Je suis entré plusieurs fois dans la chambre. Tu étais tapie dans un coin. Tu pleurais.»

Le jeune Thomas, le garçon à la tignasse brune, se penche sur le corps de Vero, lui prend le pouls. Le jeune Thomas me lance un coup d'œil. Nos regards se croisent. Et pendant un court instant, j'ai la nette impression qu'il a tout compris. Mais il reste coi.

Il sort de la pièce. Quand il revient, je devine qu'une décision a été prise. Il installe délicatement Vero sur la vieille carpette bleue, l'enroule à l'intérieur, très lentement, presque avec tendresse. C'est tellement horrible que je détourne les yeux.

« Je la laisse ici pour l'instant, dit-il. Quand il fera nuit, je repasserai pour l'emporter. Tu tiendras le coup jusque-là ? »

Je ne réponds rien, je hoche la tête. Quand je lève les yeux vers lui, je vois qu'il me regarde fixement. Il sait ce que j'ai fait. Mais sait-il ce que je m'apprête à faire ?

J'attends une bonne partie de l'après-midi en me disant que quelque chose va peut-être se passer. Que Thomas reviendra plus tôt que prévu. Que madame Sade demandera à voir le corps de Vero. À part nous, il n'y a que deux filles dans la maison ; elles ont dix-huit ans. Peut-être viendront-elles lui dire un dernier adieu. Mais rien ne bouge.

Je n'entends pas un bruit de toute la journée, à part la pluie sur les carreaux.

Novembre, le mois le plus triste de l'année.

Quand le soir arrive, je me relève, je déroule le tapis, mais pas aussi lentement, pas aussi tendrement que Thomas. Mon cœur bat trop vite. Les membres de Vero sont flasques, les miens tremblent. Tant bien que mal, je la dépose sur le lit, j'échange nos vêtements, je remonte la couverture.

Je laisse Vero dormir dans mon lit. Et je me glisse à sa place dans le linceul.

Il porte son odeur. Lotion à la vanille, savon au lait d'amandes douces. Il porte le sourire qu'elle avait, avant que les jours ne raccourcissent et ne laissent place à la nuit. Il porte les histoires qu'elle racontait naguère, quand elle espérait encore revoir sa mère.

Je l'avais détestée. Mais après, je l'avais aimée. Elle était devenue ma seule famille. La petite sœur plus jolie, plus intelligente, plus drôle. Je lui pardonnais tout cela parce qu'elle m'aimait plus que je ne le méritais.

Je me demande si elle est partie. Si elle a rejoint une étoile dans le ciel. Peut-être s'est-elle réfugiée dans les bras de sa mère.

Et je pleure, mais sans faire de bruit. C'est comme ça qu'on apprend à pleurer dans une maison de poupée ; sans émettre un seul son.

Enfin, j'entends des pas dans le couloir. La porte s'ouvre. Puis plus rien.

Je réalise que Thomas est venu emporter le cadavre, sur ordre de sa mère.

Je me raidis. Je dois me détendre. Je n'ai rien à craindre puisque je suis déjà morte.

Je l'entends approcher à petits pas. Il se baisse en soufflant.

Ne déroule pas ce tapis. Ne vérifie pas. Et s'il le fait quand même ?

Je me souviens de son regard, tout à l'heure, quand nos yeux se sont croisés. Je le revois, l'autre jour, quand il s'est retourné pour observer la maison. Je n'ai plus peur.

Thomas me soulève dans ses bras. Thomas sort de la chambre, descend l'escalier, traverse le vestibule.

« Attends ! crie la voix impérieuse de madame Sade.

— Quoi, mère ?

— Tu as pensé à la déshabiller ? Les vêtements sont chers, tu le sais bien. Ce n'est pas une chaussette que je vois dépasser ?

— *Tu n'as pas besoin de ses vêtements.*

— *Ne dis pas de bêtises. Pose-la. Perdre une fille c'est déjà ennuyeux. Au moins, récupérons ses affaires.*

— *Non.*

— *Comment?*

— *Je ne la poserai pas. Je ne volerai pas les vêtements d'une morte. Tu m'as dit de m'occuper d'elle. J'obéis. Maintenant, dégage ou alors va creuser la tombe toi-même.* »

Une longue pause. J'essaie de ne plus respirer, de ne plus entendre les battements démentiels de mon cœur. Je sens trembler les bras de Thomas. Je sais ce que cette conversation lui coûte. Et ce qu'elle pourrait me coûter.

Puis…

Thomas repart. Il franchit la porte, descend les marches du perron, sous la pluie. Je ne la remarque pas tout de suite. La carpette me protège. Je suis à l'abri dans un espace obscur où les bruits me parviennent étouffés.

Il marche pendant un temps infini. C'est mon impression, du moins. Des feuilles mouillées, mon pied heurte une branche. Nous sommes dans les bois. Bien sûr, me dis-je. Où veux-tu qu'il t'enterre?

Une idée prend forme dans mon esprit. L'horreur me saisit. Il a besoin de ses deux mains pour me porter. Il n'a donc pas pris de pelle. Ça veut dire qu'il a tout prévu, qu'il a déjà creusé la fosse.

Il va me balancer au fond d'une seconde à l'autre. Mon heure est venue. Pour moi, il n'y a plus de peut-être, d'on verra demain. Tout s'arrête ici.

C'est une certitude.

Il s'immobilise, hors d'haleine, reprend son souffle. Et ensuite.

Je tombe interminablement dans un grand trou noir.

Je crie ? Non, je ne peux pas crier. Je suis déjà morte, déjà morte, déjà morte.

Mais je crie quand même. Dans ma tête, je hurle Vero, Vero, Vero. Pardonne-moi, Vero.

La terre gorgée d'humidité dégringole sur moi. Une première pelletée. Puis une autre et une autre.

Je n'y vois rien mais je ferme quand même les yeux. Je ne peux pas bouger mais je serre quand même les poings. Je suis morte, morte, morte. Je suis Vero, terrée au fond du placard, Vero qui se répète qu'elle n'a pas peur du noir.

La terre s'accumule sur mon corps.

Combien faut-il de temps pour ensevelir un cadavre ? Je ne sais pas. J'erre dans les ténèbres de mon esprit. Vero. Vero. Vero.

Soudain le bruit s'arrête. On dirait que le poids de la terre sur moi n'augmente plus.

Et puis…

Je cède à la panique. Je veux sortir de là, tout de suite. Je gigote, je me débats. Et je hurle. De toutes mes forces. Un genre de hululement suraigu, interminable.

J'étais morte et maintenant je suis vivante. Mes poumons brûlent, ma poitrine se soulève inutilement. Je manque d'air.

Soudain, le ciel de nuit s'ouvre au-dessus de moi. J'ignore comment mais je suis libre. Je sens la pluie sur mes joues, la boue sur mes lèvres. J'ouvre la bouche, j'inspire une grande goulée.

Au même instant, Thomas étouffe un cri de surprise, recule. Ses doigts sont toujours agrippés à la carpette-linceul.

« C'est toi ! s'exclame-t-il. Oh mon Dieu ! C'est toi. Je le savais ! »

Thomas ne s'enfuit pas.

Au contraire, il écoute mon histoire. Puis nos doigts se mêlent.

Et il dit : « Voilà ce que nous allons faire. »

« Ouille… merde, putain ! C'est quoi cette route ? »

Le 4 × 4 de Wyatt bascula dans une autre ornière ; Tessa rebondit sur son siège et, de nouveau, se cogna la tête contre la vitre.

« Une route, pas vraiment, corrigea-t-il. Je dirais plutôt une allée défoncée.

— Où visiblement personne ne s'est aventuré depuis des années.

— Faux. Regarde ce rameau. » Les branches basses d'un arbre crissèrent sur le toit du véhicule. « La cassure est encore fraîche.

— Nicky et Thomas ?

— Peut-être bien.

— Écoute, Wyatt, si quelqu'un les avait suivis jusqu'ici, ils l'auraient forcément remarqué. La route était déserte et cette bifurcation quasiment invisible.

— Oui, pour la trouver il fallait que le deuxième véhicule leur colle au train, admit Wyatt.

— Dans ce cas, ils savaient qu'on les suivait.

— Un complice ? »

Tessa haussa les épaules. « Un habitué des lieux, en tout cas.

— Donc, nous avons deux possibilités : un complice ou une vieille connaissance. » Encore un nid-de-poule. Wyatt jeta un coup d'œil à Tessa. « Ce qui signifie que l'affaire ne va pas tarder à se corser. »

40

« Tu m'as sauvé la vie. » Je regarde fixement mon mari. Ce souvenir est si réel, si présent que je pourrais le toucher rien qu'en tendant la main.

« Tu as entendu ce bruit ? » me demande-t-il soudain. Thomas se tourne, le faisceau de sa torche glisse le long des ruines. J'y vois trouble.

J'ai du mal à respirer. Je tremble de partout. C'est bizarre puisque je suis saine et sauve. Je suis sortie de la tombe. Thomas m'a aidée. Thomas m'a sauvée.

Il y a vingt-deux ans, il faisait tout aussi noir mais nous nous sommes trouvés.

Alors pourquoi mon cœur se crispe-t-il dans ma poitrine, à présent ?

« Tu m'as dit de rester cachée dans les bois », dis-je à voix basse. Mais je parle dans le vide. Thomas s'est éloigné. Il marche vers les blocs de granite. Il tient toujours sa pelle. Pourquoi avoir emporté une pelle ? « Tu m'as dit de ne pas bouger. J'ai obéi. »

La chose s'approche de moi. Lentement. Comme un souffle. Le vent sur ma joue.

« La fumée. » Je me tourne vers Thomas. « Il y a de la fumée dans l'air. »

L'odeur de la fumée. La chaleur du feu.

Des cris.

De la fumée.

Je tends la main, mais il est trop loin pour la saisir. La torche tremble dans son poing serré.

« Quand je suis rentré, maman m'attendait dans le vestibule, dit-il d'une voix blanche. Elle a commencé à me harceler, comme d'habitude. Ne fais pas ci. Ne fais pas ça. Ne met pas de la boue partout. Tu t'es débarrassé du corps ? Vraiment ?

« Et… finalement, j'ai ouvert les yeux. Je l'ai vue telle qu'elle était vraiment. Cette femme n'était pas ma mère. Ce n'était même pas un être humain. C'était un monstre. Une créature immonde comme on en voit dans les vieux films d'horreur. Elle allait tous nous dévorer. Et ça lui était parfaitement égal.

« J'ai dit que j'en avais marre. Que j'allais prendre la voiture et m'en aller. Ma décision était irrévocable.

« Elle s'est moquée de moi. Où irais-je ? Que ferais-je ? Je n'étais qu'un gosse. Je ne connaissais rien du monde réel. Elle m'a dit de monter dans ma chambre.

« Mais j'ai tenu bon. Je suis resté figé comme une statue. Alors, elle s'est avancée vers moi et elle m'a giflé en hurlant : "*Monte immédiatement !*" Comme si j'étais un petit enfant et non son exécuteur des basses œuvres, le fils qu'elle avait transformé en dealer, en fossoyeur et Dieu sait quoi d'autre. Comme je ne bougeais toujours pas, j'ai encore eu droit à une gifle. Puis à une autre.

« J'ai gueulé "Ça suffit" en lui bloquant le poignet. "Tout est fini." Je me suis rué dans l'escalier pour aller chercher mes vêtements dans ma chambre au deuxième, sans oublier le petit pécule que j'avais amassé. J'avais décidé de mettre ma menace à exécution. Je balancerais mes affaires dans la voiture, je roulerais jusqu'à la grand-route et une fois hors de vue, je reviendrais à travers bois pour te récupérer. Mon plan était parfait. Elle n'oserait pas me poursuivre parce que j'étais son fils. Elle n'oserait pas te poursuivre parce qu'elle aurait plus urgent à faire. Se débarrasser du cadavre de Vero, par exemple.

« Mais elle n'avait pas l'intention de me laisser filer. Bien au contraire. Elle m'a suivi dans l'escalier. Une vraie furie. Les deux grandes filles sont sorties pour voir ce qui se passait. Sur le palier du premier, ma mère m'a rattrapé. Elle m'a frappé à la tempe et, comme je n'obéissais toujours pas, elle s'est jetée sur moi. Un placage en bonne et due forme. Je me suis étalé de tout mon long. On aurait dit qu'elle était devenue folle. C'est ce qui arrive, j'imagine, quand personne ne vous a jamais dit non. Nous nous battions à terre. Et soudain… »

Thomas s'interrompt. Deux ou trois mètres nous séparent. Il fait trop sombre pour que je distingue ses traits, à cette distance.

« Elle a perdu l'équilibre, elle est tombée dans l'escalier, reprend-il sans frémir. Elle a atterri tête la première. Nous avons tous entendu ses vertèbres craquer. Elle est morte sur le coup. »

J'ouvre la bouche. Je ferme la bouche. Je suis sans voix.

« J'ai dit aux filles de s'en aller. À part elles, il n'y avait plus personne dans la maison. Et je les voyais mal s'apitoyer sur le sort de leur tortion-naire. Je leur ai refilé les clés de la voiture. Avant de partir, elles ont raflé tous les objets de valeur : la porcelaine, l'argenterie, les cristaux. Pourquoi pas ? Elles le méritaient bien, après ce qu'elles avaient enduré. »

Thomas hésite, se recompose une attitude. « J'ai réfléchi. Si je mettais les voiles en laissant un cadavre derrière moi, la police remuerait ciel et terre et fini-rait par découvrir la vérité. Il fallait que je trouve une solution. Alors, j'ai imaginé un scénario. C'était un accident, ma mère s'était brisé la nuque en déva-lant l'escalier. Tu vois ce que je veux dire, comme si elle avait couru pour échapper aux flammes.

— Non. » À la seconde où il profère ces paroles, mes mains viennent se plaquer sur mes oreilles. Je ne veux pas entendre. Mon cœur s'emballe. Il battait déjà très fort mais il vient de passer à la vitesse supé-rieure. L'odeur de la fumée. La chaleur du feu. Les cris. « Arrête, je t'en prie, je t'en supplie. »

Comme s'il se nourrissait de mon angoisse, le vent redouble de violence. Il nous frappe, nous malmène.

Mais Thomas ne m'écoute pas.

« Je ne savais pas, Nicky. Crois-moi. Je n'aurais jamais imaginé… Je suis allé chercher les jerrycans dans le garage. J'ai versé de l'essence un peu par-tout, dans les chambres du premier, sur le palier. J'ai commencé par une cheminée pour qu'on croie, je ne sais pas, qu'une bûche avait roulé hors de l'âtre… et que l'incendie avait démarré ainsi. J'ai vidé quatre jerrycans parce qu'il pleuvait et que je ne voulais rien laisser derrière moi. Toi, tu avais réussi à sortir d'une tombe. Moi, je faisais table rase pour tout recommencer de zéro.

« Quand j'ai eu terminé, j'ai rapporté les jerrycans vides dans le garage, je suis remonté dans la chambre du fond, au premier, et j'ai jeté des allumettes enflammées en sortant à reculons. Il m'a fallu des tas et des tas d'allumettes. Et avant que je réalise ce qui se passait… whoosh ! les flammes ont jailli. C'était stupéfiant. Malgré les trombes d'eau. La maison avait plus d'un siècle ; le bois qui composait son ossature était parfaitement sec. Quand j'ai traversé le vestibule pour sortir par la porte de devant, la chaleur était déjà si intense que les poils sur mes mains avaient brûlé.

« C'était magnifique. Terrifiant. C'est alors que je l'ai entendue crier.

— Non. Non. Je t'en prie. Arrête. » Je me plie en deux, les mains sur les oreilles, le visage inondé de larmes.

Mais Thomas ne s'arrête pas. Il s'avance vers moi, il parle. Il ira jusqu'au bout. Et moi, après toutes ces années, je n'arrive plus à refouler mes souvenirs.

« Je m'étais trompé, elle n'était pas morte, murmure-t-il. Comment aurais-je pu savoir ? Je n'étais qu'un enfant auscultant un autre enfant. Nous n'avions jamais eu d'overdoses. Peut-être n'était-elle qu'évanouie, dans le coma. Je ne sais pas. En tout cas, elle s'est réveillée quand l'incendie s'est déclenché. »

Je suis dans les bois. Je sens l'odeur de la fumée. Je fais la grimace. Qui aurait l'idée d'allumer un feu alors qu'il pleut ?

Puis j'entends un premier cri. La voix de Vero.

«Elle ne pouvait pas descendre. Le palier du premier était impraticable. Elle ne pouvait que monter. Pour échapper aux flammes.»

Je cours dans la forêt. Les branches mouillées me fouettent le visage. Tout m'est égal : la colère de madame Sade, la jolie promesse de Thomas. Il faut que je trouve Vero. Elle m'appelle.

«Je la voyais distinctement», reprit Thomas. Il tenait toujours la pelle dans une main et dans l'autre, qui tremblait de manière irrépressible, la torche. «Là-haut, au sommet de la tour. Elle cognait sur les vitres avec ses poings. J'ai essayé, Nicky. J'ai couru à la porte d'entrée, mais la chaleur était trop forte. Alors, je me suis précipité dans le garage chercher l'échelle dont on se servait pour les réparations.»

Elle est loin mais je la vois. Vero dans la chambre de la princesse. Elle me regarde. Des flammes orange dansent derrière sa tête.

Vero ne crie plus. Vero pose sa main sur la vitre. Vero tend le bras vers moi, de même que je tends le bras vers elle. Je cours. De toutes mes forces. J'essaie de… Je ne sais pas quoi faire.

Mais je continue à courir en criant son nom.

C'est moi qui l'appelle, maintenant.

Elle disparaît. L'instant d'après, la vitre explose. Une chaise passe au travers. L'une des chaises d'enfant posées autour de la petite table. L'air frais décuple la puissance des flammes. Elles s'élancent vers l'extérieur avec un rugissement avide.

Une autre chaise ; les deux vitres sont brisées, à présent. Vero réapparaît à la fenêtre. Elle a grimpé sur le rebord. Malgré les bouts de verre encore fixés au chambranle. Elle saigne. Ses mains, ses pieds, son visage.

Elle s'en fiche.

L'odeur de la fumée. La chaleur du feu.

Elle lève les bras au-dessus de la tête. Elle ferme les yeux. Elle tourne son visage vers le ciel de nuit.

Vero veut voler.

Je pousse un cri.

D'elle n'émane aucun bruit.

Elle se précipite dans le vide. Pour échapper à la chaleur. Pour échapper aux flammes.

Ses cheveux bruns ondulent derrière sa tête. Sa chemise de nuit à fleurs se déploie comme des ailes.

Vero veut voler.

J'entends un cri. Thomas arrive en courant derrière moi. Mais il est trop tard. Nous ne pouvons rien faire, ni lui ni moi.

Le plus dur c'est d'atterrir.

Vero n'en finit pas de tomber. Puis elle touche le sol. Elle n'est plus qu'une petite boule claire fichée dans la terre, immobile.

«Quand je suis arrivé avec l'échelle, il était trop tard, murmure Thomas. J'ignorais qu'une maison pouvait brûler aussi vite. Je... nous n'étions que des gosses, Nicky. Nous ne savions quasiment rien de la vie.»

Je ne peux pas le regarder. Mon cœur se brise. Comme il s'est brisé cette nuit-là. Thomas a raison. Ce n'était pas de notre faute. Ce n'était absolument pas de notre faute. Nous voulions juste sortir vivants d'une situation que nous n'aurions jamais dû connaître.

Thomas m'a emmenée avec lui. Il m'a fait monter dans la voiture de sa mère. Trempée, grelottante, je me suis recroquevillée sur le siège passager. La maison n'était plus qu'un tas de cendres. Vero était morte. Thomas a pris la route de La Nouvelle-Orléans.

Durant les jours et les semaines qui ont suivi, je n'étais plus que l'ombre de moi-même. Si je dormais, je me réveillais en hurlant. Éveillée, je pleurais.

Thomas nous a trouvé un toit. Thomas nous a acheté de quoi manger. Thomas a dégotté un job sur un plateau de tournage. Le soir, il rentrait et me tenait dans ses bras jusqu'au matin. Et moi, j'essayais de me rétablir mais tous mes efforts ne servaient à rien.

Puis un jour, quatre semaines après les événements, j'ai trouvé la force de faire la lessive et j'ai découvert une photo, dans un vêtement de Thomas. Une photo qu'il avait dû prendre en cachette. Une fillette de dix ans vêtue d'une robe à fleurs. Moi.

Et là, je suis tombée en miettes. Je ne vois pas d'autre façon d'exprimer ce que j'ai ressenti à ce moment-là. Je regardais mon portrait et je voyais Vero. J'évoquais le visage de Vero et c'était le mien qui apparaissait. C'était insupportable… proprement insupportable.

Quand Thomas est rentré, je lui ai annoncé la nouvelle : je n'existais plus, j'avais disparu, je n'étais plus là. Il s'agissait d'en tirer les conséquences. Chelsea était morte. Vero était morte. Il ne me restait qu'à plier bagage, changer de nom, m'installer ailleurs, me refaire une vie. Je n'avais pas d'autre solution.

Et il a dit oui.

Je n'ai pas compris tout de suite. Puis je l'ai vu ouvrir les tiroirs de la commode, entasser ses maigres affaires dans un sac. Il était prêt. S'il fallait vraiment que je parte, il partirait avec moi. Si je devais changer de nom, il en changerait aussi. Si je voulais recommencer de zéro, il m'accompagnerait.

Il m'aimait. Il ferait n'importe quoi, serait n'importe qui, irait n'importe où, pourvu qu'on reste ensemble.

Et c'est ainsi que nous avons fonctionné. Pendant vingt-deux ans.

« Comment as-tu fait ? » Si je lui pose cette question c'est que je n'ai jamais compris par quel miracle cette nuit de cauchemar l'avait rendu si fort, alors qu'elle m'avait brisée en mille morceaux.

« Tu étais tout ce que je désirais, Nicky. J'ai passé un temps infini à te regarder, à t'attendre. J'aurais pu sauver Vero. J'aurais pu nous sauver tous si j'avais réagi plus vite, si je m'étais opposé à ma mère avant. Crois-moi, au début, j'y pensais tout le temps. Je me disais j'aurais dû, j'aurais pu, et si et si. Mais le mal était fait. Et comme je ne pouvais pas revenir en arrière, j'ai décidé d'aller de l'avant. Je me suis juré de te rendre heureuse, même si ça devait me prendre toute la vie. C'est ce que j'ai fait. Je t'ai aimée. Mais cet amour ne te suffisait pas.

— Elle me manque.

— Je sais.

— J'aurais dû faire quelque chose, dis-je précipitamment. On aurait pu s'enfuir toutes les deux, si j'avais été plus maligne. Vero était si paumée, si triste vers la fin. Elle ne racontait plus d'histoires. Mais si j'avais pu l'emmener loin de cet enfer, peut-être qu'elle aurait trouvé le royaume secret, la reine magicienne. C'était juste une petite fille qui avait besoin de sa mère.

— Ça n'aurait jamais marché.

— Peut-être que si…

— Non. C'était impossible. Nicky, retourne-toi. »

Il me parle sur un ton si brusque que je sursaute comme s'il m'avait giflée.

Le vent est tombé. Plus rien ne bouge dans la nuit. Il n'y a plus un bruit.

Je me retourne. Très lentement. Et je découvre Marlene Bilek dans le faisceau de la torche que brandit Thomas.

Sur son visage marqué s'imprime un rictus sinistre que je ne lui connais pas. Elle tient un pistolet.

41

« On a un problème. » La voix de Kevin retentit dans l'habitacle du 4 × 4 qui grimpait l'allée en cahotant.

« De quel genre ? hurla Wyatt pour couvrir les gémissements du moteur en surchauffe.

— Marlene Bilek est introuvable. J'ai envoyé un agent à son domicile, comme tu me l'avais demandé. Il n'y a pas de lumière, sa voiture n'est plus là. Elle a fichu le camp. »

Wyatt se tourna vers Tessa. « Elle a peut-être voulu discuter en privé avec la dernière personne ayant vu sa fille vivante.

— Dans ce cas, elle est retournée à l'hôtel, elle a vu Nicky avec Thomas et elle a décidé de les suivre. » Tessa le regarda en fronçant les sourcils. « Mais pourquoi se donner cette peine ? Puisque Nicky n'est pas Vero.

— Non, mais Nicky possède quelque chose d'inestimable. Elle est la mémoire de Vero, le seul témoin de sa courte existence.

— D'après toi, Marlene craint que Nicky ne soit au courant pour l'argent qu'elle a touché après l'enlèvement de sa fille? Elle aurait pu lui en parler quand elle l'a rencontrée en début de soirée, non?

— Elle ne pouvait pas le faire devant nous. Mais je l'imagine bien revenir à l'hôtel pour lui tirer les vers du nez. Elle est arrivée sur le parking, elle a vu Thomas et Nicky, elle les a suivis… »

Tessa n'était toujours pas convaincue. « Mais elle n'a pas pu les suivre de près sans qu'ils la remarquent…

— En effet. Et cela prouve que mon hypothèse était la bonne. Si c'est bien Marlene Bilek qui conduit le deuxième véhicule, elle savait précisément où aller. »

« Vous avez tué ma fille. » Marlene se tient près de l'allée circulaire, tournant le dos aux fondations. La torche éclaire son visage mais la nuit est si épaisse qu'on ne voit rien d'autre autour. Ni sa voiture. Ni si quelqu'un l'accompagne.

Manifestement, elle a écouté nos confessions réciproques.

Je m'entends dire : « C'était un accident. » Est-il normal de présenter ses excuses à une personne qui vous menace d'une arme? Oui, c'est peut-être une réaction naturelle.

« Elle est morte brûlée vive. Ici même. Dans la belle maison. »

Je ne réponds rien. J'ai vaguement conscience que Thomas tente de se rapprocher discrètement.

Il rate son coup. « Stop, crie-t-elle. Encore un pas et je la descends. Croyez-moi, c'est un vrai pistolet et je sais tirer. Hank m'a appris. Il disait que c'était un exercice salutaire pour une femme qui avait servi de punching-ball la moitié de sa vie.

— Vero vous aimait. »

Je lui offre des paroles de réconfort mais, bizarrement, elle se rétracte comme si je l'avais frappée.

« Qu'est-ce qu'elle vous a dit ?

— Je ne saisis pas.

— Est-ce qu'elle savait ? Est-ce qu'elle avait compris ? Après tout ce que vous avez raconté sur elle… Mon Dieu. Cette femme m'avait promis qu'elle serait heureuse chez elle. Comment aurais-je pu savoir qu'elle mentait ? Elle était bien habillée, elle conduisait une belle voiture. Je n'aurais jamais imaginé. Jamais ! »

Ça y est, je crois que j'ai pigé. Mon dos est parcouru de frissons. Ou est-ce simplement parce que le vent s'est remis à souffler. Et qu'il fait froid tout à coup.

Thomas répond à ma place. Il se tient à trois mètres d'elle. La torche ne tremble plus dans sa main. « Vous avez vendu votre propre fille. »

Une soudaine rafale soulève nos cheveux.

Je regarde Marlene comme si je la voyais pour la première fois. Elle ne le contredit pas. Pourquoi nier l'évidence ? Madame Sade était une femme d'affaires. Elle n'aurait jamais pris le risque d'enlever des enfants alors qu'elle pouvait les acheter.

« Il fallait que je trouve une solution ! Ronnie me battait… Je ne pouvais plus endurer ça. Je me sentais totalement impuissante. Vous ne savez pas ce que c'est… »

J'accueille ses paroles par un rire amer.

Marlene rougit. « Je n'avais pas un rond. Je n'aurais pas pu m'en sortir seule, et encore moins avec Vero. Sans compter que Ronnie commençait à la regarder bizarrement. J'ai fait ça pour son bien. Mais vous n'êtes pas obligés de me croire. Un jour, par l'amie d'une amie, j'ai appris qu'une femme recueillait des petites filles. Elle habitait une grande et belle maison et elle n'avait pas assez d'enfants à elle. En plus, elle vous refilait un peu d'argent par la même occasion. Elle avait pitié des mères célibataires; c'est ce qu'on m'a dit.»

Je ne peux m'empêcher de répliquer : «Qui on? Des camées, des alcooliques comme vous? Des femmes qui vendaient leurs gosses pour pouvoir se payer leur dose?

— Il valait mieux qu'elle s'en aille. Sans elle, je pouvais quitter Ronnie, prendre mon indépendance. Sauf que, ce jour-là, dans le parc... une autre mère a remarqué son absence. Alors, je n'ai pas eu le choix. Il a fallu que je crie au kidnapping. Sinon la police aurait tout découvert.

— Je me souviens, intervint Thomas. Ma mère était furieuse. Elle a pesté toute la soirée. Elle disait : "Quand on veut que les choses soient faites correctement il faut les faire soi-même."

— Ce n'était pas de ma faute! La combine a fonctionné quand même. La police a mené son enquête mais n'a trouvé aucune piste; l'affaire s'est tassée. Elle avait Vero, et moi, je n'avais plus qu'à attendre mon argent.»

Soudain, je réalise : «Mais je vous connais!»

Marlene me regarde en plissant le front. «Que voulez-vous dire?

— C'est pour ça que je vous ai reconnue dans le magasin d'alcool. À la seconde où je vous ai vue, j'ai su qui vous étiez. J'ai cru à un souvenir, ce qui n'était pas entièrement faux. Vous étiez un souvenir mais pas un souvenir de Vero. Vous n'étiez pas la jeune mère qui cachait son enfant dans le placard. Vous aviez le visage de la femme que j'avais vue dans la maison de poupée. Le jour où vous vous êtes déplacée pour récupérer votre fric. Madame Sade vous engueulait.

— J'étais venue prendre ce qui me revenait!»

Le vent souffle toujours plus fort, plus froid.

Je m'entends murmurer : «Vous l'avez aperçue ou pas? À cette époque, Vero passait des heures à regarder par la fenêtre; la chambre de la tour donnait sur l'allée circulaire, exactement où vous vous tenez. Vero a vu le taxi s'arrêter. Elle a vu sa mère descendre, escalader les marches du perron. Elle avait passé tant de nuits à pleurer, à supplier. Et enfin vous étiez là, vous alliez la sauver.»

J'ai les cheveux en bataille, ils me fouettent les joues. Des frissons parcourent mes bras.

Je revois des choses auxquelles je n'ai jamais assisté. Je donne des détails dont je ne peux avoir connaissance. «Ses petits poings cognent contre la vitre. Elle crie, elle vous appelle, elle trépigne de bonheur, d'espoir. Vero a six ans. Vero n'est plus une petite fille perdue. Vero va rentrer chez elle.

«Mais sa porte reste fermée à double tour. Elle vous voit ressortir, descendre les marches, remonter dans le taxi qui attend. Vous partez sans elle.

«Vero veut voler. Elle veut ouvrir la fenêtre, grimper sur le rebord et sauter. Parce que tout lui est égal, à présent. Sa mère est venue. Sa mère est repartie.

Elle vous aimait de tout son cœur. Et ce cœur, vous l'avez brisé.

— Ce n'était pas ma faute !

— *Vous avez vendu votre propre fille !*

— Et j'ai été bien punie. Je suis retournée chez Ronnie. J'ai encore passé un an avec lui. J'ai failli mourir sous ses coups. Ça compte, non ? J'ai mal agi mais j'ai été punie.

— Pas autant qu'elle ! Et quand vous avez fini par quitter Ronnie, pourquoi n'avoir pas tout raconté à la police ? Il était encore temps de sauver Vero. »

Marlene ne répond pas. C'est inutile. On a compris. Elle avait peur d'aller en prison. Pourquoi aurait-elle pris ce risque alors qu'elle pouvait refaire sa vie avec un autre homme, alors qu'elle avait 5 000 dollars en poche. Surtout que personne n'était au courant de rien.

Je fais un pas dans sa direction. Je vois le pistolet bouger dans sa main. Peu importe. J'avance encore. Je n'ai pas d'arme, même pas de torche, rien pour me défendre. Je n'ai que mon indignation et ça me suffit.

« Et votre nouvelle famille ? Que vont-ils penser de vous quand ils sauront ce que vous avez fait à votre fille aînée ? Vous n'avez rien d'une victime. Vous êtes un monstre. Le monstre qui faisait si peur à Vero, la nuit.

— Je n'en sais rien. Et je ne le saurai jamais, figurez-vous. »

Marlene lève son arme, me regarde droit dans les yeux.

Au même instant, Thomas hurle : « Sauve-toi ! »

507

Il jette la torche ; elle me frôle l'oreille et, une fraction de seconde plus tard, s'écrase sur le visage de Marlene.

Elle hurle. Par réflexe, elle lève la main gauche pour se protéger. De la droite, elle appuie sur la détente.

Je vois la balle sortir du canon, tourner sur elle-même en fendant la nuit, s'enfoncer dans ma poitrine. Je m'en fiche. J'écarte les bras pour accueillir la mort.

C'est normal, après tout. Les choses sont rentrées dans l'ordre. Depuis que j'ai posé le pied sur cette propriété, j'ai su que je mourrais ici.

Les choses sont ainsi, dans la maison de poupée.

Et puis…

Je m'écroule. Je ne sais ni comment ni pourquoi. Je n'ai pas le temps d'y réfléchir. Un deuxième coup de feu retentit. Thomas crie. À qui s'adresse-t-il ? À moi ? À elle ? Impossible à dire. Il se précipite en brandissant la pelle. Un guerrier qui se lance à l'assaut de l'ennemi.

« Sauve-toi ! Cours ! »

Je me retrouve à cavaler parmi les collines verdoyantes qu'autrefois je contemplais depuis la fenêtre de la tour. Je fonce vers les bois.

Marlene hurle de rage. Nouvelle détonation. Puis un grognement sort d'une gorge masculine. Thomas. Elle a tiré sur Thomas.

Mais je ne peux pas revenir sur mes pas. Le vent m'entraîne. Son souffle glacé me guide vers la forêt.

J'appelle : « Vero ! »

Je sens sa présence. Nous courons côte à côte. Les deux petites filles ont réussi à s'échapper. Je tends la main. Elle est là.

« Des coups de feu ! »

Le 4 × 4 venait d'arriver au sommet de la colline quand Wyatt entendit la première détonation. Il s'empara de la radio ; Tessa avait déjà dégrafé sa ceinture de sécurité.

« Par là-bas, dit-elle en désignant quelque chose derrière la vitre de Wyatt. Des lumières. Près de ce monticule couvert de végétation. »

Il freina brutalement. La voiture de Marlene Bilek était garée devant eux. Après une rapide demande de renforts, il dégaina son arme. Puis ils ouvrirent leurs portières et restèrent cachés derrière, le temps de mesurer la situation. Leurs torches n'éclairaient pas assez loin pour leur permettre de voir la zone d'où les coups avaient été tirés. Ils n'entendaient pas grand-chose non plus.

Ils aperçurent quand même deux silhouettes s'agiter dans la pénombre. Une lutte au corps à corps. Une femme poussa un cri de frustration, il y eut une autre détonation, une plainte et la plus grande des deux silhouettes s'écroula.

Thomas Frank, supposa Wyatt.

« Marlene Bilek ! hurla-t-il. C'est la police. Lâchez votre arme ! »

Il pointa son pistolet mais, à cette distance, dans le noir…

Comme si Marlene Bilek avait lu dans ses pensées, elle ramassa une torche, éclaira les broussailles devant elle et prit ses jambes à son cou.

« Elle s'échappe ! s'exclama Tessa.

— Ou elle poursuit quelqu'un. Où est Nicky ?

— Merde ! »

Ils s'élancèrent tous les deux sur les traces de Marlene.

Les feuilles me giflent le visage. Je contourne un tronc d'arbre et je me retrouve coincée dans un buisson. La forêt est profonde, la végétation dense. Je cours à l'aveuglette. Je suis déjà hors d'haleine, je fonce à travers les ronces comme un ours enragé.

Elle va me trouver. Elle a une torche. Elle a une arme.

Elle a tué Thomas. Maintenant c'est mon tour.

Je vais mourir dans ces bois. Je suis déjà morte ici, il y a vingt-deux ans.

Mon cœur bat à se rompre, mes joues ruissellent de larmes, des images étonnantes défilent dans ma tête. Elles ne représentent ni Vero ni la maison de poupée. Elles représentent Thomas.

Je cours pour échapper à une meurtrière. Je me rapproche dangereusement de ma troisième mort et je ne pense à rien d'autre qu'à l'homme que j'aime.

Les jours, les semaines, les mois que nous avons passés ensemble dans la maison de poupée. Les regards échangés à la place des mots. Nous n'avions pas le courage d'exprimer nos intentions criminelles mais nous conspirions déjà. Il savait, je savais qu'il savait. C'était suffisant pour nous donner de l'espoir.

Car il n'est pas d'amour sans preuve de confiance.

Chaque nuit, il restait éveillé auprès de moi. Je pleurais toutes les larmes de mon corps. Je l'injuriais ; je le frappais. Je le blâmais ; je le suppliais. Il supportait tout. Il me prenait dans ses bras, il me caressait les cheveux, il me disait à mi-voix des mots qui rassurent. Car il n'est pas d'amour sans persévérance.

Je te pardonne, Thomas. Je n'avais jamais réalisé à quel point je lui en voulais d'avoir incendié la maison. Mais c'est vrai, nous n'étions que des gosses. Nous ne savions pas ce que nous faisions. Nous n'avions pas demandé à vivre ça.

Vero le sait, elle. Si je pouvais m'arrêter de courir et m'asseoir devant une tasse de thé, Vero apparaîtrait dans sa plus jolie robe. Elle me prendrait dans ses bras, je la serrerais contre moi.

Car il n'est pas d'amour sans pardon.

Encore du bruit. Derrière moi. Elle s'approche.

Je cours au hasard. Peut-être que je tourne en rond. Je n'ai nulle part où aller. Il n'y a que des arbres de plus en plus gros et, entre deux, des buissons de plus en plus épais. Je débouche dans une petite clairière. Et voilà, c'est fini. Je fais plusieurs fois le tour. Je suis prise au piège.

Cela fait vingt-deux ans que j'attends ça.

Je respire un bon coup. Je m'arrête, je me retourne, je me prépare au pire.

Des cris au loin. La police. Ils sont à notre recherche. Il faudrait que je trouve un moyen de gagner du temps. Deux minutes ? Trois, quatre, cinq ?

Je pourrais grimper dans un arbre. Mais c'est trop tard. J'entends une branche craquer et je fais volte-face pour me retrouver nez à nez avec Marlene Bilek.

La forêt ne l'a pas épargnée, elle non plus. Son visage est écorché, couvert de sang. Des feuilles sont accrochées à ses cheveux courts. On dirait un nid de rats. Elle a du mal à reprendre son souffle et visiblement cette poursuite n'a fait qu'accroître sa fureur. Elle cherche à mieux empoigner son pistolet, s'empêtre un peu puis le braque sur moi.

«Ne bougez pas», m'entends-je dire.

Elle me regarde en fronçant les sourcils. «Quoi?

— Elle est ici. Vous ne la sentez pas? Elle est ici. Tout près. Avec nous.

— Ma petite, tu as reçu trop de coups sur la tête.

— Elle vous aurait suivie n'importe où, vous savez? Dans un refuge pour personnes sans abri, un foyer de mères célibataires. Elle vous aimait tellement. Vous étiez toute sa vie. La seule qui la protégeait.

— Ferme-la!

— Elle m'a raconté qu'un soir, Ronnie l'avait frappée plus fort et plus longtemps que d'habitude. Après, il est sorti et vous l'avez prise dans vos bras. Vous l'avez bercée toute la nuit en lui murmurant des mots gentils, en la suppliant de ne pas mourir. Elle se souvenait de la moindre de vos paroles. C'est pour vous qu'elle est revenue à la vie.»

Son bras tremble. Elle pince les lèvres; elle fait des efforts pour poser correctement son doigt sur la détente. Remarque-t-elle les larmes qui baignent ses joues?

«Cinq mille dollars. Cet amour immense, vous l'avez vendu pour cinq misérables billets de mille?

— Ça suffit!»

Je ne peux pas m'arrêter. «Dites-lui que vous l'aimez. Maintenant. Dites-le. Elle a patienté pendant trente ans! Depuis trente ans, elle espère vous voir apparaître. Depuis trente ans, elle attend que

512

vous vous souveniez de l'amour que vous lui portez.

— Non…

— Il le faut !

— Je ne peux pas ! Combien de fois dois-je le répéter ? Je ne savais pas. Je me disais que c'était pour son bien. Et ensuite, quand elle est partie, quand j'ai réalisé ce que j'avais fait… Je ne pouvais plus faire machine arrière. Vous ne comprenez donc pas ? Je m'étais arraché le cœur. Comment aurais-je pu le remettre à sa place !

— Elle vous manquait ?

— Oui ! Je pensais à elle tous les jours !

— Vous l'aimez ?

— Oui. Oui, oui, oui !

— Elle vous aime aussi. Elle vous aime et elle vous déteste. Je suis désolée pour ce qui va vous arriver mais je ne peux rien y faire. »

Marlene me regarde, interloquée.

« Tu es dingue, ma petite ! » Elle fait un pas en avant comme pour mettre un point final à tout cela…

Elle ne voit pas où elle marche. Les années ont passé mais des choses sont toujours amoncelées à cet endroit, à demi enterrées. Il faut dire qu'il faisait très sombre, cette nuit-là. J'avais perdu la notion du temps et je pleurais si fort que je voyais trouble. J'ai traîné son corps à travers les bois, pour l'éloigner des flammes. J'ai trouvé la tombe creusée quelques heures auparavant et mal rebouchée. Je me suis accroupie et, de mes mains nues, j'ai dégagé la terre grasse.

Comme j'étais épuisée, en état de choc, je n'ai pas creusé très profond avant de déposer mon plus précieux trésor dans la fosse. Ses membres inertes ballottaient. Ses yeux gris me fixaient sans me voir. Je n'ai pas eu le temps de m'appliquer. J'ai fait le minimum.

Je lui ai fermé les paupières.

J'ai baisé sa joue.

J'ai chuchoté : « Pardonne-moi. »

Après quoi, j'ai jeté sur elle quelques poignées de boue et j'ai disparu dans la nuit.

Marlene vient vers moi.

Elle s'avance.

Elle trébuche sur quelque chose qui dépasse, bute sur une deuxième chose, une troisième. Elle tend la main gauche pour se retenir mais c'est inutile. Les choses ont gagné.

Elle tombe en arrière.

C'est aussi simple que cela. Elle trébuche, tombe, se relève, retombe.

Mais cette fois-ci, j'entends un craquement. Assez sonore pour vibrer dans le silence. Marlene s'est fracassé le crâne sur un caillou étonnamment rond et lisse.

Un caillou posé là comme point de repère par une jeune fille qui souhaitait marquer l'emplacement de la tombe où elle venait d'ensevelir sa meilleure amie.

Le vent se remet à chuchoter. Je jurerais que j'entends sa voix, que je sens ses larmes sur ma peau. La princesse du royaume secret et la reine magicienne sont enfin réunies…

J'ouvre les bras. « Je regrette. Je t'aime, Vero. »

Marlene ne se relève pas.

Au bout de deux minutes, Wyatt surgit dans la clairière. Il m'aperçoit dans le faisceau de sa torche, s'arrête net, éclaire mon visage, le corps qui gît dans la fosse, les choses qui en dépassent.

« Thomas ? lui dis-je, inquiète.

— Tessa s'occupe de lui. L'ambulance arrive. » Il marche jusqu'au corps de Marlene, éclaire son crâne brisé, ses yeux aveugles. Inutile de chercher son pouls. La chose lui paraît aussi évidente qu'à moi ; ce qui est fait est fait.

Il déplace le faisceau de la torche vers les pieds de Marlene. Un tas d'ossements blanchis émerge du sol.

Il m'interroge du regard.

« Wyatt, je vous présente Vero. Vero, je te présente Wyatt. »

Après cela, nous ne disons plus un mot.

42

Je suis morte deux fois.

Je me rappelle ce que j'ai ressenti. Une douleur cuisante, intense, suivie d'une immense et accablante fatigue. J'avais envie de me laisser aller. J'avais *besoin* que ça s'arrête. Mais je ne l'ai pas fait. J'ai lutté contre la douleur, la fatigue, la lumière blanche à la con. Je me suis accrochée et j'ai fini par revenir du pays des ombres.

Pour Vero. C'est pour elle que je suis revenue d'entre les morts.

Maintenant, je peux reprendre le cours de ma vie.

La balle de Marlene Bilek a blessé Thomas mais pas grièvement. Elle lui a éraflé les côtes, sans endommager d'organes. J'ai quand même passé deux jours dans sa chambre d'hôpital sans fermer l'œil. J'étais trop occupée à lui tenir la main en surveillant les mouvements réguliers de sa respiration.

Comment a-t-il fait pour rester constamment à mon chevet après mes trois accidents ? Moi je dormais pour évacuer la douleur. Et lui il était là, à regarder, à attendre, à espérer. Comment peut-on supporter de voir souffrir l'être aimé et de ne rien pouvoir faire ?

Je le couve d'un regard émerveillé. Il m'a fallu vingt-deux ans, mais aujourd'hui je mesure pleinement la chance que j'ai. D'avoir trouvé l'amour. D'avoir bâti une vie. Rien d'autre ne compte, en vérité.

C'est à moi de me retrousser les manches et d'imaginer un avenir à mon image.

Juste après les événements, la police m'a bombardée de questions. J'y ai répondu de mon mieux, guidée par l'avocat que m'a conseillé Tessa. Il a pris soin d'insister sur mon jeune âge au moment des faits et sur les violences dont j'ai moi-même été victime : autant de circonstances atténuantes.

Et moi, qu'est-ce que j'en pense ? Et qu'est-ce que la mémoire ? Que savons-nous réellement du passé ? J'ai décrit cette dernière nuit avec Vero le plus précisément possible mais allez savoir où se niche la vérité ? Après les quelques jours qu'il a passés en ma compagnie, Wyatt peut lui-même en témoigner : la vérité est une notion relative. Une bête capricieuse. Il y a ce que je crois savoir et ce que je sais vraiment… Vous n'avez qu'à interroger Vero. Passez un après-midi avec elle. Buvez une tasse de thé.

Après tout, cette histoire est la sienne.

Le corps de Marlene Bilek a été rendu à son mari Hank, à sa fille Hannah. Ils n'ont pas souhaité me rencontrer et c'est tant mieux car je n'aurais sans doute pas pu voir Hannah, Vero 2.0, sans songer à ce qui aurait pu être. Je suppose qu'ils me considèrent comme la méchante femme qui s'est fait abusivement passer pour la fille de Marlene.

La police leur a-t-elle expliqué le rôle qu'elle a joué dans la disparition de Vero, trente ans auparavant ?

Leur a-t-elle dit ce qu'elle faisait dans la forêt, la nuit de sa mort ? Officiellement, Marlene a succombé à une chute. Elle a trébuché, s'est ouvert le crâne. Je l'ai vue de mes propres yeux. Une chose est sûre : elle a tiré sur Thomas. De notre point de vue, elle l'a fait pour couvrir ses agissements criminels. Mais on pourrait tout aussi bien prétendre qu'elle a voulu se venger de deux personnes ayant trempé dans l'enlèvement de Vero.

Le passé est le passé. Quels que soient les péchés de Marlene, elle a reçu son châtiment. J'ai été témoin de sa détresse, je l'ai regardée mourir.

Maintenant, elle n'a plus qu'à régler ses comptes avec Vero.

Après tout, c'est leur histoire à elles.

La justice s'intéresse de près à Thomas. Premièrement, on le soupçonne d'avoir incendié notre maison. Deuxièmement, on pourrait l'accuser d'avoir fabriqué de faux indices – les empreintes digitales de Veronica Sellers retrouvées dans mon Audi. Troisièmement, il devra s'expliquer sur un ensemble de faits non élucidés, à savoir l'incendie de la maison de poupée, la mort de sa mère vingt-deux ans auparavant, et la récente découverte d'un squelette humain sur la propriété.

Notre avocat n'est pas inquiet. Il semblerait que nous soyons les deux seuls témoins de cette longue nuit. Nous avons déclaré que la mère de Thomas était morte en tombant dans l'escalier ; Vero, piégée par les flammes, s'est jetée par la fenêtre du deuxième étage. Reste à savoir qui a mis le feu. Mais il semble que les pièces à conviction aient disparu. Ce genre de chose arrive couramment dans les petites villes qui ne disposent pas de ressources suffisantes…

Quant aux événements plus récents… Comme l'imprimante 3D ayant servi à fabriquer les fausses empreintes digitales a fondu dans le brasier, il est quasiment impossible de prouver que Thomas est l'auteur de la fraude. À ce propos, l'expert en incendies volontaires a retrouvé les empreintes de Thomas sur le bidon d'essence mais cette découverte est sans conséquence puisque ce bidon lui appartenait.

Tessa m'a dit avec un petit sourire qu'une unique empreinte digitale ne permet pas de constituer un dossier à charge. Les procureurs exigent plusieurs éléments de preuve et, si possible, un ou deux témoignages. Sinon, il subsiste toujours un doute. Et les procureurs préfèrent les certitudes, surtout quand il s'agit d'affaires sensibles susceptibles d'intéresser les médias. Plutôt que risquer l'erreur judiciaire, la plupart d'entre eux choisissent de classer sans suite.

Tessa et Wyatt sont passés me voir, ce matin. J'ai loué un joli petit chalet pour Thomas et moi, le temps qu'il se remette. Depuis que nous sommes ensemble, c'est la première fois que je choisis un lieu sans son aide. C'est agréable de prendre des décisions.

C'est agréable d'être une personne à part entière.

Thomas, sur son lit d'hôpital : « Tu devrais partir. Prendre un nouveau nom, tout recommencer de zéro. Tant que tu le peux. Pour l'amour du Ciel, Nicky. Je risque d'être arrêté pour incendie volontaire à n'importe quel moment. Sans parler de ton accident de voiture. J'aurais pu te tuer. Quel genre d'homme peut faire une chose pareille?

— *Tu m'aimes.*

— *Je t'ai menti. J'ai fabriqué de fausses empreintes digitales, j'ai voulu te faire passer pour une morte.*

— *Tu as fait cela pour que je sois heureuse. Après tout, j'ai passé presque toute ma vie avec elle. Dieu sait combien d'identités j'ai pu endosser. Aucune n'a fonctionné. Tu avais tout essayé : l'amour, la tolérance. Au bout de vingt-deux ans, je peux comprendre que tu aies opté pour une méthode plus radicale.*

– *J'ignorais que Marlene avait vendu sa fille,* me dit-il précipitamment en serrant ma main dans la sienne. *Quand j'ai vu ta réaction devant l'édredon, quand tu t'es lancée à la recherche de sa mère, je me suis dit que tu avais besoin de cette femme, que si jamais tu la retrouvais son amour suffirait à te guérir. Tu savais quasiment tout sur Vero et tu étais si perturbée depuis tes chutes… Je me suis dit que si tu devenais Vero aux yeux de la police, tu t'accrocherais à cette identité et tu finirais par trouver la paix. En tout cas, ça valait le coup d'essayer.*

— *Sauf que la police ne s'est pas contentée de me prendre pour Vero. Ils t'ont accusé d'avoir prémédité l'accident de voiture et du coup, tu as dû incendier notre maison pour couvrir tes traces.*

— *Je ne voulais pas te quitter. Mais finalement, j'ai compris que c'était le seul moyen de te protéger.*

— *Je ne peux pas être Vero,* lui dis-je posément. *Je ne peux être que moi. Mais je comprends ce qui t'a poussé à agir. Je sais aussi pourquoi tu m'as ramenée à la maison de poupée, l'autre nuit. Tu voulais que j'affronte la vérité. D'où la pelle, n'est-ce pas ? Tu comptais la déterrer et me montrer ses restes. Et après cela, nous aurions averti la police. Ce que nous n'avons pas eu le courage de faire il y a vingt-deux ans. Nous aurions réclamé justice pour Vero.*

— Moi non plus, je n'ai pas oublié, Nicky. Cette nuit-là… est gravée en moi pour toujours. »

C'est mon tour de serrer ses doigts entre les miens.

Un moment plus tard. Thomas regarde ailleurs. Thomas parle vite : « Je pense quand même que tu devrais partir. Je suis l'unique héritier de cette fichue baraque. C'est une propriété familiale. Ce qui veut dire que tout m'appartient aujourd'hui, le terrain, les ruines. Heureusement que l'État a déjà incinéré les restes de ma mère, sinon ce serait à moi de m'en occuper.

— Je n'irai nulle part. »

Thomas : « C'est un vrai cauchemar juridique. Ça prendra peut-être des années. Nicky…

— Ce nom me plaît. Je crois que je vais le garder. Nicky Frank. Ça sonne bien, ça fait solide. Parfait pour une femme revenue par deux fois d'entre les morts.

— Tu recommences à délirer ?

— Peut-être bien. Bon, dis-moi, veux-tu être Thomas Frank ? Veux-tu être mon mari ? »

Thomas, muet comme une carpe.

Moi : « Tu ne réponds pas. »

Thomas : …

Moi : « Tu pleures ? »

Thomas : « Pour l'amour du Ciel, approche-toi que je t'embrasse. »

Thomas va rester mon mari. Nous vivrons ici mais pas forcément heureux. Je fais toujours des cauchemars, j'ai des migraines, du mal à me concentrer, des jours avec, des jours sans. Il me faudra des années pour recouvrer mon équilibre physique et mental.

Mais après tout, nous avons tous nos cicatrices. Nous sommes tous des survivants.

Wyatt me dit que, grâce à l'ADN, les ossements retrouvés dans la forêt ont pu être identifiés. Ce sont les restes de Veronica Sellers.

La famille de Marlene a déjà réclamé le corps. Ils comptent inhumer Vero à côté de sa mère.

Je ne discuterai pas leur décision.

Après tout, c'est ce que Vero souhaitait : rentrer chez elle. C'est ce que nous souhaitons tous.

Tessa dit que Wyatt et elle vont adopter un petit chien. Elle est plus décontractée que la dernière fois. Je les vois qui échangent des sourires à la dérobée. Quand ils s'en vont, il lui prend la main ; elle le laisse faire.

Ils forment un joli couple. Je suis contente de les avoir vus si détendus, assis l'un à côté de l'autre, sans craindre de se toucher. J'ai hâte de voir ce fameux chiot.

Et maintenant…

Thomas se repose dans la chambre du fond. J'ai un peu de temps devant moi.

Alors, je sors l'édredon. Je m'installe confortablement sur le canapé.

Je ferme les yeux… et je partage une tasse de thé avec Vero.

REMERCIEMENTS

Pour écrire un roman, on doit mobiliser une petite armée. Pour celui-ci, je me suis entourée de professionnels de la santé. *Le Saut de l'ange* devait parler d'une femme souffrant d'un traumatisme crânien assez grave pour bouleverser sa vie et lui faire oublier qui elle était. Mais comme je préfère les histoires qui finissent bien, je voulais que le lecteur garde l'espoir d'une guérison. J'ai donc fait appel à ma pharmacienne préférée, Margarethe Charpentier, et à son étudiante, Christine d'Amore, qui m'ont immédiatement ensevelie sous des tonnes de documents traitant des lésions cérébrales traumatiques, de leur traitement et de leurs conséquences à long terme.

Pour mettre de l'ordre dans tout cela, j'ai consulté l'une de mes grandes amies, le Dr C.J. Lyons, elle-même auteure de thrillers. Elle m'a conseillé de centrer mes recherches sur le syndrome post-commotionnel dont les aspects cliniques offrent tout un panel de symptômes et de comportements susceptibles de servir mon personnage, tout en laissant ouverte la possibilité d'un avenir plus serein. Dans la vraie vie, Nicky mettrait sans doute des années à guérir de ses multiples commotions. Mais encore une fois, étant une adepte des happy ends, j'aime à penser que ses migraines ont déjà disparu.

Ayant choisi la pathologie dont souffrait mon héroïne, il a fallu imaginer l'événement générateur. Ce fut au tour d'Eric Holloman d'entrer en scène. En tant que spécialiste de la reconstitution d'accidents, il a certainement apprécié la chance qui lui était donnée d'inverser les rôles. Lui qui d'habitude analyse les résultats d'un sinistre généré par autrui a pu concevoir son propre accident du début à la fin. Peu d'experts ont l'occasion de jouir d'une telle licence artistique.

Bien évidemment, toutes les erreurs qui pourraient émailler ce roman sont uniquement de mon fait. J'avoue être peu versée dans les matières scientifiques. Et je serais bien incapable d'établir un diagnostic médical ou de reconstituer un accident de la circulation.

En revanche, j'adore tout ce qui concerne les enquêtes de police. J'ai eu grand plaisir à travailler de nouveau avec le lieutenant Michael Santuccio, des services du shérif de Carroll County. Pour faire bref, je dirais que lorsque Wyatt dit ou fait quelque chose d'intelligent, c'est à Michael qu'il le doit.

Dans le même ordre d'idées, l'un de mes anciens consultants, Napoleon Brito, expert médico-légal aujourd'hui à la retraite, m'a appelée un jour pour me soumettre une idée : serait-il possible de fabriquer de fausses empreintes digitales au moyen d'une imprimante 3D? Ayant suivi de près la controverse au sujet des armes en plastique moulé, j'ai tout de suite été séduite par sa proposition. Par la suite, j'ai eu le privilège de rencontrer Jeff Nicole, de la société Ambix Manufacturing basée à Albany, New Hampshire, qui m'a permis de visiter ses ateliers de moulage et d'observer le fonctionnement de leur imprimante 3D.

Bien sûr, mon mari ingénieur m'a aidée sur ce projet. Lui qui ne se gêne pas pour dire qu'il a très peur de son épouse diabolique a passé une demi-journée à imaginer avec Jeff les différents usages illégaux qui pourraient être faits de cette machine infernale. Anthony, mon amour, je te retourne donc le compliment. Notre fille aussi mérite une salve d'applaudissements, d'abord pour ses conseils vestimentaires lors des événements médiatiques, mais également pour son exceptionnelle qualité d'écoute. J'ai souvent recours à elle quand j'ai besoin de résoudre tel ou tel problème au niveau de l'intrigue. Elle croit que je la conduis à ses cours d'équitation par simple obligation, alors qu'en réalité c'est pour l'utiliser comme caisse de résonance.

Toutes mes félicitations aux vainqueurs du tirage annuel « Kill a Friend, Maim a Buddy » sur LisaGardner .com. Bravo à Sally Schnettler qui a proposé d'occire Marlene Bilek. À Michelle Brown qui a suggéré le nom de Brittany Kline pour le personnage de la veilleuse de nuit. Le lauréat au plan international habite Istanbul et s'appelle Berrin Vural Celik. Il a donné le nom de sa fille Sare Celik à la neurologue qui soigne Nicky. Je remercie vivement Jean Huntoon à qui sa généreuse donation au Rozzie May Animal Alliance a valu de figurer parmi les personnages de ce roman. Merci, Jean, de soutenir cette valeureuse fondation ainsi que tous les animaux de compagnie vivant dans notre petite communauté.

Enfin, un hommage particulier à Sierra, notre regrettée chienne shetland, le membre de la famille qui aimait le plus les câlins. Nous l'avons perdue en août. Elle nous manque.

PAPIER À BASE DE
FIBRES CERTIFIÉES

Le Livre de Poche s'engage pour
l'environnement en réduisant
l'empreinte carbone de ses livres.
Celle de cet exemplaire est de :
450 g éq. CO$_2$
Rendez-vous sur
www.livredepoche-durable.fr

Composition réalisée par Lumina Datamatics

Achevé d'imprimer en novembre 2018, en France sur Presse Offset par
Maury Imprimeur – 45330 Malesherbes
N° d'imprimeur : 231931
Dépôt légal 1re publication : janvier 2019
LIBRAIRIE GÉNÉRALE FRANÇAISE – 21, rue du Montparnasse – 75298 Paris Cedex 06

65/0819/2